Tunichtgut und Tunichtböse

Walter Christian Kärger, geboren 1955 in Memmingen/Allgäu, studierte an der Hochschule für Fernsehen und Film und arbeitete dreißig Jahre als Drehbuchautor in München. Über hundert seiner Drehbücher wurden für Kino oder TV verfilmt. Er lebt als Romanautor in Memmingen.

WALTER CHRISTIAN KÄRGER

Tunichtgut und Tunichtböse

Ein Fall für Kommissar Max Madlener

BODENSEE KRIMI

emons:

Bibliografische Information der Deutschen Nationalbibliothek
Die Deutsche Nationalbibliothek verzeichnet diese Publikation
in der Deutschen Nationalbibliografie; detaillierte bibliografische
Daten sind im Internet über http://dnb.d-nb.de abrufbar.

© Emons Verlag GmbH
Alle Rechte vorbehalten
Umschlagmotiv: photocase.com/Livepiccs.de
Umschlaggestaltung: Nina Schäfer, nach einem Konzept
von Leonardo Magrelli und Nina Schäfer
Gestaltung Innenteil: César Satz & Grafik GmbH, Köln
Lektorat: Carlos Westerkamp
Druck und Bindung: CPI – Clausen & Bosse, Leck
Printed in Germany 2018
ISBN 978-3-95451-527-1
Bodensee Krimi
Aktualisierte Neuauflage

Unser Newsletter informiert Sie
regelmäßig über Neues von emons:
Kostenlos bestellen unter
www.emons-verlag.de

Prolog

»Was hast du vor, wenn du hier rauskommst?«

Giovanni saß im Rollstuhl am Billardtisch, sein unvermeidliches Baseballkäppi der New York Yankees mit dem Schild nach hinten im Stil der Hip-Hopper auf dem Kopf, obwohl er die sechzig bereits überschritten hatte. Er zielte mit seinem Queue auf die weiße Kugel, die die schwarze Acht im mittigen Loch der Bande versenken sollte, was nicht ganz einfach war, denn sein Gegner hatte ihm die letzte Kugel nicht nah genug und im falschen Winkel vorgelegt. Aber Giovanni war ein Kunstschütze mit allem, was rund war, und mit dem nötigen Effet konnte es trotzdem gelingen. Vor dem entscheidenden Stoß zum Spielgewinn äugte er noch einmal hoch zu Aigner, der die Lederspitze seines Queues mit der blauen Kreide bearbeitete und nicht damit aufhörte, weil er mit seinen Gedanken ganz woanders war.

»Sag schon – bist du endlich vernünftig geworden? Was willst du machen?«

Sie waren allein im Gemeinschaftsraum in der Justizvollzugsanstalt Singen, zwei alteingesessene Knastbrüder mit einem Vorstrafenregister so lang wie die Beipackzettel auf ihren Blutdruckmedikamenten.

Aigner war das glatte Gegenteil von Giovanni, der sich mit der gesiebten Luft abgefunden und mit seiner Situation arrangiert hatte – aber er hatte auch keine anderen Optionen. Im gleichaltrigen Aigner, der eine Vollglatze hatte, die von hinten glänzte wie die Billardkugeln vor ihnen, brodelte noch immer das Magma aus Wut, Hass und Vergeltung, es war nie erkaltet oder abgestumpft wie bei den meisten anderen Langzeitinsassen. Und gestern hatte Aigner diesen Anruf bekommen, der ihn vollkommen fertiggemacht hatte. Giovanni wusste nicht, warum, Aigner wollte nicht darüber sprechen, aber er konnte das lodernde Feuer in dessen Augen erkennen. Giovanni war Aigners allgemeine Gemütslage bekannt, er hatte lange genug mit ihm eine Zelle geteilt, um zu wissen, in welcher Verfassung sein Gegenüber war. Aber jetzt, ein Jahr vor dessen Entlassung, wollte er hören, ob Aigner immer noch so schräg drauf war wie früher, als die Freiheit noch in weiter Ferne war, oder ob ihm die Haft das letzte bisschen Mark aus den Knochen gesaugt hatte wie allen anderen auch.

Aigners Augen, die normalerweise durch seine herunterhängenden Lider immer etwas schläfrig wirkten, blitzten, als er sich umsah, um sicherzugehen, dass niemand in der Nähe war, der sie hätte belauschen können. Giovanni hatte Aigners einzigen wunden Punkt getroffen, und der sah in diesem Moment keine Veranlassung, seinen Gefühlen nicht freien Lauf zu lassen, die er lange genug überspielt und unterdrückt hatte. Der gestrige Anruf hatte ihm noch den Rest gegeben und das Fass zum Überlaufen gebracht. Sie waren in diesem Moment ganz unter sich, die anderen Gefängnisinsassen waren alle im Freien. Durch das offene Fenster, das zum Hof und auf das Ballspielfeld hinausging, ertönten lautes Gejohle und Pfiffe.

Aigner wandte sich Giovanni zu. »Ich will dir sagen, was ich vorhabe. Ich werde dieses beschissene eingebildete Schwein fertigmachen. Wenn ich hier rauskomme, ist der feine Herr geliefert. Ich werde ihn gründlich auseinandernehmen. Ihn und seine ganze Familie. Alles, was der falsche Hund sich aufgebaut hat, seinen Ruf und seine Reputation – alles werde ich vernichten, seine Frau, seinen Sohn – alles.«

Er sprach mit einer zunehmenden Leidenschaft und Intensität, die ihn am Ende fast nur noch spucken ließ, so redete er sich in Rage.

»Scheißegal, wohin er geht oder was er unternimmt – ich werde schon da sein. Wie der Hase und der Igel, nur nicht so lustig. Scheißegal, in welchem Rattenloch er sich versteckt – ich finde ihn. Ich bin sein Schatten, was er auch tut, er kann mich nicht abschütteln. Wenn er am Morgen die Augen aufmacht, stehe ich über ihm. Und wenn er einschläft, was ihm nur noch selten gelingen wird, erscheine ich in seinen Träumen. Du kannst mir glauben – es werden Alpträume sein. Er und seine ganze Familie – sie werden keine ruhige Sekunde mehr haben, bis alles weg ist. Geld, Ehrbarkeit, Sicherheit. Ich werde diese Familie zerstören, so, wie er mich zerstört hat. Ich werde diesem scheinheiligen Schwein für immer im Nacken sitzen. Bis zu dem Tag, an dem er sich endlich auf ein Brückengeländer oder das Dach eines Hochhauses stellt und springt. Nur um mich aus seinem Kopf zu kriegen. Das ist es, was ich vorhabe.«

Giovanni schniefte, dann senkte er seinen Blick, visierte die Spielkugel an und stieß zu. Die schwarze Acht wurde elegant eingelocht, und Giovanni sah Aigner triumphierend an, bevor er seinen Queue auf dem Billardtisch ablegte. »Hoffentlich hast du nicht vor, diesen Sermon unserer Anstaltspsychologin zu beichten. Ich glaube kaum, dass das die richtige Strategie wäre, um hier rauszukommen.«

»Für wie bescheuert hältst du mich?«

»Willst du das wirklich wissen?«

Statt einer Antwort warf Aigner Giovanni nur einen Blick zu, der ihn schaudern ließ. Giovanni schüttelte den Kopf und meinte: »Dann will ich es dir auch sagen: Ich bin froh, wenn sie dich rauslassen. Tick, tick, tick.« Er klopfte mit seinem linken Zeigefinger an seine Schläfe. »Ich kann es regelrecht hören. Du bist eine lebende Zeitbombe, Aigner. Und ich möchte weiß Gott nicht in der Nähe sein, wenn sie explodiert.«

Damit drehte er seinen Rollstuhl geschickt in einer einzigen flüssigen Bewegung herum und fuhr auf den Gang hinaus.

Aigner starrte auf die weiße Kugel auf dem grünen Filz, stellte sich breitbeinig hin und versenkte sie mit seinem Queue über zwei Banden, bevor er ihn auf den Tisch warf, die Augen schloss und lauschte.

Auch er konnte das Ticken in seinem Kopf hören. Laut und deutlich. Schon seit Langem. Aber seit gestern war es noch lauter geworden. Es würde so lange andauern, bis er getan hatte, was er tun musste.

Vielleicht konnte er dann endlich Frieden finden.

1

Er sah sich ein letztes Mal in seiner Einzelzelle um. Bett, Regal, Schrank, Tisch, Stuhl, Waschbecken, WC. Alles sauber, alles leer geräumt. Auch die Bilder, zehn an der Zahl, bei jedem Besuch seiner Nichte eines, die er an die Wand über seinem Bett gepinnt hatte, alles ungelenke, aber liebevolle Kinderzeichnungen, hatte er abgenommen und sauber zusammengerollt. Sie waren sein kostbarster Besitz, die einzigen Erinnerungen an jemanden, den er bedingungslos und aufrichtig geliebt hatte. Daran durfte er jetzt nicht denken, sonst würden ihn seine Gefühle wieder überwältigen, und das brach ihm das Herz. Dies war nicht der richtige Zeitpunkt, um in Melancholie und Trauer zu versinken. Dazu war später noch Gelegenheit genug.

Jetzt ging es darum, erhobenen Hauptes die Zelle für immer zu verlassen. Kein Fitzelchen würde er zurücklassen, das an ihn erinnerte, weil er in dieser Hinsicht abergläubisch war – für nichts in der Welt würde er diesen Raum noch einmal betreten wollen, lieber wäre er tot. Die acht Quadratmeter, die er weiß Gott unzählige Male mit seinen Schritten durchmessen hatte, wenn er wieder einmal nicht schlafen konnte, waren die letzten zwei Jahre sein Wohnklo gewesen, gewissermaßen sein Zuhause. Bei diesem Gedanken war ihm nicht nach einem Grinsen zumute, im Gegenteil, ein Schauder der Beklemmung kroch ihm den Rücken hoch. Er war jenseits der sechzig und hatte seine besten Jahre hinter sich, darüber machte er sich keinerlei Illusionen.

Aigner warf einen Blick durch das vergitterte Fenster hinaus auf den Innenhof der Justizvollzugsanstalt Singen, auf die liebevoll gepflegten Blumenbeete, den Fischteich und das Ballspielfeld. Es regnete in Strömen, doch Giovanni, der Rollstuhlfahrer, der wegen mehrfacher Sexualdelikte noch drei Jahre abzusitzen hatte – bei der Doppelbedeutung des Ausdrucks »absitzen« schlich sich doch ein bitteres Lächeln in Aigners Gesicht –, war trotzdem mit seinem Baseballkäppi als einzigem Schutz gegen den Regen unermüdlich wie jeden Tag, egal, ob es schneite, aus

Eimern schüttete oder die Sonne vom Himmel brannte, damit beschäftigt, seinen Basketball in den Korb zu werfen. Giovanni war von der Hüfte abwärts gelähmt, eine Kugel aus dem Lauf seiner eigenen Beretta 92, Kaliber 9x19 mm, die ihm sein letztes Opfer im Handgemenge hatte entreißen und abfeuern können, hatte ihm das Rückenmark zerfetzt. Seitdem war er an den Rollstuhl gefesselt, aber für haftfähig erklärt worden. Trotz seines körperlichen Handicaps traf Giovanni fast immer in den Korb, und am Abend notierte er in einer penibel geführten Kladde, wie oft er in sechzig Minuten eingelocht hatte. Auch so konnte man die Zeit totschlagen.

Aigner hatte mit Giovanni über ein Jahr die Zelle geteilt, bevor ihm die Einzelzelle zugewiesen worden war. Man hatte sich viel zu erzählen in den langen, schlaflosen Nächten, es war wie eine Beichte ohne Absolution. Und davon hatte er im Lauf der Jahre einige angehört von Männern, mit denen er zusammengelegt worden war.

Er drehte sich vom Fenster weg. Nein, er würde diesen Ausblick ganz und gar nicht vermissen. Die Justizvollzugsanstalt Singen, ein gutes Dutzend Kilometer vom Bodensee entfernt im südwestlichen Zipfel von Baden-Württemberg gelegen, war ein Seniorengefängnis, eine altersgerechte Strafanstalt für Knackis über zweiundsechzig, rollstuhlgeeignet und mit relativ lockerem Vollzug. Die Zellen standen von sieben Uhr morgens bis zweiundzwanzig Uhr abends offen, es gab ein Fitnessstudio, Bastel-, Koch- und Gymnastikkurse, Billard, Tischtennis und eine gut bestückte Bibliothek. Das reinste Sanatorium, wenn man davon absah, dass man keinen Schlüssel für den Eingang besaß und nach keiner adretten Krankenschwester klingeln konnte, die einem nachts das flach gelegene Kopfkissen aufschüttelte.

Aigner hatte Glück gehabt, dass er für seine Reststrafe hierher nach Singen am Hohentwiel verlegt worden war. In der Pension Sing-Sing, wie die JVA im Knastjargon genannt wurde, waren das Totschlagen der Zeit und das Überleben – und nur darauf kam es an – wesentlich einfacher, es gab keine Nazigang, die einen terrorisierte, keine Russenmafia, die einen drangsalierte, und altersbedingt auch weniger Machos, die sich daran aufgeilten, andere zu tyrannisieren. Pension Sing-Sing war sozusagen das Altersheim unter den Haftanstalten. Es verging kaum ein Monat, in dem nicht der schwere schwarze Leichenwagen mit Milchglasfenstern, in dessen Heckscheibe gekreuzte Palmwedel eingeätzt waren, die doppelt gesicherten Eingangstore passierte und einer der »Mitinsassen«, wie das auf Vollzugsbeamtendeutsch lautete, seine letzte Fahrt antrat.

Das wenigstens blieb ihm erspart. Er würde hocherhobenen Hauptes und auf eigenen Füßen mit seinem Karton und seinem Koffer die ersten Schritte in die endgültige Freiheit machen. Stückchenweise hatte er das schon im Rahmen des offenen Vollzugs ausprobiert, aber von nun an würde er nicht mehr zurückkehren müssen. Der eine von zwei Menschen, an denen ihm etwas lag, seine Nichte Emma, würde auf ihn warten und ihn mit dem Auto abholen. Das hatte sie ihm hoch und heilig bei einem ihrer seltenen Besuche versprochen. Er atmete tief ein und wieder aus. Nur für diesen Augenblick hatte er durchgehalten.

Sein gepackter Koffer stand unter dem Waschbecken, das liebevoll mit Geschenkpapier eingewickelte Päckchen mit der roten Schleife lag auf der sorgfältig geglätteten und gefalteten Zudecke seiner Schlafpritsche, damit er es nicht vergessen konnte, und sein einziger persönlicher Besitz von Wert, eine faustgroße Buddhastatue aus Bronze, wartete mit einem feinen Lächeln und auf Hochglanz poliert auf dem Tischchen beim Fenster. Er entdeckte einen winzigen Fleck auf ihr und hauchte darauf, bevor er ihn mit seinem Taschentuch wegputzte und sie ebenso wie das Päckchen in den Karton steckte, in dem er seine restlichen Siebensachen, die nicht mehr in den Koffer passten, untergebracht hatte.

Jetzt war es so weit, er hörte schon die sich nähernden Schritte des Vollzugsbeamten auf dem Gang, der ihn nach draußen begleiten würde. Er klemmte sich den Karton unter den Arm und packte mit der freien Hand den Griff seines Koffers. Er war bereit für die Freiheit, so bereit, wie man nur sein konnte.

Dies war die eine Seite der Medaille, die für die Direktorin der JVA, die Anstaltspsychologin und das Wachpersonal. Und für seine Nichte, bei der er vorläufig unterkommen sollte. Aber jede Medaille hatte zwei Seiten. Von der Kehrseite wusste niemand. Nur er selbst. Und sein langjähriger Knastbruder Giovanni. Jahrelang hatte er daran gearbeitet, was er nach seiner Entlassung machen würde. In seinem Kopf. Sein Plan war einfach und klar: Rache und Genugtuung um jeden Preis. Selbst um den seines Lebens. Das war es ihm wert.

Der übergewichtige Vollzugsbeamte Schneider klopfte pro forma an den Türrahmen und fragte: »Sind Sie so weit, Herr Aigner?«

»Bereit, wenn Sie es sind, Herr Schneider«, antwortete Aigner und versuchte so zu lächeln, dass es möglichst echt aussah.

Als die schwere Seitentür ins Schloss gefallen war und Aigner endlich außerhalb der Gefängnismauern stand, schloss er erst einmal die Augen und sog die Luft tief ein. Aber irgendwie roch sie nicht nach Freiheit, sondern nach Diesel. Er öffnete die Augen wieder und sah, dass ein schwarzer 5er BMW mit laufendem Motor rechts neben ihm am Bürgersteig die Abgase produzierte, die ihm in die Nase gestiegen waren. Das konnte nicht seine Nichte sein, sie fuhr einen roten VW Polo, der mindestens zehn Jahre alt war. Aigner beschloss, zum Vordereingang zu gehen, wahrscheinlich wartete Emma dort auf ihn.

Er marschierte zielstrebig los und beschleunigte seine Schritte, weil es immer noch regnete und er nicht wollte, dass die Sachen in seinem Karton nass wurden. Er hörte, dass der BMW mit quietschenden Reifen Gas gab und nun, als er auf seiner Höhe war, verlangsamte, neben ihm herschlich und der Fahrer das Seitenfenster herunterfahren ließ. Aber Aigner blickte stur geradeaus.

»He, Aigner!«, sprach ihn der Fahrer an, ein kräftiger Mann mit schwarzen gegelten Haaren, dunklen Augenbrauen und einem hellgrauen Anzug mit schwarzer Krawatte. Er beugte sich zu Aigner herüber, sodass ihn dieser erkennen musste. »Komm schon, steig ein. Wir müssen reden.«

Aigner blieb abrupt stehen. In der Ferne, am videoüberwachten Haupteingang, wartete der rote Polo. Der BMW hatte ebenfalls abgebremst, der Fahrer spekulierte wohl darauf, dass Aigner bei ihm einsteigen würde, denn der Regen wurde stärker, aus dem Tröpfeln war ein veritabler Landregen geworden.

Aigner sagte noch immer kein Wort. Er stellte seinen Koffer ab, daneben seinen Karton, nahm den massiven Buddha heraus und wuchtete ihn mit voller Kraft gegen die Windschutzscheibe. Einmal, zweimal, dreimal. Das Sicherheitsglas zersplitterte in abertausend Facetten, zerbrach aber nicht. Aigner packte seinen Buddha in aller Seelenruhe wieder weg, nahm Koffer und Karton auf und eilte nun, so schnell es ihm seine körperliche Konstitution erlaubte, durch den prasselnden Regen zum Polo, wo ihm seine Nichte schon die Heckklappe für sein Gepäck aufgemacht hatte. Er warf Koffer und Karton hinein, schmiss die Klappe zu, ließ sich auf den Beifahrersitz fallen und fuhr mit ihr davon, während der BMW-Fahrer nach dem ersten Schreck endlich reagiert hatte, ausgestiegen war und fassungslos den Totalschaden ansah, den Aigner auf der Windschutzscheibe seines Autos hinterlassen hatte.

Er griff in seine Innentasche, holte das Smartphone heraus und drückte eine Nummer. »Ich bin's. Es ist, wie ich gesagt habe. Er lässt nicht mit sich reden.«

2

»Wie hast du das angestellt?«, fragte Hauptkommissar Max Madlener kopfschüttelnd seine Assistentin Harriet, die ihm am Doppelschreibtisch gegenübersaß und die Unschuld in Person verkörperte, obwohl sie wie immer wie ein Kobold aussah, egal, wie ihre gewagten Frisuren gerade, je nach Lust und Laune, gestylt waren – diesmal hatte sie pinkfarbene Strähnen mit grünen Enden in ihren schulterlangen, glatten schwarzen Haaren. Seit Neuestem war ihr Nasenpiercing verschwunden, dafür aber durch eines an der rechten Augenbraue ersetzt worden.

Es war Sommer, die halbe Polizeidirektion Friedrichshafen war im Urlaub, und anscheinend hatten die Straftäter im gesamten Bodenseeraum ebenfalls eine Verschnaufpause eingelegt, jedenfalls war momentan außer dreier Bagatellvorfälle nichts auf der Agenda der Kripo, was nachhaltige Ermittlungsarbeit dringend erforderlich gemacht hätte. Dabei handelte es sich um einen Ladendiebstahl in einem Drogeriemarkt in Überlingen, bei dem die schusselige Diebin zweiunddreißig Tuben mit Gebisshaftcreme für ihre Oma zum Geburtstag hatte mitgehen lassen und dabei prompt erwischt worden war, einen erfolglosen Einbruchsversuch mit geringem Sachschaden in ein mickriges Segelboot namens »Big Spender« im Immenstaader Hafen und einen Unfall mit Anfangsverdacht auf Fremdeinwirkung auf dem Friedrichshafener Hauptfriedhof, bei dem ein Grabstein umgekippt und auf die grabpflegende Witwe gefallen war, die sich dabei den Fuß eingeklemmt hatte und aus Angst davor, dass ihr verblichener Gatte ihr noch aus dem Sarg heraus ans Leder wollte, um Hilfe schrie, weshalb die Polizei gerufen worden war.

Harriet, die wusste, dass sie sich bei ihrem Chef Madlener mehr Freiheiten herausnehmen konnte, als es bei Kriminaldirektor Thielen auch nur ansatzweise statthaft gewesen wäre, und dies auch weidlich ausnutzte, war gerade dabei, sich ihre Fingernägel abwechselnd schwarz und pink zu lackieren, passend zu ihren

Haarsträhnen und den dicken Kajalstrichen, die ihre Augen und die langen Wimpern betonten.

In Ermangelung aktueller Fälle hatten sie sich wieder einmal die Altakten aus dem Archiv vorgenommen. Die Leitzordner stapelten sich auf dem Boden ihres Büros, das ehemals eine Abstellkammer im Gebäude der Verkehrspolizei gewesen war. Nachdem sie beide unter Einsatz ihres Lebens vor einem Jahr mit der Aufklärung mehrerer Morde die Büchse der Pandora geöffnet und die schrecklichen Missbrauchsfälle im Jan-Hus-Internat ans Licht des Tages gebracht und damit eine Lawine ausgelöst hatten, die das Internat hinwegfegte, waren sie noch lange mit der Aufarbeitung und dem sich bis in die Gegenwart hinziehenden Rattenschwanz aus Zeugenaussagen, Vernehmungen, Protokollen und Gerichtsverfahren beschäftigt gewesen. Kriminaldirektor Thielen, der unverfroren die Lorbeeren eingeheimst hatte, was Madlener und Harriet gar nicht so unrecht war, weil ihr Chef deshalb im Fokus der Öffentlichkeit stand, was er offensichtlich genoss, und sie so unfreiwillig aus der Schusslinie genommen hatte, war nicht umhingekommen, seinem erfolgreichen Ermittlerduo ein adäquates Büro im Präsidium anzubieten. Das hatte Madlener aber nachdrücklich abgelehnt. Er fühlte sich im alten Gebäude der Verkehrspolizei, einen Steinwurf vom Präsidium entfernt, gut genug aufgehoben.

Ihm und Harriet war es bedeutend lieber, im Abseits ihrer Arbeit nachgehen zu können und nicht ständig in Thielens Radarbereich zu sein. Es reichte schon, dass er sie und die anderen Kollegen regelmäßig zu sich in den Besprechungsraum zu einem »Update« beorderte, wie der tägliche Jour fixe neuerdings von ihm genannt wurde – »Schtatus-Meeting«, schwäbisch intoniert, war anscheinend out. Auch wenn es dann nichts Wichtigeres zu besprechen gab als die ständige Ebbe in der Kaffeekasse, die inflationäre Benutzung des Kopiergerätes oder die Neuvergabe der nicht ausreichend vorhandenen Dienstparkplätze.

Noch einen Tag vor seinem Jahresurlaub, den alle herbeigesehnt hatten, um ihren anstrengenden Chef einmal vier Wochen lang nicht sehen zu müssen, hatte Thielen eine vierzigminütige Motivationsrede hingelegt, die er wohl im Gedenken an Jürgen

Klinsmann abhielt, der vor dem WM-Spiel gegen Polen anno 2006 derart in die Impulskiste gegriffen hatte, dass die Spieler nach neunzig Minuten noch so von sich berauscht waren, dass sie gleich fünf Ehrenrunden zusätzlich liefen und anschließend von Muskelkrämpfen geplagt umfielen. Im Gegensatz dazu waren die Auswirkungen des brennenden Appells von Thielen aber doch eher kontraproduktiv. Madlener schaltete, sobald der Kriminaldirektor sich in seinen Redeschwall hineinsteigerte, sowieso grundsätzlich ab, obwohl er sich den gegenteiligen Anschein gab – den Gesichtsausdruck interessierter und zustimmender Dreiviertelbegeisterung mit gleichzeitig konzentriertem Stirnrunzeln hatte er seit seinem Dienstantritt im letzten Jahr bis zur Perfektion entwickelt. Harriet bewunderte ihn dafür, sie musste bei diesen Sitzungen immer dagegen ankämpfen, dass sie unweigerlich mühsam beherrschbare Gähnanfälle bekam und das Gefühl hatte, ihre Augenlider wären plötzlich tonnenschwer.

Die Ansprache Thielens war gespickt mit unzähligen Anglizismen und wurde mit dem üblichen schlechten Altherrenwitz beendet, bei dem seine tüchtige Sekretärin Frau Gallmann als Einzige immer rot anlief, obwohl sie ihn auch schon oft genug gehört hatte, während der männliche Teil der Belegschaft pflichtgemäß auflachte. Nur Madlener und Harriet lachten nicht – Madlener, weil er mit seinen Gedanken ganz woanders war, und Harriet, weil sie mit offenen Augen geschlafen hatte, ein Kunststück, das ihr nur bei einer Thielen-Ansprache gelang, obwohl sie es in ihrem Yogakurs zigmal vergeblich versucht hatte. Die Übung hieß dort »Dem Drachen in die Augen sehen«.

Thielen zahlte den obligatorischen Obolus in die Chauvi-Kasse, die ihm Frau Gallmann kommentarlos hinhielt – sie war ein besonders hässlicher moosgrüner Sparelefant aus den Beständen der untergegangenen Dresdner Bank, der aus unerklärlichen Gründen alle Wegwerfaktionen von überflüssiger Nippesdeko aus mehreren Kripogenerationen überlebt hatte. Während Frau Gallmann umgehend den Sparelefanten schlachtete, zog sich ihr Chef, begeistert von seiner rhetorischen Glanzleistung und der dadurch hervorgerufenen immensen Stärkung des Teamgeists, erschöpft, aber gleichzeitig beseelt in sein Büro zurück. Seine, was die Chauvi-Kasse anging, strenge, ansonsten absolut loyale Sekretärin sammelte noch rasch die herumliegenden Schmierzettel ein, auf denen sich alle eifrig Notizen gemacht zu haben schienen, und entsorgte sie im Schredder. Sie vermied es tunlichst, dass Thielen sie zu Gesicht bekam, denn es waren nur Strichmännchen, unleserliches Gekritzel und geometrische Figuren in allerlei Variationen darauf.

Madlener stand auf und wollte das widerspenstige Fenster öffnen, das immer klemmte und nur mit roher Gewalt aufzubekommen war. Es stank penetrant nach dem Nagellackentferner, den Harriet vorhin benutzt hatte, weil die erste Grundierung ihrer Fingernägel nicht zu ihrer vollen Zufriedenheit ausgefallen war. Sie beobachtete Madlener interessiert bei seinem Kampf mit dem Fensterflügel und wedelte dabei sanft mit ihren Händen hin und her, um den Lack zu trocknen.

»Also, nun sag schon«, forderte Madlener sie auf, während er ruckartig am Kipphebel zerrte und rüttelte. Mist, Mist, Doppelmist. »Wie hast du das angestellt?«

»Willst du das wirklich wissen?«, lautete ihre rein rhetorisch gemeinte Gegenfrage, bevor sie sich wieder ganz auf ihre Maniküre zu konzentrieren schien, obwohl Madlener genau wusste, dass Harriet geradezu ein Paradebeispiel für Multitasking war.

Endlich gab das widerspenstige Fenster nach, Madlener atmete auf und die frische Luft ein, kehrte an seinen Platz hinter dem Schreibtisch zurück und nahm wieder die zwei Kopien in die Hand, die Harriet ihm bei Dienstbeginn kommentarlos hingelegt hatte. Es waren Auszüge aus seiner Personalakte, die ausschließlich Kriminaldirektor Thielen einsehen durfte. »Du weißt, wenn dich jemand dabei erwischt hätte, wäre ein ziemlich unangenehmes Disziplinarverfahren das wenigste gewesen.«

»Hätte, hätte, Fahrradkette …«, entgegnete Harriet schnippisch und blies auf ihre Nägel. »Wollen Sie mich jetzt auffliegen lassen dafür, dass ich Ihnen einen Gefallen getan habe, Herr Hauptkommissar?«

Wenn sie unter sich waren, duzten sie sich normalerweise. Madlener hatte es nur für recht und billig gehalten, seiner Assistentin, die gut ein Vierteljahrhundert jünger war als er mit seinen fünfzig, das Du anzubieten, nachdem sie ihm im Internatsfall buchstäblich in letzter Sekunde das Leben gerettet hatte. Aber im Beisein von anderen und bei offiziellen Anlässen verfielen sie automatisch in den Sie-Status, den Harriet bisweilen auch anwendete, um ihren Partner auf den Arm zu nehmen. Sie kannte seine Schwachstellen, und manchmal konnte sie nicht anders, als ein wenig zu sticheln, weil es ihr einfach Spaß machte. Dabei überschritt sie nie gewisse Grenzen, nur zu gut kannte sie seine Eigenschaft, aus heiterem Himmel wie ein Vulkan zu explodieren, was ihm den vielsagenden Spitznamen »Mad Max« eingebrockt hatte.

»Wenn der Gefallen illegal war und gegen die Dienstvorschriften verstößt, dann sollte ich dich tatsächlich auffliegen lassen.«

»Dazu hätte es aber schon früher zahlreiche Gelegenheiten gegeben«, erinnerte sie ihn gemeinerweise.

»Harriet, das hätte dich Kopf und Kragen kosten können, das war es einfach nicht wert.«

»Ach was«, entgegnete sie, »es war weder riskant noch weiter schwer. Reiner Zufall. Der Chef ist seit gestern auf einer Tagung vom LKA. Ein hohes Tier von Scotland Yard hat da einen Vortrag gehalten, dreimal darfst du raten, was das Thema war ...«

Sie sah ihn mit einem bühnenreifen Unschuldsblick an, der ihn an ein Reh erinnerte, das nachts plötzlich auf der Straße im Scheinwerferlicht stand. Er spielte mit, zuckte mit den Schultern, und Harriet sprach die nackte Wahrheit schonungslos aus: »Thema war ›Leadership, staff motivation and competence development‹.«

»Nein!«, sagte Madlener.

»Doch.« Ungerührt fuhr Harriet fort: »Und Frau Gallmann hat sich gestern ebenfalls einen Tag freigenommen. Sie hatte mich gebeten, die Blumen in ihrem Vorzimmer und dem Büro des Chefs zu gießen.«

»Und ich dachte immer, sie übernachtet im Präsidium.«

»Anscheinend hat sie doch ein geheimes Privatleben. Also bitte: Wer hätte mich dabei erwischen sollen, wenn ich einen kurzen Blick in deine Personalakte werfe – die übrigens einfach so auf dem Tisch lag – und zwei Seiten für dich kopiere, die du schon immer mal einsehen wolltest?«

»Hast du das auch gelesen?«, fragte er.

»Na klar. Man will doch wissen, wem man im Büro gegenübersitzt.« Sie grinste unverhohlen.

Madlener stieß einen tiefen und resignativen Seufzer aus und überflog die Kopien.

HAUPTKOMMISSAR MAX MADLENER
(vertraulich, nur für Herrn Kriminaldirektor Thielen, Kripo Friedrichshafen)

Beurteilung Vorgesetzter:
18 Jahre Kripo Stuttgart, Abtlg. Gewaltverbrechen. Höchste Aufklärungsquote. Zwei Abmahnungen wegen eigenmächtigen und gesetzwidrigen Vorgehens.
Wg. Schusswaffengebrauchs mit Todesfolge Suspendierung vom Dienst. Interne Untersuchung ergab abschließend Notwehrsituation, hat danach selbst um Beurlaubung und anschließende Versetzung zur Kripo Friedrichshafen aus familiären Gründen gebeten.

Beurteilung Psychologischer Dienst:
Stärken: hervorragender Verhörpsychologe und Profiler, kann sich außerordentlich in die Psyche eines Täters hineinversetzen.
Schwächen: leidet selbst unter psych. Defiziten – ignoriert bzw. konterkariert Vorgaben von Vorgesetzten, Autoritätsproblem, kann sich nicht unterordnen. Bisweilen stur, sarkastisch, neigt zu Wutausbrüchen, Einzelgänger, schwer teamfähig. (Streng vertraulich: Unter Kollegen wird HK Madlener wegen seiner zuweilen aufbrausenden Art »Mad Max« genannt.)
Anordnung: HK Madlener hat sich bei erneutem Dienstantritt einer Therapie zu unterziehen!

Handschriftliche Anmerkung Dr. Auerbach, behandelnder Psychiater/Friedrichshafen:

Patient M. M. ist notorisch unpünktlich, ein pathologischer Lügner, gesteuert von seinen verdrängten sexuellen Obsessionen. Leicht reiz- und erregbar in Stresssituationen, erhöhte Vigilanz, Restless-Legs-Syndrom. Schwere Neurose, Hauptmerkmal: Patient stellt zwanghaft ständig neue Ranglisten auf, z. B. die von ihm selbst so genannte (S)hit-Liste für Dinge, die die Welt nicht braucht (nach Aussage des Probanden):

Rang 1: Duravit-Fernbedienung für Klospülungen
Rang 2: sämtliche Musikstücke von André Rieu (?)
Rang 3: Birkenstock-Sandalen

Diagnose nach drei Therapiesitzungen: manische Depression, endogene Psychose, dissoziative Dysthymie und bipolare Störung infolge posttraumatischer Belastungsstörung. Dienstuntauglich.

Empfehle Suspendierung und Versetzung in den Vorruhestand.

Gez. Dr. Dr. h.c. Auerbach

»Ich hab die Fremdwörter gegoogelt«, sagte Harriet grinsend, als Madlener die Kopien wieder weglegte. »Cool, was Sie alles haben, Herr Hauptkommissar.« Sie konnte gar nicht mehr aufhören zu grinsen. »Fehlt eigentlich nur noch das Tourettesyndrom.«

Madlener zog wortlos seine unterste Schreibtischschublade auf, die nur allerlei Krimskrams enthielt, und entnahm ihr einen schweren, altmodischen Wirtshausaschenbecher aus Kristallglas, den er aus unerfindlichen Gründen dort deponiert hatte. Er knallte ihn vor sich auf den Schreibtisch, sodass Harriet zusammenzuckte, stand auf und zündete die Kopien mit einem Feuerzeug an, das er aus seiner Hosentasche herausfischte. Geschickt drehte er die brennenden Seiten über dem Aschenbecher, bis sie komplett verkohlt waren.

»Jetzt habe ich gar nichts mehr«, sagte er dazu. »Wie allen hier im Hause hinlänglich bekannt sein dürfte, bin ich von der Koryphäe Dr. Dr. h. c. Auerbach vollständig rehabilitiert und wieder dienstfähig geschrieben worden. Und jetzt zu Ihnen, Frau Kommissaranwärterin.«

Madlener stützte seine Hände auf den Schreibtisch und beugte sich zu Harriet vor, die seinem Gesicht ansah, dass es ernst wurde. Er veränderte seine Lautstärke kaum, aber Harriet wusste, dass es fast noch schlimmer war, wenn er gefährlich leise wurde wie jetzt.

»Ich schätze zwar Ihren Hang zur Eigeninitiative, Ihren Sinn für unorthodoxes Vorgehen und Ihre Intuition und Sponaneität außerordentlich, schließlich habe ich diesen Eigenschaften mein Leben zu verdanken. Aber ich schätze es nicht, wenn man in meiner Personalakte herumschnüffelt. Zumal wenn man sie auch noch aus dem Büro des Kriminaldirektors klaut!«

»Kopiert«, warf Harriet kleinlaut ein. Es klang fast wie »kapiert«.

Aber Madlener war noch nicht fertig und wechselte urplötzlich von piano auf fortissimo.

»Das war eine bodenlose Dummheit, Harriet Holtby! Und zu Ihrem eigenen Besten werden Sie das nicht noch einmal tun. Dies ist ein dienstlicher Befehl! Haben wir uns verstanden?«

Harriet zögerte, dann schniefte sie vernehmlich, stand auf und packte die Leitzordner mit einem gewaltigen Schwung, den man ihrer zierlichen Figur nicht zugetraut hätte, mitten auf die zwei zusammengestellten Schreibtische.

»Die ungelösten Altfälle. Mit welchem fangen wir an?«

Madlener hatte sich noch nicht beruhigt. »Ist das ein Ja?«, fragte er. »Ich möchte es gern hören.«

Harriet fing seinen Blick ein und nickte kaum merklich.

Madlener akzeptierte mit der gleichen Kopfbewegung und schüttete die verkohlten Kopienreste in den Papierkorb, verstaute den monströsen Aschenbecher wieder in der untersten Schublade und fing an, die Daten auf den Aktenrücken akribisch zu studieren.

Schließlich zog er einen Ordner aus dem Stapel heraus und blätterte oberflächlich darin herum. Dann seufzte er demonstrativ und sagte in versöhnlichem Ton: »Haben wir wenigstens irgendwas *nach* 2000? Wie in Gottes Namen sollen wir einen Vermisstenfall aus dem Jahr 1963 jetzt noch aufklären?«

»Indem wir uns so richtig reinhängen«, erwiderte Harriet mit Nachdruck.

Madlener musste sich mit einem kurzen Blick vergewissern, dass sie es wirklich ernst meinte.

3

»Danke fürs Abholen«, sagte Aigner erst nach einer langen Pause zu der alt gewordenen Frau am Steuer des VW Polo, die seine einzige Angehörige war, die Tochter seiner vor langer Zeit verstorbenen Schwester.

Emma entgegnete nichts und nickte nur. Sie war sechsundvierzig Jahre alt und sah nach gut zehn Jahren mehr aus, was kein Wunder war, wenn er daran dachte, was sie alles durchgemacht hatte. Ihre Haare, die sie lang trug und nicht färbte, waren mit weißen Strähnen durchzogen und die Falten um ihre Augen seit ihrem letzten Besuch noch tiefer und verästelter geworden. Seit einiger Zeit legte sie auch keinen Wert mehr darauf, sich zu schminken, und ihre Haut war vom vielen Rauchen grau und ledrig. Auch jetzt, im Auto, rauchte sie eine Zigarette nach der anderen. Aigner war Nichtraucher, aber er ertrug den Qualm kommentarlos, weil er froh war, überhaupt abgeholt worden zu sein.

Sie fuhren in Richtung Konstanz, wo Emma lebte, und schwiegen. Es hatte aufgehört zu regnen, und tief hängende graue Wolken zogen am Himmel dahin. Obwohl es erst Mitte August war, beschlich Aigner das unangenehme Gefühl, dass der Herbst schon angebrochen war. Verstohlen blickte er zu seiner Nichte, die sich auf den Verkehr konzentrierte.

Emma hatte immer für zwei große Leidenschaften gelebt. An zweiter Stelle kamen ihre Pflanzen. Sie führte den kleinen Blumenladen in Konstanz weiter, den sie von ihrer Mutter geerbt hatte und mit dem sie recht und schlecht über die Runden kam.

Und an erster Stelle war ihre Tochter gekommen, Sophie. Emma war die meiste Zeit alleinerziehend gewesen. Sophie hatte ihren Adoptivvater nie richtig kennengelernt, er war, kurz nachdem sie von Emma und ihrem Mann adoptiert worden war, bei einem Verkehrsunfall ums Leben gekommen. Bei Sophie war im Alter von zwölf Jahren das Hodgkin-Lymphom diagnostiziert worden, eine bösartige Erkrankung des Lymphsystems. Sie war vor gut einem Jahr an einer Lungenentzündung gestorben. Von ihr stammten die Kinderzeichnungen, die Aigner hütete wie einen Augapfel, denn jedes Mal, wenn Emma ihn im Knast besucht hatte, was zwei- oder dreimal im Jahr der Fall war, hatte Sophie ihrer Mutter ein selbst gemaltes Bild mitgegeben.

Sophie war der eine Grund, warum er durchgehalten hatte. Der andere war sein unstillbares Verlangen nach Rache. Jetzt war nur noch der Gedanke an Vergeltung übrig geblieben. Seit Sophies Tod war daraus ein bösartig wuchernder Tumor geworden, der mehr und mehr die Oberhand gewonnen hatte und Aigner die nötige Antriebskraft und Energie lieferte, um so lange weiterzuleben, bis seine Mission erfüllt war.

Seine Nichte Emma hatte ihm angeboten, fürs Erste in Sophies ehemaligem Zimmer zu wohnen, bis er eine endgültige Bleibe gefunden hatte. Sie hatte eine kleine Wohnung über ihrem Blumenladen, und Aigner hatte dankbar angenommen. Seine Pläne waren ganz andere, aber für seine fristgerechte Entlassung aus der Obhut des Staates war das Angebot seiner Nichte Gold wert gewesen und überaus hilfreich. Es zog eine günstige Sozialprognose nach sich, die zuständigen Entscheidungsträger, die über ihn Gutachten erstellten, sahen darin den ersten Schritt zu einer vielversprechenden Wiedereingliederung in die Gesellschaft, und so ging alles seinen geordneten bürokratischen Gang. Mehr wollte Aigner nicht. Dass er, sobald er den Fuß über die Schwelle der JVA Singen gesetzt hatte, ganz andere Pläne verfolgte, wusste weder seine Nichte noch sonst irgendjemand.

Nur bei seinem Knastkollegen Giovanni hatte er einmal die Kontrolle verloren und sein Innerstes nach außen gestülpt. Aber das war einen Tag, nachdem er vom Tod seiner Großnichte erfahren hatte. Diese Nachricht hatte ihn kurzfristig die Fassung verlieren lassen.

Doch das würde nie wieder vorkommen.

»Willst du wirklich als Erstes nach Wollmatingen?«, fragte Emma, als sie Allensbach durchquert hatten und am Gnadensee entlangfuhren. Es war nicht mehr weit nach Konstanz.

»Es ist mir wichtig«, erwiderte er. »Macht es dir was aus?«

»Nein.« Sie schüttelte den Kopf. »Inzwischen nicht mehr. Ich besuche sie jede Woche und bringe frische Blumen für ihr Grab mit. Anfangs war das noch sehr schwer für mich. Aber jetzt nutze ich die Gelegenheit, bei meiner Tochter zu sein und mit ihr zu reden. Für mich ist sie an einem besseren Ort, wo sie keine Schmerzen mehr hat oder ständig Angst davor, keine Luft zu bekommen. Daran glaube ich. Und wenn ich vor ihrem Grab stehe, habe ich das Gefühl, dass sie mich hört und mich versteht.«

Er merkte, dass sie ihn kurz unsicher von der Seite ansah. »Findest du, dass ich nicht mehr ganz bei Trost bin?«

Er zuckte mit den Schultern. »Dann bin ich's auch nicht. Genau aus den gleichen Gründen will ich an ihr Grab.«

Zum ersten Mal stahl sich so etwas wie ein Lächeln auf Emmas Gesicht.

Sie hielten auf dem Parkplatz vor dem Friedhof von Wollmatingen. Das Wetter hatte sich verschlechtert, der Wind hatte noch aufgefrischt und war so kühl geworden, dass Aigner das Gefühl hatte, plötzlich im Oktober gelandet zu sein, als er aus dem Auto ausstieg und einen Blick auf den Friedhof warf. Es war ein dörflich wirkender Gottesacker mit einem schlichten haushohen Betonkreuz, wenigen Bäumen und penibel gestutzten Hecken die Grabreihen entlang, bekiesten Gehwegen und einer kleinen Kapelle auf einer Anhöhe mitten in der weiträumigen Hügellandschaft des Bodanrück. Durch die tief hängenden dunklen Wolken, die vom heftigen Wind getrieben dahinjagten, dem Himmel nah, wie Aigner fand.

Er ging zur Heckklappe, öffnete sie und nahm das kleine, liebevoll mit Geschenkpapier eingewickelte Päckchen mit der roten Schleife heraus, dann hakte er sich bei seiner Nichte ein, die ihn über die Kieswege zum Grab von Sophie führte. Es war ein kleines Kindergrab mit einem weißen Holzkreuz, auf dem ihr Name und Geburts- und Todesdatum standen. Ein Foto von ihr, gegen die Unbilden des Wetters mit einer Plastikfolie geschützt, war mit Heftzwecken daran befestigt. Auf dem Grabhügel war eine Auswahl ihrer Spielsachen drapiert: mehrere Plastikpferdchen, ein billiger Armreif, ein Püppchen. Daneben, hübsch in einer Vase angeordnet, ein buntes Blumensträußchen, das noch sehr frisch aussah.

Sie blieben eine Weile stumm und eingehakt davor stehen, bis Aigner sich löste und einen Schritt näher trat, um das Foto zu betrachten, auf dem ihn ein fröhliches Mädchen anlachte. Er strich mit dem Daumen darüber und musste sich zusammennehmen, vor Emma wollte er nicht zeigen, wie ihn das Arrangement berührte und ihm schier das Herz zu zerreißen drohte. Er war ein erwachsener Mann, der sich in seiner Kindheit das Weinen abgewöhnt hatte, er hatte schmerzhaft gelernt, alles in sich hineinzufressen, und war darüber hart zu sich selbst geworden.

Langsam ging er in die Hocke und legte das Päckchen sanft am Fuß des weißen Holzkreuzes nieder, verharrte so eine ganze Weile mit gesenktem Kopf, bis er wieder aufstand, noch einmal wie zum Gruß nickte und sich umdrehte, Emma am Arm nahm und mit ihr zum Auto zurückging.

»Verrätst du mir, was in dem Päckchen ist?«, fragte Emma, während ihre Schritte im Kies knirschten und ihnen der kalte Wind um die Ohren pfiff.

»Entschuldige, aber das geht nur mich und Sophie etwas an«, erwiderte er und lächelte seine Nichte traurig an. Sie drückte seinen Arm an sich und lächelte ebenso traurig zurück.

Als sie im Wagen saßen, der Motor lief und sie sich erst einmal aufwärmten, fragte Emma, die sich eine Zigarette angezündet hatte und tief inhalierte: »Kommst du jetzt mit mir nach Hause? Du kannst in Sophies Zimmer wohnen, wie ich es dir versprochen habe.«

»Danke für das gut gemeinte Angebot. Aber ich habe schon eine andere Unterkunft. Wenn du mich jetzt noch nach Friedrichshafen fährst, dann bist du mich wieder los.«

»Dein Ernst?«

»Ja. Mach dir keine Sorgen. Ich lasse von mir hören.«

»Ganz wie du willst«, sagte sie, legte den Gang ein und fuhr los.

4

Es hatte aufgehört zu regnen, und die tief stehende Sonne stach so scharf und gleißend durch die sich öffnende Wolkendecke, dass die Insassen des roten Polo die Augen zusammenkneifen und blinzeln mussten, so sehr blendete sie.

Aigner dirigierte Emma am Stadtrand von Friedrichshafen durch ein weitläufiges Industriegebiet, bis die Gebäude und Lagerhallen nach und nach immer baufälliger wurden und sie schließlich zu einer breiten Toreinfahrt mit der Aufschrift »Autoersatzteile & Buntmetalle Gebr. Schwarz« in einer doppelt mannshohen Mauer kamen. Sie fuhren schier endlos an demolierten Autos entlang, die links und rechts in drei Schichten übereinandergestapelt waren. Die Straßenschlucht aus Autowracks mündete in einen großen Platz mit einem Baucontainer in der Mitte, der mit einem Schild als Büro gekennzeichnet war. Davor war in einem riesigen Rund Metallschrott bergeweise aufgetürmt, und ein betagter Bagger mit einer Greifklaue lud unter höllischem Krach alte gerippte Heizkörper von der Ladefläche eines Lastwagens.

Sie hielten vor dem Container, und Aigner stieg aus, Emma blieb hinter dem Steuer sitzen. Er holte seinen Koffer und den Karton aus dem Kofferraum und beugte sich noch einmal durch das heruntergekurbelte Seitenfenster in den Polo.

»Ich melde mich«, sagte er.

Emma machte ein argwöhnisches Gesicht und schrie gegen den Lärm an. »Bist du sicher, dass du hier unterkommst?«

»Hab ich alles schon abgecheckt, mach dir keine Sorgen«, erwiderte er, klopfte zum Abschied auf das Autodach und sah zu, wie der rote Polo zwischen den Reihen der gestapelten Schrottkisten wieder davonfuhr. Als nur noch die Staubfahne übrig geblieben war, packte er Koffer und Karton und marschierte auf den Bürocontainer zu, dessen Tür auch schon von einem drahtigen Mann geöffnet wurde. Er war in Aigners Alter, hatte raspelkurz geschnittene Haare und einen Fünftagebart und trug eine schmutzige Latzhose und einen dazu passenden Kittel, deren ursprüngliche Farbe als Dunkelgrün zu deuten war.

»Immer herein in die gute Stube!« Er winkte und wartete, bis sich Aigner an ihm vorbeigezwängt hatte, bevor er die Tür wieder schloss. »Setz dich, setz dich«, fuhr er fort und machte den einzigen Besucherstuhl frei, der zwischen Gerümpel, Kartons, Metallschränken und -regalen stand, indem er die darauf liegenden Ordner auf einen Stapel mit Kartons packte. Er selbst nahm hinter seinem Metallschreibtisch Platz.

Das Telefon fing an zu klingeln, aber Schwarz ignorierte es einfach. Er wirkte wie ein Mann, der durch nichts und niemanden aus der Ruhe zu bringen war.

»Bierchen?«, fragte er.

»Warum nicht?«, antwortete Aigner.

Schwarz griff in einen Bierkasten, den er im Fußraum deponiert hatte, holte zwei Flaschen heraus, entfernte die Kronkorken geschickt mit einem Schlag an der Kante seines Schreibtischs und stieß mit Aigner an. »Auf die Freiheit!«, sagte er dazu, bevor er die Flasche ansetzte und sie mit hüpfendem Adamsapfel in einem Zug halb leer trank.

»Auf die Freiheit!«, erwiderte Aigner und trank aus Solidarität mit, er mochte eigentlich kein Bier.

Schwarz setzte seine Flasche ab und zog eine Schublade auf, aus der er nacheinander Schlüssel und Papiere hervorkramte und auf den Tisch knallte. »Mein Bruder ist geschäftlich unterwegs, aber er hat mich genau instruiert.«

»Woher wussten Sie, wer ich bin?«, fragte Aigner.

»Ich würde vorschlagen, wir bleiben beim Du«, knurrte Schwarz, und Aigner hob in einer zustimmenden Geste die Hände.

Schwarz grinste und bleckte Zähne, die so makellos waren, dass sie gar nicht echt sein konnten. »Nichts für ungut, aber ein Knastvogel erkennt einen anderen Knastvogel, wenn er ihn sieht. Mein Bruder hat alles so vorbereitet, wie du's bei ihm bestellt hast. Den Wohnwagen zeig ich dir gleich, hier ist der Schlüssel. Ist nicht groß, hat aber alles, was ein Mann so braucht: Stromanschluss, Kochplatte, Kühlschrank, Bett. Nur keine Heizung.

Ist 'n altes Modell. Für den Winter musst du dir was anderes suchen.«

Aigner zuckte mit den Schultern. Was bis dahin war, würde sich ergeben.

Schwarz legte ein Handy auf den Tisch, das er aus einer anderen Schublade herausgezogen hatte, in der noch ein gutes Dutzend weitere waren. »Hier ist ein Prepaidhandy, ein wenig aus der Zeit, aber du wolltest es so.« Er hob einen zweiten Schlüsselbund hoch. »Das sind die Schlüssel für deinen Wagen. Ist eine Reisschüssel.«

»Eine was?«, fragte Aigner irritiert.

»Ein Japaner, Toyota, deine Preisklasse, auf einen Freund vom Schwager meines Bruders zugelassen, der momentan einsitzt. Hat über zweihunderttausend Kilometer auf dem Tacho und ein paar Jahre auf dem Buckel, tut's aber noch, ich hab ihn generalüberholt. Und, Überraschung: Modefarbe Weiß. Wenn was passiert mit ihm, war er gestohlen. Du verstehst, was ich meine.«

Aigner nickte.

Schwarz lehnte sich zurück. »Das war's vorerst. Reden wir über Geld. Mein Bruder hat gesagt, man kann dir vertrauen, du zahlst in Raten. Das geht in Ordnung, solange die Kohle pünktlich auf meinem Schreibtisch liegt. Jeden Monatsersten fünfhundert.«

»Das ist korrekt«, sagte Aigner, zog einen Umschlag heraus und reichte ihn Schwarz, der ihn ohne nachzusehen in seine Brusttasche steckte und aufstand.

»Dann wollen wir mal …«

Drei Stunden später saß Aigner allein in seinem betagten Wohnwagen und studierte eine Straßenkarte vom Bodenseegebiet, die er mit seiner Buddhastatue aus Bronze beschwert hatte. Er sah nachdenklich hoch und aus dem Fenster seines neuen Domizils, das durchdringend nach altem Zigarettenrauch stank und gelb war vom Nikotin, aber dafür konnte er kommen und gehen, wie es ihm passte, und das war das Einzige, was zählte. Die Aussicht war auch nicht gerade atemberaubend, dafür waren keine Gitterstäbe davor. Der Wohnwagen war zwischen einem Dutzend anderer eingeklemmt, die ausgeweidet werden sollten oder es zum Teil schon waren, dahinter ein hoher Maschendrahtzaun mit Stacheldraht als Krönung, der das ganze weiträumige Areal der Gebrüder Schwarz umgab. Hinter dem Zaun waren eine verlassene Kiesgrube und Brachland, das in der Ferne in Felder überging. Gegenüber den Wohnwagen die Wellblechwand einer Lagerhalle, in der unzählige Ersatzteile aufbewahrt wurden, die man noch verwerten konnte. Der Wohnwagen war eine Bleibe, ein besseres Schlupfloch, das war es, mehr nicht. Aber Aigner hatte wenigstens ein Dach über dem Kopf, an reduzierte Lebensumstände war er gewöhnt, er brauchte nicht viel.

Doch er hatte viel vor.

Und heute war der erste Tag seines neuen Lebens. Wie sehr hatte er ihm entgegengefiebert! Er konnte es kaum erwarten, dass es nun endlich losgehen sollte. Er legte seine rechte Hand auf die Glatze des Buddhas, schloss die Augen und fokussierte sein Denken ganz auf seinen Atem. Als er glaubte, sich innerlich genügend gesammelt zu haben, nahm er ein DIN-A2-Blatt und tat das, was ihm durch die enorme Konzentration, die er dazu brauchte, die nötige Ruhe und das Gefühl verlieh, über den Dingen gleichsam zu schweben und sie kontrollieren zu können: Er faltete ein Origami. Aus einem einzigen Blatt Papier, ohne Schere oder Klebstoff, nur durch Falttechnik, gelang es ihm, nach tausendfacher Übung, einen Vogel zu falten oder einen Elefanten oder ein Krokodil. Was auch immer ihm seine Phantasie eingab. Wenn es ihm beim ersten Mal misslang, probierte er es ein zweites Mal. Wenn es sein musste, ein drittes und viertes Mal, bis es perfekt war. So wie das Pferd, das er für Sophie gefaltet hatte und das in dem Päckchen war, das nun als kleines Geschenk unter ihrem Grabkreuz lag. Es war das letzte Origami, das er nur für sie mit all seiner Sorgfalt und Kunstfertigkeit gefaltet hatte. Und mit all der Liebe, zu der er fähig war.

Die nächsten Origami, die er zu falten gedachte, würden Werke des Hasses sein. Genauso raffiniert, aber zu einem ganz anderen Zweck. Sie würden Angst und Schrecken repräsentieren, und der Adressat, für den sie bestimmt waren, würde wissen, was sie darstellten und warum sie gemacht worden waren. Aber

Aigner konstruierte dafür kein Pferd, das war nur für Sophie bestimmt, nein, er faltete einen Skorpion.

Als er damit fertig war, hielt er ihn mit seinen Latexhandschuhen, die er wegen der Fingerabdrücke getragen hatte, ins Licht der Lampe. Ja, der Skorpion war ihm auf Anhieb gelungen. Am schwierigsten war es gewesen, den Stachel hinzubekommen. Aber er war perfekt. Gut, dass er dazu neben den notwendigsten Lebensmitteln extra noch mehrere Bogen schwarzes Papier im Einkaufscenter erworben hatte, so sah der Skorpion noch viel echter und bedrohlicher aus. Als ob er sich plötzlich bewegen und zustechen würde.

Nun musste er nur noch die passende Schachtel für den Skorpion falten.

Nichts einfacher als das.

Er würde ihr die Form eines Sargs geben.

5

Aigner parkte mit dem alten Toyota am Eingang zum Waldfriedhof von Memmingen und stieg aus. Es war früher Nachmittag, ein großes Plakat kündigte an, dass nächste Woche im Krematorium Tag der offenen Tür war.

Die Glocke der Aussegnungshalle gleich links vom Haupteingang fing gerade an zu läuten, Gruppen von schwarz gekleideten Menschen standen auf dem Vorplatz herum, teilweise mit Blumen in den Händen.

Er holte einen Zettel heraus, auf dem ein Grabplatz mit Nummer und Grabreihe notiert war und der dazugehörige Name, Seyfried. In den zehn Jahren, die er abgesessen hatte, war er mit einigen Leidensgenossen auf einer Zelle gewesen, aber angefreundet hatte er sich nur mit ganz wenigen. Seyfried war einer davon gewesen, bis ihn der Krebs dahingerafft hatte, Bauchspeicheldrüse. Es kam aus heiterem Himmel, und die Krankheit war rasend schnell vorangeschritten, ohne Aussicht auf Heilung. Als Seyfried die Diagnose bekommen hatte und wusste, dass ihm nur noch ein paar Wochen blieben, um seine letzten Dinge zu regeln, hatte er die einzige Person, zu der er in der Pension Sing-Sing Vertrauen gefasst hatte, nämlich Aigner, weil dieser wie er aus der Memminger Gegend stammte, am Ballspielplatz beiseitegenommen und in sein wichtigstes Geheimnis eingeweiht. Angehörige hatte er keine mehr, und er wollte ganz aus der Welt verschwinden, so als hätte es ihn nie gegeben. Mit seinem Leben und seiner Vergangenheit hatte er nach dem ersten Schock ohne eine Spur von Reue oder Sentimentalität abgeschlossen und seinen Frieden gemacht. Seinen Leichnam hatte er der Anatomie vermacht – wenigstens einmal wollte er etwas Nützliches für die Menschheit tun, hatte er mit einem selbstironischen Lächeln gesagt.

Während sie im Schatten einer Platane Giovanni zugesehen hatten, der bei sengender Hitze von seinem Rollstuhl aus seine üblichen Würfe mit dem Basketball absolvierte, erzählte er Aigner von seinen Ersparnissen. Sein Leben lang hatte er Leute um ihr Geld betrogen oder es unterschlagen, war mehrfach erwischt worden und als Wiederholungstäter für viele Jahre hinter Gittern gewesen. Ins Detail ging er nicht, das machte keiner im Knast, außer er war von der notorischen Unschuldsfraktion und nervte jeden Neuankömmling mit möglichen Wiederaufnahmeverfahren und Revisionen und wie und warum er Opfer des größten Justizirrtums der Nachkriegszeit geworden war. So einer war Seyfried nicht gewesen, ganz im Gegenteil. Er hatte sich eben einstmals dafür entschieden, sich auf krummen Wegen durchs Leben zu schlagen, und dazu stand er auch, obwohl er nun seinen Traum, sich im Alter nach Thailand zurückzuziehen und den Herrgott einen guten Mann sein zu lassen, kurz vor der Zielgeraden abschreiben musste. Für diesen Traum hatte er vorgesorgt und das dazu nötige Kapital ganz altmodisch versteckt. Nicht auf einem Offshorekonto, sondern auf die antiquierte Art, wie das Oetker-Lösegeld – nur dass er es absolut wasserdicht und insekten- und wurmsicher verpackt hatte, bevor er es vergrub. In Dollarscheinen. Der D-Mark hatte er schon seit der Oetker-Entführung nicht mehr getraut und dem Euro erst recht nicht.

Als Aigner sich das angehört hatte, konnte er es zunächst nicht glauben. Aber Seyfried hatte ihm versichert, dass er keine Witze machte, und ihn eingeweiht, wo das Geld war. Aber nun konnte er nichts mehr damit anfangen. »So spielt das Leben!«, meinte er achselzuckend und überreichte Aigner den Zettel mit der Nummer und dem Namen darauf. »Das Familiengrab«, sagte er und kicherte. Nur dass es keine Familie mehr gab, aber die Grabstelle hatte er angeblich für zwanzig Jahre im Voraus bezahlt. Drei Tage später war Seyfried tot.

Und jetzt stand Aigner am Eingang zum Friedhof und kam sich wie ein einfältiger Esel vor, weil er Seyfrieds Geschichte Glauben geschenkt hatte. Doch einen Versuch war es wert. Wenn das der letzte Scherz eines alten Gauners gewesen war, dann hatte er nur einen Tag verschwendet und war umsonst nach Memmingen gefahren. Zeit war etwas, das er im Überfluss besaß, aber wenn die Geschichte wirklich stimmte, dann hatte er bald mehr als genug Kapital, um seinen Plan reibungslos durchzuziehen.

Leben für Leben, Auge für Auge, Zahn für Zahn, Wunde für Wunde – er hatte das Bibelzitat verinnerlicht, lange Nächte hatte er damit verbracht, sie zu studieren. Die erhoffte Läuterung war ausgeblieben, aber es hatte geholfen, die Zeit zu vertreiben. Beim Gedanken daran kroch brennender Hass wie bittere Galle die Kehle hoch und drohte wie so häufig auch seinen Geist zu verätzen. Das durfte er nicht zulassen, für sein Vorhaben brauchte er einen klaren Kopf und ein kühles Herz.

Bevor er zum Friedhof gefahren war, hatte er einen Baumarkt aufgesucht und sich einen Sack Blumenerde, Gartenhandschuhe, eine kleine Harke und eine Schaufel gekauft. Er ging an ein paar halbwüchsigen schwarz gekleideten Mädchen vorbei, die mit leerem Blick zu Boden starrten oder in Taschentücher schnäuzten, und studierte auf einer Schautafel den Friedhofsplan. Dann holte er sich eines der zweirädrigen Handwägelchen, die für die Grabpflege gleich rechts neben dem Eingang bereitstanden. Er kehrte damit zu seinem Auto zurück und öffnete den Kofferraum, packte seine Einkäufe auf das Wägelchen und zog damit in den Friedhof.

Er musste warten, bis die Trauergemeinde, die eben gemessenen Schrittes aus der Aussegnungshalle kam und hinter dem Sarg herdefilierte, nach links abbog. Da er den gleichen Weg nehmen wollte, zog er das Wägelchen langsam hinter sich her, um einen gebührenden Abstand zum Leichenzug zu wahren. Der schien schier endlos, immer mehr Wartende schlossen sich ihm an, der Verstorbene war offenbar ein beliebter Mensch gewesen. Aigner zählte mindestens hundert Leute, die dem Rollwagen mit den Sargträgern an der Seite folgten, hinter dem Pfarrer her, der von Weihrauchkesseln schwingenden Ministranten begleitet wurde.

Endlich konnte Aigner einen Seitenweg nach rechts einschlagen und fand schließlich das Familiengrab der Seyfrieds, das im Halbdunkel der Schatten spendenden Fichten unscheinbar neben einem modernen Grabdenkmal aus mehreren schlanken Stelen gelegen war, ganz wie es ihm Seyfried selbst noch beschrieben hatte. Die Stelen waren mit adeligen Namen und akademischen

Titeln übersät – aber das war nicht ungewöhnlich, im Gegensatz zu dem aufgespannten Segel, das die Grabstelle nach oben abschirmte. Jetzt erst fiel Aigner auf, dass in der ganzen Umgebung die meisten Grabsteine mit Plastikhauben oder sogar mit bunten Sonnenschirmen abgedeckt waren, die über und über gesprenkelt waren mit weißem Vogelkot. Er vernahm lautes Gekrächze und hob den Kopf: Die Fichten und auch ein paar Laubbäume waren dicht an dicht mit Krähennestern übersät, eine ganze Kolonie der schwarzen Vögel hatte sich anscheinend genau diese Ecke des Friedhofs ausgesucht, um dort in geselliger Gemeinschaft zu nisten. Auch der Seyfried-Grabstein aus schwarz glänzendem Marmorimitat war von oben bis unten mit Vogeldreck besudelt, der Grabhügel davor verwahrlost und ungepflegt.

Er sah sich um. In der Nähe war ein Brunnen mit Gießkannen, daneben ein Abfallhaufen aus verwelkten Blumen, Gestecken und Kränzen. Zwei ältere Frauen in Schürzen und Gummihandschuhen unterhielten sich heftig gestikulierend und füllten ihre Gießkannen auf. Aigner, der unauffällige Rentnerklamotten anhatte – taubengraue Jacke, graue Jerseyhose und einen niedrigen schwarzen Strohhut mit schmaler Krempe –, zog seine Gartenhandschuhe an, legte eine Plastiktüte auf den Boden und ging darauf auf die Knie. Er begann, pro forma das Unkraut herauszurupfen, das den gesamten Grabhügel überwuchert hatte. Graben konnte er erst, wenn die zwei Frauen am Brunnen wieder außer Sichtweite waren, so lange musste er wohl oder übel warten.

Vor seiner Fahrt nach Memmingen hatte er sich überlegt, ob es nicht besser war, in der Nacht auf den Friedhof zu schleichen, hatte diese Schnapsidee aber schnell wieder verworfen. Tagsüber, als harmloser Rentner, der das Grab seiner Angehörigen herrichten wollte, würde er nicht weiter auffallen, wenn er mit den dazu nötigen Arbeitsgeräten und Erde auf dem Friedhof unterwegs war.

»Das wird aber auch Zeit!«, hörte er plötzlich eine weibliche Stimme hinter sich so nah und unvermittelt sagen, dass er zusammenzuckte. Wegen des an- und abschwellenden Vogellärms in den Bäumen hatte er sie nicht herankommen gehört. Er drehte sich schwerfällig nach der Stimme um. Eine resolut aussehende Mittsiebzigerin stand vor ihm, mit grauvioletten Dauerwellen, einem wagenradgroßen Hut und ausladenden Formen, eingehüllt in ein zeltartiges schwarzes Kleid. Mit ihren schwarzen Netzhandschuhen hielt sie die Griffe eines Outdoor-Rollators gepackt, mit dem sie aussah, als könne sie ihn ohne Weiteres panzertaktisch als Räumwaffe einsetzen und würde auch keine Sekunde zögern, es zu tun, falls ihr jemand in die Quere käme. Ihre gnadenlosen Augen hinter den dicken Brillengläsern musterten ihn hemmungslos von oben bis unten.

Das hatte ihm gerade noch gefehlt!

»Ich bin nicht von hier«, murmelte er und kehrte ihr wieder den Rücken zu, aber mit dieser fadenscheinigen Erklärung ließ sich die nahkampferprobte Dame nicht abspeisen.

»Wissen Sie«, sagte sie, »mein Grab ist neben dem Ihrigen, da möchte man schon, dass es einigermaßen gepflegt aussieht. Und Ihres ist offensichtlich seit Jahren nicht mehr hergerichtet worden.«

»Ja«, brummte Aigner, »ich war lange im Ausland und kam nicht dazu.«

»Das sieht man«, bemerkte sie spitz. »Von Fröhmsdorff, mein Name. Bertha von Fröhmsdorff.«

Sie bekam keine Antwort, aber das machte sie nur noch neugieriger. »Und wer sind Sie, wenn man fragen darf?«

Aigner stöhnte innerlich auf und zeigte mit seiner Harke auf das Grab. »Ein entfernter Verwandter.«

»Aha«, sagte sie misstrauisch und ließ sich einfach nicht abwimmeln. »Wenn das Ihre Angehörigen sind – haben Sie die Petition schon unterschrieben?«

»Welche Petition?«

»Na die gegen die Mistviecher, die den Saustall hier verursachen.« Sie zeigte nach oben, wo die Krähen kreisten und ihre Krächzkakophonie aufführten.

»Nein«, antwortete er und wusste im selben Augenblick, dass das ein Fehler war.

»Dann wird's aber Zeit!«, sagte Frau von Fröhmsdorff. »Oder sind Sie auch einer von denen?«

»Ich … ich verstehe nicht …«, stotterte Aigner und erhob sich mühsam, achtete aber darauf, dass seine Hutkrempe so viel vom Gesicht verdeckte wie möglich.

»Ob Sie's glauben oder nicht«, sagte sie verschwörerisch, »es gibt so fanatische Tierschützer, die verhindern, dass man etwas gegen diese schwarzen Mistviecher unternimmt! Sie abschießt, vergiftet oder was auch immer. Man sollte es nicht für möglich halten, aber diese schwarze Pest wird vom Gesetz geschützt. Und die Ruhe der Toten nicht. Pervers, oder?«

»Was Sie nicht sagen.« Er schüttelte den Kopf. »Wirklich kaum zu glauben.«

»Aber wahr. Also – Sie sind keiner von denen?«

»Nein. Ich bitte Sie!«, sagte er. »Bei dem Lärm und Dreck, den die Vögel machen.«

Er traute seinen Augen nicht, aber Frau von Fröhmsdorff streckte ihm jetzt auch noch die Hand entgegen!

Innerlich fluchend brachte er ein gequältes Lächeln zustande, lüpfte für eine Millisekunde den Hut und reichte ihr die Hand, bevor er merkte, dass er noch die Gartenhandschuhe anhatte. Mühsam zupfte er den rechten von seiner Hand, schüttelte die ihre und sagte: »Angenehm. Äh … Franz Schmidt.«

Frau von Fröhmsdorff ließ seine Hand nicht mehr los. »Mit Dete?«

»Wie bitte?«

»Schmidt. Mit Dete am Ende? Wie unser Altbundeskanzler?«

Selten hatte ihn jemand so vollkommen aus dem Konzept gebracht wie dieses weibliche Schlachtschiff. »Ja, ja«, brachte er mit Müh und Not heraus. »Mit Dete.«

Endlich ließ sie seine Hand los, stemmte die ihre in die Hüftgegend und sagte: »Also, Herr Schmidt – was sagen Sie? Sind Sie auf unserer Seite? Wir haben schon an die fünfzig Unterschriften zusammen, müssen Sie wissen.« Sie zog ihre Handtasche aus dem Gepäckkorb ihres Rollators und kramte mehrere zusammengefaltete Zettel heraus, die sie sorgfältig glättete und ihm hinhielt. Aigner musste nach seiner Lesebrille suchen, setzte sie auf und gab sich den Anschein von Interesse.

»Ja«, sagte er, »das kann man unterschreiben.« Er hoffte inständig darauf, die gute Frau von Fröhmsdorff damit endlich loszuwerden, denn ihr Familiengrab war in so perfektem Zustand – sichtlich von professioneller Gärtnerhand –, dass sie mit ihrer schwäbischen Hausfrauenmentalität wenigstens bis Allerheiligen zufrieden sein konnte.

Schon hatte sie einen Kugelschreiber gezückt. Er nahm ihn, legte den Zettel auf den Rand des Seyfried-Grabsteins, versah ihn mit seinem ausgedachten Namen, einer fiktiven Adresse und einer unleserlichen Unterschrift und gab ihn samt Schreibgerät zurück. Natürlich warf Frau von Fröhmsdorff noch einen kritischen Blick darauf, ob auch alles korrekt ausgefüllt war, bis sie sich endlich zufriedengab und den Zettel wegsteckte.

»Ich muss dann mal gehen, Herr Schmidt«, sagte sie in einem Ton, als tue es ihr von Herzen leid, den armen Herrn Schmidt bei seinen toten Angehörigen allein zurücklassen zu müssen.

Wäre er ein guter Katholik gewesen, hätte Aigner jetzt drei Kreuze gemacht, stattdessen lüpfte er noch einmal andeutungsweise seinen Hut und sagte heuchlerisch: »Freut mich, Ihre Bekanntschaft gemacht zu haben!«, und sah zu, wie Frau von Fröhmsdorff ihm gönnerhaft zunickte, ihren Rollator in Gang setzte und mit einem bösen Blick nach oben zu den Krähen davonschob. Es war, als wären die Krähen genauso erleichtert wie Aigner, nur dass sie den Abgang der resoluten Gouvernante adeliger Herkunft freudig krächzend kommentierten, während Aigner ein Stein vom Herzen fiel. Endlich konnte er sich dem eigentlichen Grund seines Friedhofsbesuch widmen.

Er versicherte sich erneut, dass außer den Krähen keiner mehr zu sehen war, leerte die Blumenerde aus dem Plastiksack und fing an zu graben. Einen guten Meter tief, hatte Seyfried gesagt. Der Schweiß lief ihm bald in Strömen den Rücken hinunter. An schwere körperliche Arbeit war er nicht mehr gewöhnt, und mit der kleinen Schaufel war es eine Schinderei, obwohl der Boden relativ weich war, aber von Wurzeln durchzogen.

Als die Schaufel auf etwas Hartes stieß, sah er sich noch einmal um, bevor er tief durchatmete: Seyfried hatte ihn also nach seinem Tod nicht ein letztes Mal verarscht, so wie er das ein ganzes Leben lang mit seinen Opfern getan hatte. Obwohl – es konnte immer noch sein, dass er nur eine Botschaft in einem Kästchen fand, auf der »Angeschmiert!« oder »Reingefallen!« stand. Dem Scherzkeks Seyfried wäre so etwas durchaus zuzutrauen gewesen.

Er kratzte den letzten Rest Erde mit der Hand weg, der einen undurchsichtigen Plastikbehälter von der Größe eines Handgepäckkoffers bedeckte – es war tatsächlich Tupperware, stellte Aigner kopfschüttelnd fest. Er nahm den leeren Plastiksack, in dem die Blumenerde gewesen war, und steckte den Behälter hinein, bevor er ihn auf das Handwägelchen lud. Hastig schaufelte er das Loch wieder zu, verteilte die frische Blumenerde grob über dem Grab und rückte mit seinem Wägelchen ab, so rasch es ging, ohne den anderen Friedhofsbesuchern aufzufallen.

An seinem Auto angekommen, öffnete er die Heckklappe und warf die Gerätschaften achtlos hinein. Und dann kam der Moment der Wahrheit. Er legte den Behälter im Plastiksack in den Kofferraum und holte ihn erst dort aus der Hülle. Der Deckel des Behälters war mit einem Klebeband abgedichtet. Das Band ließ sich mit einem Ruck entfernen, und Aigner hob den Deckel vorsichtig hoch. Zwei DIN-A4-große Pakete, jeweils so dick wie ein Großstadttelefonbuch und sorgfältig in wasserabstoßendes Spezialpapier eingewickelt, das ebenfalls mit Klebeband gesichert war, kamen zum Vorschein. Irgendwie war Aigner darauf gefasst, dass jetzt, im allerletzten Augenblick, sobald er die Klebestreifen entfernte, ein Scherzartikelclown auf einer Sprungfederhalterung herausschießen und ihn endgültig zum Affen machen würde. Er beschloss, der Ungewissheit ein Ende zu bereiten, und riss ein Paket auf.

Was er sah, zeigte, dass Seyfried am Ende seiner Tage doch die Wahrheit gesagt hatte.

Fein säuberlich lagen mit Banderolen versehene Geldbündel nebeneinander, Aigner sah sechs Stapel, vier in Reihe, zwei quer, mit Zwanzig-Dollar-Scheinen. Die Summe war schwer zu schätzen, das Zählen verschob er auf später. Er riss das zweite Paket ebenfalls auf, Schweizer Franken, Fünfzigerscheine, gebündelt zu fünftausend Franken.

Er schlug die Heckklappe mit der Gewissheit zu, von nun an unabhängig und vermögend genug zu sein, um alle seine Pläne nach Gusto verwirklichen zu können. Und für seine Nichte Emma würde auch noch eine hübsche Summe übrig bleiben. Kein Sozialamt, kein Hartz IV, kein Bewährungshelfer, kein Betteln, um als Exsträfling irgendeinen Hiwi-Job zu ergattern. Er erinnerte sich daran, wie er als Junge den »Graf von Monte Christo« gelesen hatte. So in etwa musste sich Edmond Dantès gefühlt haben, als er den Schatz des Abbé Faria entdeckt hatte und mit einem Schlag wusste, dass dieser die Wahrheit gesagt hatte.

Jetzt hatte Aigner endlich genügend Rückendeckung, um seinen Rachefeldzug richtig anzutreten. Er wusste auch schon, was sein nächster Schachzug sein würde. Er setzte sich in sein Auto und fuhr los.

6

Wieder einmal, wie so oft in letzter Zeit, war es spät geworden, es dämmerte bereits. Feierabend um zweiundzwanzig Uhr. Dr. jur. Matussek war todmüde, als er mit seinem nachtschwarzen Dienstaudi A8 aus der Tiefgarage am Marienplatz von Ravensburg herausfuhr und sich in die immer noch erstaunlich dichte Autoschlange auf der Straße einfädelte. Er quälte sich durch den Stadtverkehr, der von drei hochgetunten und tiefergelegten GTIs eingebremst wurde, deren Besitzer ihre neu eingebaute Powermusikanlagen einem Praxistest auf den Straßen unterziehen wollten und dazu mit ultralässiger Haltung – Ellbogen aus dem Fenster, tief in den Sitz gerutscht, trotz hereinbrechender Nacht verspiegelte Sonnenbrille mit weißem Gestell – im Schleichtempo dahinfuhren, um zu demonstrieren, dass sie mit angezogener Handbremse unterwegs und eigentlich jederzeit in der Lage waren, mit qualmenden Reifen davonzuschießen. Dr. Matussek verlor beinahe die Geduld, seine Nerven waren sowieso schon überstrapaziert, aber er musste wie alle anderen warten, bis die drei Cruiser endlich vorschriftsmäßig den Blinker setzten und eine quietschende Hundertachtzig-Grad-Kehre machten, um die Ravensburger Innenstadt noch einmal mit ihrer ohren- und augenbetäubenden Testosteronparade zu beglücken.

Bis Matussek auf die Ausfahrtstraße nach Friedrichshafen einbiegen konnte, war es endgültig dunkel geworden. Fast gleichzeitig, wie so oft in den letzten Tagen, setzte der Regen ein. Er fuhr in gemäßigtem Tempo, passte sich dem Verkehr an und dachte nach. Beruflich hatte er es weit gebracht. Er war Oberstaatsanwalt in Friedrichshafen, sein Büro war in der Außenstelle des Landgerichts in Ravensburg, und er pendelte jeden Arbeitstag. Die dreißig Kilometer einfach fuhr er praktisch im Autopilot-Zustand, so oft war er auf dieser Strecke unterwegs. Er hatte in Ravensburg eine Zweitwohnung, in der er zuweilen übernachtete, wenn es im Büro wieder einmal allzu spät geworden war und er sich trotzdem noch durch ellenlange Schriftsätze quälen musste, weil anderntags ein wichtiger Prozess anstand und er sich keine Fehler durchgehen ließ. Manchmal klang eine Besprechung auch einmal bei einem Abendessen aus, bei dem dann das eine oder andere Glas mit süffigem Hagnauer Spätburgunder zu viel getrunken wurde. In seiner exponierten Position konnte Matussek es sich nicht einmal ansatzweise erlauben, bei einer Trunkenheitsfahrt oder einem anderen Verkehrsdelikt erwischt zu werden. Das Risiko, durch einen handfesten Skandal in der Öffentlichkeit am Pranger zu stehen, war einfach zu groß.

Als Oberstaatsanwalt hatte man jede Menge Feinde und Gegner, die nur darauf warteten, dass man einen Fehler beging, doch den Gefallen würde er niemandem tun. Dazu gehörten aber nicht nur die Kandidaten, die er mit akribischer Fleißarbeit, großem Sachverstand, intellektueller Überlegenheit und gnadenloser Schärfe nach allen Regeln der juristischen Kunst hinter Gitter gebracht hatte. Bei den Angeklagten und ihren Anwälten war er gefürchtet, und bei so einigen rechtskräftig Verurteilten, die ihr saftiges Strafmaß nicht der eigenen Dummheit oder Dreistigkeit zuschrieben, sondern dem Antrag des Staatsanwalts Dr. Matussek, gab er sich nicht der naiven Hoffnung hin, dass er bei ihnen der Vergessenheit anheimgefallen war, ganz im Gegenteil. Darunter waren sicher einige Herrschaften, die sich, während sie ihre langjährigen Haftstrafen absaßen, tagein, tagaus in ihren Rachephantasien suhlten und sich nichts sehnlicher wünschten, als ihm eines Nachts in einer stillen Seitengasse über den Weg zu laufen.

Er schob eine Klassik-CD ein, um auf andere Gedanken zu kommen, Vivaldis »Vier Jahreszeiten« in der Version von Nils-Erik Sparf und dem Drottningholm Baroque Ensemble, gespielt auf zeitgenössischen Instrumenten. Er war in jeder Hinsicht bekennender Konservativer, auch was seinen Musikgeschmack betraf.

Er blinzelte mit den Augen, um die bleierne Müdigkeit zu verscheuchen, von der er auf einmal befallen wurde. Durch das gleichmäßige Motorengeräusch, die singenden Reifen, den prasselnden Regen und das monotone Hin und Her der Wischblätter eingelullt, fiel es ihm zunehmend schwerer, sich auf die Straße und den allmählich spärlicher werdenden Verkehr zu konzentrieren. Er drehte die Musik lauter, aber das half auch nicht viel. Am kommenden Wochenende musste er wirklich einiges an Schlaf nachholen, so konnte es nicht weitergehen. Er hatte nicht nur einen anstrengenden Job, er führte auch eine anstrengende Ehe. Seine Frau, die das alteingesessene Familienunternehmen in vierter Generation leitete, ein renommiertes Weingut in den Hügeln nordwestlich von Friedrichshafen, war mindestens so ehrgeizig wie er selbst. Das hatte man davon, wenn man als Emporkömmling in eine wohlhabende Familie einheiratete und dem alten Geldadel ständig beweisen musste, dass man auf der beruflichen und sozialen Leiter ein Überflieger war, der zwar nicht mit einem goldenen Löffel im Mund auf die Welt gekommen war, es aber trotzdem geschafft hatte, sich ganz nach oben durchzuboxen.

Verdammt, dachte er, als er einen kurzen Blick in den Rückspiegel warf, wie dicht will der Idiot denn noch auffahren? Die Scheinwerfer hinter seinem Wagen blendeten plötzlich auf und kamen schnell näher. Matussek gab Gas, und augenblicklich setzte sich sein schwerer Wagen vom Hintermann ab. Der Regen fiel immer dichter. Matussek musste sich wieder nach vorne orientieren. Vor ihm war weit und breit niemand, sonst hätte er sich an die Rücklichter halten können.

War der jetzt komplett verrückt geworden? Der Hintermann kam schon wieder herangefahren. Der Gegenverkehr blendete Matussek, er tippte kurz auf die Bremse und äugte wieder in den Rückspiegel. Den anderen schien das nicht zu beeindrucken. Zwei Meter Abstand! Höchstens! Und das bei dichtem Regen und hundertzwanzig! Das konnte eigentlich nur ein Selbstmordkandidat sein – oder …

Bei dieser Schlussfolgerung packte Matussek das Lenkrad fester. Er würde einfach herunterbremsen und den Typ zum Überholen zwingen. Aber bei diesem Wetter, bei dem man fast im Blindflug unterwegs war, keine dreißig Meter sehen und sich nur an den Mittelstreifen orientieren konnte, war das zu gefährlich. Nicht auszudenken, wenn von hinten noch ein Dritter herangerauscht kam. Er musste …

Rumms!, krachte der Wagen hinter ihm in sein Heck, sodass der Audi einen unangenehmen Ruck nach vorne machte. Jetzt brach Matussek der kalte Schweiß aus. Wollte dieser Irre ihn tatsächlich rammen? Ein kurzer Blick in den Rückspiegel. Sein Hintermann fuhr wieder in knappem Abstand hinter ihm, beide in unvermindert hohem Tempo. Matussek versuchte, den Wagentyp zu erkennen. Das Nummernschild war gar nicht und der Fahrer nur als Schatten zu sehen. Matussek musste wieder nach vorne schauen, es kam Gegenverkehr.

Als die drei Autos vorbeigefahren waren, merkte er plötzlich, dass sich der Wagen neben ihn gesetzt hatte. Er drehte den Kopf nach links, aber da wurde sein Audi schon von der Seite touchiert. Er umklammerte das Lenkrad, dass die Knöchel weiß hervortraten. Der Typ wollte ihn von der Straße drängen! Das durfte er auf keinen Fall zulassen. Er steuerte dagegen.

Aus der Ferne kamen die Scheinwerfer eines Lkws schnell näher, der zusätzlich zur vorgeschriebenen Beleuchtung eine bunte Lichterkette in der Windschutzscheibe hatte.

Na – das werden wir doch noch sehen, dachte Matussek, wie lange du jetzt auf der linken Spur bleibst!

Irgendwie hatte ihn in diesem Augenblick ein irrationaler Kampfgeist gepackt, ohne Gegenwehr wollte er sich nicht in den Straßengraben drängen lassen. Mit einer kurzen Drehung seines Steuerrads lenkte er dagegen.

Der Lkw kam rasend schnell auf sie zu und begann in einer durch Mark und Bein dringenden Lautstärke zu hupen wie ein heranbrausender ICE, der in seinem Lauf nicht mehr aufzuhalten war.

Der Kontakt auf Matusseks linker Seite brach schlagartig ab, das schrammende Geräusch war im allerletzten Augenblick verschwunden, das Scheinwerferpaar wieder hinter ihm, als das Lastwagengespann ohrenbetäubend hupend vorbeirauschte und dabei einen gewaltigen Schwall Wasser auf Matusseks Frontscheibe klatschte, was ihn heftig zusammenzucken ließ. Die Scheibenwischer liefen auf Höchstgeschwindigkeit, aber der Audi hatte immer noch Asphalt unter den Reifen.

Der Hintermann blieb auf einmal zurück, die Lichter wurden

kleiner und kleiner, dann schien er mitten auf der Straße zu wenden, und seine Rücklichter verschwanden im Regen. Ihm jetzt noch nachzufahren war sinnlos.

Wütend schlug Matussek auf das Lenkrad und fluchte, er hatte weder Automarke noch irgendetwas Konkretes erkannt, das bei einer Fahndung nützlich sein konnte. Wenn es an die Öffentlichkeit gelangte, dass der Oberstaatsanwalt selbst nicht fähig war, eine beweiskräftige und weiterführende Zeugenaussage in einem Unfall mit Fahrerflucht zu machen, weil sich alles so schnell abgespielt hatte, war das eine saubere Blamage.

Er sah eine kleine Parkbucht, steuerte sie an und hielt. Zuerst öffnete er nur die Tür und sog die regennasse Nachtluft tief ein, bevor er seinen Sicherheitsgurt löste, ausstieg und sein Gesicht in den Regen hielt, den er gar nicht wahrnahm. Aus der geöffneten Fahrertür waren immer noch Vivaldis »Vier Jahreszeiten« zu vernehmen, was ihm erst jetzt wieder in sein Bewusstsein sickerte. Er erkannte den zweiten Satz des Sommers, das Adagio in G-Moll. Mühsam kniete er sich auf den Fahrersitz und schaltete den CD-Player ab.

Die plötzliche Stille, nur das Rauschen des Regens war zu hören, wirkte wie Balsam auf seine Nerven. Erst als er endlich in der Lage war, sein Smartphone herauszuziehen und die Nummer der Polizei zu suchen, die er gespeichert hatte, merkte er, wie sehr seine Hände zitterten.

Aber im letzten Moment überlegte er es sich noch einmal, steckte das Telefon weg, stieg wieder in seinen Wagen und fuhr nach Hause.

7

In the white room with black curtains near the station
Black roof country, no gold pavements, tired starlings
Silver horses ran down moonbeams in your dark eyes
Dawn light smiles on your leaving, my contentment …

Eigentlich hatte er nur an seiner Top-100-Liste der besten Rocksongs aller Zeiten feilen wollen, in die eine oder andere CD reingehört, und dann war er doch wieder bei Cream hängen geblieben, der Supergroup der späten 1960er-Jahre mit Jack Bruce, Eric Clapton und Ginger Baker. Das Gefühl, das eine Musiknummer bei ihm auslöste, war das einzige Kriterium, das Madlener für seine Liste gelten ließ. Und bei »White Room« von Cream war es jedes Mal stark, egal, in welcher Stimmung er gerade war, so stark, dass er in dieser Nacht den Titel mehrmals hintereinander anhörte und dann gleich die ganze CD.

Madlener stand am offenen Fenster seines dunklen Zimmers im Hotel »Zum silbernen Zeppelin« gleich hinter dem Busdepot, seine Bleibe, die er bisher einfach nicht aufgeben wollte, obwohl ihm das Kriminaldirektor Thielen in einem Gespräch unter vier Augen, »off the records« natürlich, wie er sagte, ans Herz gelegt hatte. Für einen Beamten in seiner gehobenen Position war es der Meinung seines Chefs nach nicht angemessen, dauerhaft in einer besseren »Absteige«, wie er sich wortwörtlich ausdrückte, zu wohnen. Zugegeben, das Drei-Sterne-Hotel »Zum silbernen Zeppelin« war nichts Besonderes, ein mehrstöckiges, einfaches Gebäude in einem Hinterhof zwischen anderen Häuserreihen, und das Rattern der rollenden Güterwaggons von den nahen Gleisanlagen war die halbe Nacht hindurch zu hören, aber das störte ihn nicht. Das Hotel war in Gehweite von der Polizeidirektion und zehn Minuten zu Fuß von der Hafenpromenade entfernt, von der Lage her also ideal – fand Madlener. Hier musste er sich nicht um das Frühstück kümmern, und abends, wenn er allein war und noch arbeitete oder zur Entspannung an einer seiner Listen herumdokterte, machte man ihm, wenn es sein musste, auch noch schnell ein Sandwich in der Küche.

Als Dauergast hatte er Sonderkonditionen herausgeschlagen, es gefiel ihm einfach, sich nur mit dem Nötigsten zu umgeben. Sein einziger Luxus bestand darin, dass er seine Wäsche komplett in einer Reinigung gleich um die Ecke machen ließ, die perfekt im Bügeln seiner Hemden war – das ersparte ihm auch den Ärger mit seinen ewig zerknitterten Ärmeln oder Kragen, die er selbst einfach nie so hinbekam, wie es sein sollte.

Er stand am offenen Fenster seines dunklen Hotelzimmers, die Kopfhörer auf seinen Ohren, um die Musik so laut zu hören, wie er es gerade noch ertragen konnte – Rock music has to be played loud! –, und rauchte in den Regen hinaus. Über zehn Jahre war er diesbezüglich clean gewesen, und jetzt hatte er wieder mit dieser schlechten Gewohnheit angefangen. Als er die Glut seiner Zigarette ansah, ärgerte er sich über seine alte Schwäche, aber dummerweise schmeckte ihm die Kippe. Er hatte die Schachtel zufällig gefunden, sie war als letzte von einer ganzen Stange übrig geblieben, die er im Flugzeug in Erinnerung an alte Zeiten erworben hatte, als er sich immer, wenn er in den Urlaub geflogen war, eine Stange Zigaretten im Duty-free-Shop gekauft hatte.

Vor drei Wochen hatte er zum ersten Mal nur zusammen mit seinem Sohn, dem fünfzehnjährigen Oliver, einen richtigen Männerurlaub gemacht. Madlener war von seiner zweiten Frau längst geschieden, und Oliver war seit einem Jahr in einem Internat am Bodensee. Das war der eigentliche Grund für Madlener gewesen, sich zur Kripo nach Friedrichshafen versetzen zu lassen. Sooft er konnte, besuchte er ihn oder nahm ihn für ein Wochenende mit nach Friedrichshafen – selbstverständlich in Absprache mit seiner Mutter. Sie war die Einzige, mit der sich Madlener nicht anlegte, weil er bei ihr grundsätzlich immer den Kürzeren zog.

Für die großen Ferien hatten sie alle zusammen eine demokratische Abmachung getroffen, Oliver hatte inzwischen natürlich auch volles Stimmrecht. Zwei Wochen würde er zusammen mit seinem Vater in den Süden, anschließend zu seiner Mutter in den hohen Norden fliegen. Sie war dort auf Island bei einer Freundin zu Besuch, und es traf sich gut, dass man von Friedrichshafen aus sowohl Verbindungen nach Palma de Mallorca als auch nach Reykjavik hatte. Wenn sie aus Mallorca zurückkamen, konnte Oliver direkt am Flughafen in die Maschine nach Island umsteigen, sie hatten das minutiös ausgetüftelt.

Oliver hatte sich für die Ferien mit seinem Vater ausgerechnet Mallorca ausgesucht, wohl unterschwellig auch deshalb, weil seine Kumpels im Internat fanden, dass man den Ballermann einmal er- und überlebt haben musste, so wie ein wahrer Muslim einmal im Leben nach Mekka zu pilgern hatte. Aber zu Olivers Leidwesen hatte sich sein Vater strikt geweigert, ein Hotelzimmer in El Arenal zu buchen, dem einzig wahren Initiationsort für einen Jungen an der Schwelle zur Erwachsenenwelt, in dem Reeperbahn, Oktoberfest und Sonnenbrand in eins zusammenfielen. Jedenfalls war das die Meinung seiner Kumpels im Internat, die sich Wahnsinnsdinge über den Hype am Ballermann zu berichten wussten. Oliver wollte das unbedingt einmal mitgemacht haben, um unter seinesgleichen ernst genommen zu werden und hip zu sein.

Abgesehen davon, dass Madlener grundsätzlich nicht zu dieser Hardcore-Malle-Fraktion gehörte – nicht alters- und erst recht nicht einstellungsmäßig – und nicht vorhatte, in Badehose inmitten von spätpubertierenden Horden Sangria mit langen Halmen aus großen Eimern zu trinken, und sein Sohn sich mit ihm bei so einer Gelegenheit unter Garantie in Grund und Sand geschämt hätte, schien es ihm angebracht, einen Urlaub mit Ruhe, Sonne, abgelegenem Strand und gutem Essen und Trinken sowie ein paar Ausflügen ins Landesinnere zu verbringen. Aber er versprach Oliver, wenigstens einmal eine – wie er hoffte, abschreckende und mit zahlreichen Alkoholleichen übersäte – Sightseeingtour den Balneario entlang zu machen – auf einen Softdrink.

Seine Wahl war schließlich auf ein recht teures Hotel in der Bucht von Alcúdia im Nordosten der Insel gefallen. Madlener hätte das nie zugegeben, aber aufgrund seines latent schlechten Gewissens seinem Sohn gegenüber, einem typischen Scheidungskind, wollte er sich bei gemeinsamen Ferien nicht lumpen lassen und ihm wenigstens einmal im Jahr etwas bieten, an das er sich später vielleicht noch mit Freude erinnern konnte. Außerdem nahm er an, dass Oliver einen Hotelurlaub, in dem er Sport treiben, Gleichaltrige finden und nach Lust und Laune bestellen und essen durfte, durchaus zu schätzen wusste und nicht uncool fand. Denn seit er im Internat war, hatte sich seine Einstellung zum Leben und zu Äußerlichkeiten radikal geändert.

Jedes Mal, wenn er ihn traf, war sein Sohn zu Madleners Erstaunen ein Stück weit erwachsener geworden. Das hatte nicht nur damit zu tun, dass er auf einmal Körper- und Haarpflegemittel besaß, von deren Existenz Madlener bisher nicht einmal gehört hatte. Wenn er jetzt mit seinem Sohn ein gutes Gespräch führte, kam er sich bisweilen vor, als würde er nicht nur hinter dem Mond leben, sondern mindestens hinter dem Neptun, so sehr hatte sich alles, was heutzutage für Teenager von Bedeutsamkeit war, von seinen früheren Idolen und Idealen wegentwickelt. Aber er liebte es, auf dem Laufenden zu bleiben, und interessierte sich grundsätzlich für alles, was seinem Sohn wichtig war, auch wenn er mit Gangsta-Rap, Hip-Hop-Klamotten und dem ganzen technischen Schnickschnack um iPhone, Tablet und Apps herzlich wenig im Sinn hatte.

Sie führten aber beileibe nicht nur ernsthafte Gespräche, sondern konnten auch richtig albern und kindisch sein. Zum ersten Mal war das im Urlaub der Fall, als sie im TV-Raum des Hotels ein Spiel der deutschen Nationalelf ansahen, bei dessen unvermeidlicher Vorberichterstattung tatsächlich drei Olivers gleichzeitig am Mikrofon waren: Oliver Kahn als Experte, Oliver Bierhoff als Manager und Oliver Welke als Moderator. Als Madlener seinem Sohn am nächsten Tag damit drohte, ihn fortan auch »Olli« zu nennen, wie die drei im Fernsehen das ununterbrochen gemacht hatten, wurde er zur Strafe von ihm so lange im Hotelpool untergetaucht, bis er vor lauter Lachen zu viel Wasser geschluckt hatte und wegen eines Hustenanfalls erst einmal überhaupt nichts mehr sagen konnte.

Sein Sohn war richtiggehend eitel geworden, er hatte sich eine Frisur zugelegt, die ständig zwischen der von Cristiano Ronaldo und Marco Reus, den beiden Fußballern, die seine Abgötter waren, wechselte. Ronaldo war die einzige Konstante in seinem bisherigen Leben, dieses Idol war bisher noch von keinem anderen ersetzt worden, sogar Bushido war längst auf dem großen Friedhof der abgelegten oder sanft entschlafenen Helden der Kindheit und Jugend gelandet – neben Micky Maus, Jim Knopf, Pumuckl, Darth Vader, Harry Potter und Spiderman.

Oliver betrieb sämtliche Sportarten, stemmte Gewichte, und sein Outfit hatte sich ebenso gewandelt wie sein Auftreten. Madlener hoffte nur, dass sich sein Sohn nicht zu einem dieser hochnäsigen Elite-Internatsjünglinge entwickelte, abgesehen davon, dass Olivers Internat von der Ausstattung, der Philosophie und den Kosten her sich zu Salem – dem bekanntesten und prominentesten Internat Deutschlands – verhielt wie ein solides Reihenhaus zu Schloss Neuschwanstein. Etwas anderes hätten er und seine Exfrau sich auch gar nicht leisten können. Inzwischen hatte sich Oliver, dessen schulische Leistungen früher stets Anlass zur Sorge boten, erstaunlicherweise zu einem in Maßen ehrgeizigen Schüler entwickelt, was vielleicht mit der Konkurrenzsituation unter den Mitschülern zu tun hatte – und das konnte beiden Elternteilen nur recht sein, denn damit hatten sie eine große Sorge weniger. Auch Madleners ursprüngliche Befürchtung, Oliver würde mit den Gegebenheiten eines Internats nicht zurechtkommen und sich unglücklich fühlen, hatte sich Gott sei Dank als völlig unbegründet herausgestellt. Oliver hatte jede Menge Freunde dort gefunden und freute sich sogar darauf, sie alle nach den Ferien wiederzusehen.

Wieder pünktlich in Friedrichshafen gelandet, klappte der fliegende Wechsel zum Flug nach Reykjavik reibungslos. Oliver, dem Madlener hoch und heilig versprochen hatte, ihn ab sofort nie wieder »Olli« zu nennen, bekam am Check-in-Schalter ein großes Schild umgehängt, auf dem »unaccompanied minor« stand, das er nur mit Widerwillen trug, und auch Madlener musste sich ein Lächeln bei diesem Anblick verkneifen, aber der Abschied fiel ihm dann doch schwerer, als er das zugeben wollte. Sie umarmten sich, und Oliver spazierte durch die Sicherheitskontrolle davon.

Madlener wäre jede Wette eingegangen, dass er sich nicht mehr umdrehen würde, was auch nicht geschah.

Aber, oh Wunder – Madlener hatte an einer der großen Glasscheiben zum Flugfeld gewartet –, beim Gang über das Rollfeld zum startbereiten Flugzeug der Icelandair gestattete sich sein Sohn doch noch einen kurzen Blick zurück, garniert mit einem lässigen Heben der Hand, immerhin. Madlener erwiderte den Abschiedsgruß und winkte, bevor er sich umdrehte und zum Ausgang ging, um ein Taxi zu suchen.

Er hatte eine andere CD eingelegt, »Essential« von Roxy Music, dazu trank er ein drittes Glas Rotwein aus der letzten Flasche Macià Batle, einem gehaltvollen Rotwein, den er aus Mallorca mitgebracht hatte. Ohne groß zu überlegen, zündete er sich seine vierte oder fünfte Zigarette an diesem Abend an, weil er wie immer, wenn die Nacht kam und er allein in seinem Hotelzimmer war, an zwei braune Augen denken musste, die ins Goldfarbene changierten und die Dr. Ellen Herzog gehörten, Pathologin an der Klinik in Friedrichshafen und seit einem halben Jahr auf Fortbildung in Stockholm. Außerhalb seiner Reichweite, aber nicht außerhalb seiner Phantasie und seines Wunschdenkens. Trotz des gegenseitigen Schwurs, dass sie sich bis zu ihrer Rückkehr nicht sehen, sprechen oder sonst wie Kontakt aufnehmen wollten. Das volle Trennungsprogramm, um zu überprüfen, wie stark ihre Zuneigung wirklich war und ob sie beide diesen Härtetest bestehen und aushalten würden.

Was für eine blödsinnige, kindische Abmachung!, dachte er jetzt, während er in den Regen hinausstarrte. Im Augenblick von Ellens Abflug nach Schweden hatten sie es vernünftig gefunden und ihrem Alter und ihrer Lebenserfahrung angemessen, schließlich hatten sie beide schon gescheiterte Ehen hinter sich – Madlener deren zwei und Ellen eine – und wollten sich nicht gleich wieder Hals über Kopf in die nächste Beziehung stürzen, die möglicherweise wieder zum Scheitern verurteilt war. Glaubten sie wirklich, auf diese Art eine vielleicht schmerzhafte erneute Trennung vermeiden zu können? Sie waren beide kopfgesteuerte Menschen in fortgeschrittenem Alter, keine Teenager oder Thirtysomethings, die sich leichten Herzens Adieu sagen konnten, weil schon an der nächsten Ecke eine neue Erfahrung, ein neuer Kitzel auf sie wartete.

Wenn er bloß nicht diese CD von Roxy Music eingelegt hätte!

Denn jetzt folgte nach »Angel Eyes« ausgerechnet der Titel »Dance Away«, das Lieblingsstück von Ellen. Auf seiner Top-100-Liste hatte er es ihr zuliebe im unteren Mittelfeld angesiedelt. Aber dieser rein ordnungstechnische Gedanke, der kurz durch seinen Verstand geisterte, half ihm jetzt auch nichts mehr, Madlener hatte das Stück bereits in seinen sentimentalen Hals bekommen und sich dabei gehörig verschluckt. Die Erkenntnis darüber, die er so lange überspielt und unterdrückt hatte, nämlich dass Ellen wahrhaftig die Frau seines Herzens war und dass er keine größere Dummheit begehen konnte, als das sich selbst und ihr gegenüber nicht zuzugeben, fuhr ihm wie ein Blitz mit voller Wucht durch Mark und Bein.

... you pass by
Hand in hand with another guy
You're dressed to kill and guess who's dying?
Dance away the heartache
Dance away the tears ...
Out of reach is out of touch
All the way is far enough
Dance away ...

Bryan Ferry schaffte es wirklich immer wieder, einem das angeknackste Herz vollends zu brechen, besonders wenn man mehr als eine halbe Flasche Wein intus hatte, es mitten in der Nacht war und man sich einsam fühlte. Aber Madlener brachte es nicht über sich, einfach den Ausschaltknopf zu drücken.

Er hatte sich bisher strikt an ihre alberne Abmachung gehalten. Ellen ebenso. Als der Internatsfall abgeschlossen war, an dessen Aufklärung Ellen maßgeblich beteiligt war, hatte sie ihm gestanden, dass sie bereits vor einiger Zeit in Stockholm zugesagt hatte und diese Zusage auch einhalten wollte, um ihren Horizont zu erweitern. Als sie bemerkte, wie ihn das traf und dass seine schauspielerische Fähigkeit nicht ausreichte, um seine Enttäuschung nonchalant zu überspielen, fügte sie zum Trost hinzu, dass sie den Auslandsaufenthalt auch durchziehe, weil sie erkannt habe, sich aus dem Bannkreis ihres dominanten Vaters befreien zu müssen, ohne ihm wehzutun. Gegen diese Argumentation war kein Kraut gewachsen, das hatte Madlener eingesehen. Um sein Gesicht nicht zu verlieren, lobte er sie für diesen Entschluss und fand es ebenfalls sinnvoll, dass sie beide eine Auszeit nahmen – beinahe hätte er »Time-out« gesagt, so sehr hatte ihn Kriminaldirektor Thielen mit seinen bescheuerten Anglizismen schon infiziert.

Kaum war Ellen aus Friedrichshafen und damit vorerst aus seinem Leben verschwunden, bereute er es auch schon, sich auf diese Abmachung eingelassen zu haben. Er war einfach ein unverbesserlicher Romantiker, einer der letzten seiner Art, kurz vor dem Aussterben. Eben erst hatte er sich an seine neue Freiheit gewöhnt, was anfangs gar nicht so einfach gewesen war, da war Ellen in sein Leben getreten und hatte sein Innenleben so fundamental umgekrempelt, wie er es nicht mehr für möglich gehalten hätte. Und das auch noch, während ihn ein wirklich bösartiger und komplexer Fall beruflich vollkommen in Beschlag genommen und auch emotional mehr involviert hatte, als ihm lieb war. Jetzt, da Ellen weg war, merkte er erst, wie sehr sie ihm fehlte. Leider hatte er eine blühende Phantasie, die ihm, wenn er nachts endlich am Einschlafen war, vorgaukelte, wie Ellen mit schwedischen Kollegen – natürlich waren sie in seinen Alpträumen wie in einem schlechten Werbespot für Sonnencreme ausschließlich sportlich, blond und gut aussehend – auf einer schneeweißen Yacht unter vollen Segeln und mit windzerzausten Haaren idyllische Schärenküsten entlangschipperte und sich gar nicht entscheiden konnte, mit welchem von ihnen sie die laue Mittsommernacht verbringen sollte. Vielleicht entschied sie sich sogar dazu, es mal mit allen auf einmal zu probieren …

Die pure, nackte Eifersucht nagte an ihm wie bei einem Pennäler auf Freiersfüßen – das fehlte ihm gerade noch. Wenn er das Ellen gegenüber zugegeben hätte, hätte sie ihn veräppelt und ihm geraten, ihren Vater aufzusuchen, den Lordsiegelbewahrer des seligen Dr. Freud, der ihm liebend gerne die Eifersucht wegtherapiert hätte und sämtliche emotionale Bindungen zu seiner Tochter gleich mit dazu, weil der Kriminalhauptkommissar in seinen Augen alles andere als eine standesgemäße Partie für sie war. Madlener konnte sich vorstellen, wie sich Ellens Vater die Hände vor Begeisterung gerieben hätte, sobald er aus seinem Mund das Wort »Eifersucht« gehört hätte. Was für eine narzisstische Fehlleistung klassischen Ausmaßes, eine Übersprunghandlung, die Bestätigung seiner Theorie, dass sein früherer Patient Madlener nur ein hochgradiger Neurotiker war, ein Ausbund an versteckten, unterdrückten Sexualtrieben, eine wahre Fundgrube für jeden Psychiater! In diesem Fall für Dr. Auerbach, den Therapeuten und Seelenklempner, den man ihm aufs Auge gedrückt hatte, als er seinen Dienst bei der Kripo Friedrichshafen angetreten hatte, weil er wegen posttraumatischer Störungen, die er nie hatte, behandelt werden sollte. Leider war der arrogante Dr. Auerbach, den Madlener auf seine Art hatte auflaufen lassen, zufällig und dummerweise auch der Vater der Pathologin Dr. Herzog, die er bei seinem ersten Fall in Friedrichshafen beruflich kennen- und privat lieben gelernt hatte.

Das war jetzt ein Jahr her.

Madlener drückte auf die Wiederholungstaste seines CD-Players, um sich »Dance Away« noch einmal anzuhören. Er wusste genau, wie Dr. Auerbach diese Zwangshandlung kommentiert und interpretiert hätte: Madlener hatte auch noch einen ausgeprägten Hang zum Masochismus …

Noch vier Wochen würde es dauern, bis Ellen zurückkehrte – falls sie da oben im Norden nicht auf die Idee gekommen war, sich ganz in Stockholm niederzulassen mit einem Kerl namens Kalle Blomkvist oder Lasse Reinström oder wie man da hieß, und eine Familie zu gründen. Darüber konnte er sich so aufregen, dass er prompt ein Brennen auf der Lippe verspürte. Sein Herpes labialis meldete sich wieder, typisch. »Somatisierung« würde das Dr. Auerbach nennen. Er wollte die Kippe aus dem offenen Fenster werfen, aber dann fiel ihm seine Assistentin Harriet ein, die das als fanatische Umweltschützerin ganz und gar nicht gutgeheißen hätte.

Seufzend legte er die Kopfhörer ab, was den Bann endlich

brach, ging ins Bad, löschte die Kippe im Waschbecken am Wasserstrahl und stopfte sie zu den anderen in ein leeres Senfglas mit Schraubverschluss, das er am nächsten Tag auf dem Weg zur Arbeit in die Mülltonne werfen wollte. Er trug noch ein wenig von seiner Salbe gegen den aufblühenden Herpes auf die Lippe und fand, dass es an der Zeit war, ins Bett zu gehen. Er schaltete seinen CD-Player aus, das Fenster ließ er offen. Bei frischer Luft schlief er besser, und die früh einsetzenden Geräusche von den Zügen und Bussen würden ihn rechtzeitig wecken.

Aber es war sein Smartphone mit dem Klingelton eines amerikanischen Telefons aus der Prohibitionszeit, das ihn aus seinen schwedischen Segeltörnalpträumen mit Dr. Herzog und fremden Männern in weißen Arztkitteln schrecken ließ. Verschlafen griff er danach – vielleicht war es ja Ellen, die ihn von einer Segelyacht aus anrief, um ihm mitzuteilen, dass sie ihn gern als Trauzeugen für ihre Hochzeit nach Stockholm einladen wollte. Prompt fiel das Telefon auf den Boden und unter das Bett. Hektisch befreite er sich aus seinen Laken und tastete danach, fand es und nahm ab – immer noch schlaftrunken und traumverwirrt. »Ja, Ellen – bist du es?«

»Machet Sie sich bloß koine falschen Hoffnungen, Herr Hauptkommissar«, antwortete eine wohlbekannte und leicht spöttische Frauenstimme, die er, als er allmählich klar im Kopf wurde, als die von Thielens Sekretärin Frau Gallmann identifizierte. »Wisset Sie eigentlich, wie spät's isch?«

Sie schwäbelte, also war etwas nicht in Ordnung. Er sah auf seine Armbanduhr. Fast zehn Uhr vormittags – er hatte um sagenhafte drei Stunden verschlafen!

Gerade noch schaffte er es, nicht laut zu fluchen, sondern stöhnte nur einmal auf.

Frau Gallmann war gnädig, ersparte ihm eine Antwort und sagte: »Isch Ihnen klar, dass Sie juschtament ein Meeting mit dem Chef hättet? Schon vergessen?«

»Nein, nein«, krächzte er und räusperte sich. So spontan fiel ihm keine Ausrede ein, also gab er sich schuldbewusst. »Ja, ich hab's verschwitzt. Tun Sie mir den Gefallen und denken Sie sich eine Ausrede aus?«

»Hab ich schon. Dringender Arzttermin wegen eines schweren Migräneanfalls.«

»Danke, Frau Gallmann«, seufzte er. »Ich schulde Ihnen einen Gefallen.«

»Einen? Dutzende!«

Ohne eine Tasse Kaffee war Madlener geistig noch nicht auf der Höhe für eine originelle Replik und beteuerte: »Ich meine es ernst, wirklich.«

»Geschenkt. Und jetzt schicket Sie sich aber gefälligscht!«

»Bin schon unterwegs«, flunkerte er, schaltete das Smartphone aus und machte, dass er unter die Dusche kam.

8

Es war knapp nach zehn Uhr vormittags, als Aigner mit seinem weißen Toyota von der A 96 auf den Parkplatz der Autobahnraststätte Winterberg bei Leutkirch abbog, parkte und ausstieg. Um diese Zeit an einem Werktag war nicht viel los. Der große Rundbau der Galluskapelle auf einem steilen Hügel gleich nebenan zog seinen Blick auf sich. Er war früh dran, aber das machte nichts, er konnte warten und begann mit dem mühsamen Aufstieg, der ihn ganz schön außer Atem oben ankommen ließ. Der Himmel war wolkenlos und föhnig, die Rundum-Panoramaaussicht reichte im Süden bis zum Berggipfel des Säntis in die Schweiz hinein und über die österreichischen und Allgäuer Alpen bis zum Nebelhorn und dem Zugspitzgebiet, und Richtung Norden thronte das wuchtige Schloss Zeil auf einem hohen Waldrücken. Aber die Aussicht interessierte Aigner nicht. Er war aus einem anderen Grund hier, er hatte eine Verabredung.

Er betrat den modernen kreisrunden Kirchenbau, der menschenleer war, und ging zu einer der an der Wand stehenden Rundbänke neben dem Altar, um sich dort niederzulassen und sich den Anschein zu geben, in stiller Andacht versunken zu sein. Stattdessen tastete er nach dem Kuvert mit den zweitausend US-Dollar, das in der Innentasche seiner Jacke steckte.

In der Nacht nach seiner Rückkehr vom Memminger Waldfriedhof hatte er in seinem Wohnwagen die Vorhänge zugezogen und Inventur gemacht. Im Tupperbehälter waren insgesamt achtzehntausend US-Dollar und dreißigtausend Schweizer Franken. Nachdem er zweimal durchgezählt und sich von der Echtheit der Geldscheine überzeugt hatte, musste er überlegen, wo er dieses Vermögen, das wohl den besten Freund – ganz zu schweigen die Gebrüder Schwarz – in Versuchung geführt hätte, so verstecken konnte, dass er zwar jederzeit Zugriff hatte, gleichzeitig aber niemand durch einen dummen Zufall darüber stolpern konnte. Ihm fiel nichts Besseres ein, als das gesamte Geld bis auf die

Summe, die er den Gebrüdern Schwarz schuldig war und die er sofort begleichen wollte, und zweitausend Dollar, die er aus guten Gründen gleich benötigte, wieder zusammenzupacken, in den Plastikbehälter zurückzulegen, ihn sicher mit Klebeband zu verschließen und ihn bei seinem Wohnwagen hinter dem Maschendrahtzaun zu verbuddeln. Dieser war an einer Stelle anzuheben, sodass man mit ein wenig Mühe darunter durchkriechen konnte. Er ging sicherheitshalber noch ein paar Schritte weiter und vergrub den Behälter einen Meter weg vom Zaun. Damit er die Stelle problemlos wiederfinden konnte, wickelte er einen seiner Schuhbändel ganz unten um den Maschendraht und knotete ihn fest. Wenn man nicht wusste, wonach man suchte, war er nicht zu sehen. Zufrieden machte er sich auf den Rückweg zum Wohnwagen.

Die Tür der Kapelle ging auf, und ein korpulenter Mann mit der Figur eines Quarterback, der nach dem steilen Anstieg heftig schnaufen musste, kam herein. Er hatte eine rote Windjacke an, auf der der Name einer Reinigungsfirma aus Isny stand, ganz so, wie er am Telefon gesagt hatte. Der Mann wischte sich mit einem Taschentuch den Schweiß von der Stirn, bekreuzigte sich vor dem Altar und blätterte in aller Seelenruhe im dicken Anliegenbuch, das für Kirchenbesucher auslag, damit sie dort ihre Fürbitten, Gebete und Wünsche eintragen konnten.

Aigner beäugte ihn unauffällig und fragte sich, warum er nicht sofort auf ihn zugekommen war. Aber anscheinend wollte er ganz sichergehen, dass Aigner auch wirklich derjenige war, mit dem er sich treffen wollte. Aigner hatte als Zeichen dafür die neueste Ausgabe des »Südkuriers« dabei, die er nun aus der Tasche zog und auffällig neben sich legte.

Ohne ihm in die Augen zu blicken, kam der Mann heran und setzte sich neben Aigner. Aigner schob ihm sein Kuvert mit den Dollarscheinen zu, und im Gegenzug erhielt er einen dicken gefütterten Umschlag, der schwer war und den er sofort wegsteckte. Der Quarterback stand auf und bekreuzigte sich noch einmal vor dem Altar, bevor er wieder durch die Tür ins Freie verschwand.

Aigner blickte in den Umschlag und zog die Pistole heraus. Es war die versprochene Walther P38, das etwas sperrige Ganzstahlmodell mit Holzgriff, und ein Reservemagazin.

Ein gutes Netzwerk machte sich bisweilen doch bezahlt, dachte Aigner. Auch wenn dieses Netzwerk aus Knastbrüdern bestand.

Er hörte draußen jemanden laut husten und Stimmen, die sich näherten. Hastig steckte er die Waffe zurück in den Umschlag, schob ihn zwischen seine Jackeninnenseite und sein Hemd – er war zu groß für die Innentasche, sodass er ihn fest an seinen Körper drücken musste – und erhob sich.

Er musste warten, bis eine ganze Reisegruppe aus älteren Menschen den Kapellenraum betreten hatte und er endlich ins Freie konnte. Beim Abstieg zu seinem Auto hatte er keinen Blick mehr für die idyllische Landschaft, sondern war nur bemüht, den schweren Umschlag nicht herausrutschen zu lassen, weil ihm immer noch Leute aus einem Bus entgegenkamen, um zur Galluskapelle hochzusteigen.

Als er schließlich auf dem Fahrersitz seines Toyota saß und den Umschlag unter den Beifahrersitz schieben konnte, atmete er erleichtert durch, bevor er den Motor anließ und davonfuhr.

9

»Wie geht's Ihnen?«, fragte Kriminaldirektor Thielen mit besorgter Miene und strich sich seine langen dünnen Strähnen über seiner Glatze zurecht.

»Danke der Nachfrage, es ging mir schon besser«, antwortete Madlener. »Der Doc hat mir was Starkes gegen meine Migräne gegeben. Ich bin wieder okay.«

»Wenn Sie für heute blaumachen wollen …«, bot ihm Thielen an, der seit dem Internatsfall geradezu rührend um seinen besten Mann in der Kripo Friedrichshafen besorgt war.

»Nein, nein, schon gut. Sie wollten mich sprechen?«

Thielen stand auf und begann, in seinem Büro auf und ab zu tigern, ein deutliches Zeichen dafür, dass er eine heikle Mission für Madlener hatte und er nicht so recht wusste, wie er sie am geschicktesten an den Mann bringen sollte.

»Oberstaatsanwalt Dr. Matussek ist Ihnen ein Begriff …«, sagte Thielen unvermittelt und blieb am Fenster stehen.

»Ja. Wir hatten im Laufe der Nachermittlungen im Internatsfall mit ihm zu tun.«

»Was halten Sie von ihm?«

»Nun – er macht seinen Job, ich meine.«

»Persönlich, meine ich.«

»Dazu kann ich nichts sagen. Ich kenne ihn nicht näher.«

»Nun, ich umso mehr. Will sagen, Dr. Matussek ist einer der fähigsten Juristen der Staatsanwaltschaft, mit Luft nach oben. Sie verstehen, was ich meine?«

Madlener zuckte mit den Achseln. Karrieregeilheit und Postengeschacher waren ihm herzlich egal.

»Ein Mann der Zukunft«, sagte Thielen. »Immer auf der Seite der Polizei, den müssen wir uns warmhalten. Ich muss da auch ein wenig … sagen wir: politisch denken. Er ist nicht ohne Einfluss. Außerdem ist er in sämtlichen gemeinnützigen Organisationen aktiv, die ich kenne. Lions Club, Rotarier, Malteserorden, Weißer Ring und so weiter und so fort. Beeindruckend.«

»Wie Sie?«

»Nicht im Malteserorden. Da muss man katholisch sein.« Er stutzte. »Woher wissen Sie das?«

»Ich lese die regionale Zeitung. Und er ist in Ihrem Golfclub, nehme ich an.«

»Selbstverständlich. In beiden. Weißensberg und Ravensburg.«

»Handicap?«

»Neun.«

»Ihres?«

»Nein. Seines.«

»Ist das gut?«

»Verdammt gut.«

»Dann frage ich mich, wann dieser Mann eigentlich schläft.«

Allmählich hatte das Gespräch einen Verlauf genommen, der Kriminaldirektor Thielen zu irritieren begann. Madlener hatte, ohne dass Thielen das wollte, die Gesprächsführung an sich gerissen. Wie er das nur immer wieder schaffte! Thielen ärgerte sich. Er sah Madlener über den Rand seiner Brille prüfend an, aber der verzog keine Miene. Es war wirklich wie verhext mit diesem Mann, der es vorzog, in einem Hotel der unteren Mittelklasse zu hausen – man konnte sich nie sicher sein, ob er einen ernst nahm oder sich lustig machte. Thielen räusperte sich. »To make a long story short: Ich habe eine verantwortungsvolle Aufgabe für Sie, Madlener. Dr. Matussek fühlt sich bedroht und hat mich darum gebeten, da mal ein wenig nachhaken zu lassen.«

»Von Golffreund zu Golffreund?«

»Nein. Von Staatsanwalt zu Kriminaldirektor. Aber die ganze Angelegenheit muss diskret behandelt werden. Es ist momentan nichts Offizielles. Und dabei soll es auch bleiben.«

Madlener schwieg.

Thielens Blutdruck stieg bedenklich. Dieser Madlener konnte einen nicht nur mit Worten auf ein falsches Gleis führen und verwirrt zurücklassen, er konnte das auch, indem er einfach gar nichts sagte. »Mad« Max, in jeder Beziehung!

Noch nie hatte Thielen jemanden in seinem Mitarbeiterumkreis erlebt, der sich derart jeder Einschätzung entzog. Da immer noch nichts von ihm kam, musste er die Frage stellen: »Und? Was sagen Sie dazu?«

»Irgendeine konkrete Gefahr? Ordnen Sie hiermit Personenschutz an?«

Thielen wand sich. »Nein, natürlich nicht. Das würden unsere beschränkten Mittel und Personalmöglichkeiten gar nicht erlauben. Außerdem gibt es, wie er mir am Telefon geschildert hat, nur vage Verdachtsmomente. Nein, sagen wir es so: Ich bin Dr. Matussek einfach was schuldig.«

»Das verstehe ich.«

Thielen seufzte hörbar auf. »Dann sind wir uns einig? Sie kümmern sich darum?«

»Und warum ausgerechnet ich? Das ist ein Job für Praktikanten. Falls es so was bei uns überhaupt gibt.«

»Jetzt stellen Sie sich nicht so an, Madlener. Der Kollege Binder ist in Urlaub, und seinen Mitarbeiter Götze kann ich genauso wenig damit beauftragen wie Ihre Assistentin.«

»Und warum nicht?«

»Das wissen Sie ganz genau. Weil sie beide so unauffällig sind wie ... wie ...« Er suchte nach einem Vergleich.

»Eine Spinne auf einer Sahnetorte vielleicht?«

»Sahnetorte?« Jetzt hatte er Thielen vollständig aus dem Konzept gebracht. »Wie dem auch sei – die zwei sind für so etwas einfach noch zu feucht hinter den Ohren. Dr. Matussek und seine Familie sind Stützen unserer Gesellschaft, bekannt und geschätzt am ganzen Bodensee. Da brauche ich jemanden mit Erfahrung und Fingerspitzengefühl, jemanden, der mit der nötigen Umsicht und Diskretion zu Werke geht.«

Jetzt war Madlener wirklich überrascht. »Und da haben Sie ausgerechnet an mich gedacht?« Er schüttelte den Kopf und stand auf.

Thielen stellte sich vor ihm in Positur. »Ich kann Dr. Matussek kein Greenhorn schicken. Dann glaubt er, dass ich seine Besorgnis nicht ernst genug nehme, verstehen Sie? Oder wollen Sie mich nicht verstehen?«

Madlener wich keinen Millimeter zurück.

»Natürlich.«

Wie war das jetzt wieder gemeint? Wollte er ihn verstehen oder wollte er ihn nicht verstehen? Thielen wurde einfach nicht schlau aus seinem Kommissar.

Madlener sagte unvermittelt: »Ich brauche dazu aber die Unterstützung durch Frau Holtby.«

Jetzt war Thielen wirklich baff. »Sie sagen nicht Nein? Sie wissen, zwingen kann ich Sie nicht.«

»Warum sollte ich? Aber ich mach's auf meine Art.«

Thielen zog ein Gesicht, als habe er auf eine Zitrone gebissen. »Was soll das heißen?«

»Ich werde mich informieren. Mich umhorchen. Mit ihm persönlich sprechen. Wenn er nicht gerade beim Golfen ist. Und Sie lassen mir dabei freie Hand.«

»Soll mir recht sein. Wenn Sie sich nicht benehmen wie der Dings im Porzellanladen …«

»Der Elefant.«

»Genau der.«

»Sehe ich so aus?«

Wie Madlener so dastand mit unschuldigem Gesicht und ausgebreiteten Armen, beschlich Kriminaldirektor Thielen wieder das unbestimmte Gefühl, dass Madlener ihn für dumm verkaufte. Oder noch schlimmer: dass Madlener ihn generell nicht ernst nahm.

Vielleicht traf auch beides zu, er war sich nicht sicher.

10

Als Madlener auf sein Büro zusteuerte, hing an der Tür ein großer Zettel, auf dem in knallroter Textmarkerhandschrift stand: »NICHT eintreten, ohne anzuklopfen!!«

Die Botschaft war noch nicht in sein Bewusstsein eingedrungen, als er schon schwungvoll wie immer die Tür aufriss und dabei, ohne es zu wollen, einen heftigen Durchzug entfachte, weil die Fenster sperrangelweit offen standen. Verblüfft sah er Harriet zu, die auf allen vieren auf dem Boden herumkrabbelte, vergeblich versuchte, hochfliegende Blätter wieder einzufangen, und nebenher schimpfte: »Können Sie nicht lesen?«

Schnell schloss Madlener die Tür hinter sich. Harriet hatte alle Akten nach einem nur ihr zugänglichen System auf dem Boden ausgebreitet, dazu lose Protokolle, Fotos und Notizen, die sie selbst gemacht und zugeordnet hatte. All das war durch den von Madlener verursachten Windstoß zum größten Teil Makulatur. Jetzt erst drehte Harriet sich um und erkannte ihren Chef, der trotzdem einen giftigen Blick aus ihren dunkel umrandeten Augen abbekam.

Madlener schaute sich kurz die Bescherung an, die er angerichtet hatte, dann sagte er: »Kommen Sie, Frau Kommissaranwärterin, wir haben Sinnvolleres zu tun.«

Harriet stand auf, strubbelte verzweifelt mit beiden Händen ihre Haare und zeigte anklagend auf das Papierchaos. »Und die Altfälle?«

»Können warten. Nach über fünfzig Jahren kommt es auf ein paar Tage mehr oder weniger auch nicht mehr an.«

Harriet schnappte sich ihren Rucksack, der auf ihrem Bürostuhl lag, und sah Madlener erwartungsvoll an.

»Haben wir eine Leiche?«

»Wie ist das gemeint?«, stellte er die Gegenfrage.

»In gewissem Sinne hoffnungsvoll, wenn ich mir das hier ansehe …«, erwiderte Harriet. »Was mach ich jetzt mit dem ganzen Zeug? Vielleicht entzündet es sich von selbst, während wir weg sind.«

»Deinen Optimismus möchte ich haben. Wann kommt die Putzkolonne?«

»Nachts.«

»Wenn sie ein Einsehen hat, räumt sie alles weg, und wir sind aus dem Schneider.«

Als er merkte, dass Harriet ihn durchaus ernst nahm und diesen Gedanken gar nicht so abwegig fand, zog er sie auf den Gang hinaus, sperrte das Büro kurz entschlossen ab und war auch schon auf dem Weg nach unten. Harriet folgte ihm mit klappernden Schuhen. Ihre blitzblank gewienerten Springerstiefel, die sie neuerdings auch im Sommer trug, hatte sie vor Kurzem mit neuen Eisenplättchen an Spitzen und Absätzen beschlagen lassen. Wenigstens war sie so schon meilenweit durch die geschlossene Tür zu hören, wenn sie durch die Gänge marschierte.

Madlener saß am Steuer des Dienstwagens. Harriet hielt sich mit einer Hand am Sicherheitsgurt fest, obwohl Madlener diesmal absolut vorschriftsmäßig fuhr, aber Harriet traute ihm beim Autofahren grundsätzlich nicht so ganz. Mit der freien Hand bediente sie ein Tablet auf dem Schoß, das sie immer bei sich hatte und normalerweise im Rucksack mit sich herumtrug.

Sie verließen Friedrichshafen in nordwestlicher Richtung.

»Hast du was über ihn gefunden?«, fragte Madlener schließlich.

»Kommt darauf an. Was willst du wissen? Die ausführliche oder die Kurzfassung?«

»Make a long story short«, sagte er in Erinnerung an Thielens momentane Lieblingsfloskel und grinste Harriet an, die den Witz nicht verstand, aber wenigstens den Sinn des Satzes, und loslegte: »Also, wir haben einen Oberstaatsanwalt, vierundfünfzig Jahre alt, verheiratet, silberne Hochzeit vor zwei Jahren …«

»Wie viel ist das? So weit bin ich nie gekommen, um mir das merken zu können.«

»Schlappe fünfundzwanzig Jahre«, erläuterte Harriet.

Madlener zeigte sich beeindruckt. »Der Mann hat Durchhaltevermögen.«

»Oder die richtige Frau an seiner Seite. Weiter im Text … Ein Sohn, vierzehn. Matussek hat in die Winzerfamilie Haggenmiller eingeheiratet. Scheint sehr vermögend zu sein. Weingut, Weinberge, Weinkellerei, Flasche Weißwein ab neun Euro aufwärts, unzählige Auszeichnungen.«

»Der Mann?«

»Der Wein. Ich habe hier mehrere Gold- und Silbermedaillen bei Großverkostungen. Seinen Doktorgrad in Jurisprudenz hat er summa cum laude gemacht.«

»Und? Wurde seine Doktorarbeit schon unter die Lupe genommen?«

»Nein. Soll ich?«

»Könntest du?«

»Kein Problem.«

Er sah kurz zu seiner Beifahrerin hinüber. Sie schien es wirklich ernst zu meinen. Irgendwie waren ihre Humorebenen an diesem Tag unterschiedlich justiert.

»Harriet ...«

»Ja, Chef?« Die Unschuld vom Lande. Unverbesserlich, was ihre grundsätzliche Einstellung zu einer gewissen Laxheit in der Unterscheidung von »gesetzlich« und »gesetzeswidrig« anging. Die Halbwertszeit der Wirkung seiner gestrigen Standpauke zu diesem Thema schien ähnlich kurz gewesen zu sein wie die eines künstlichen Isotops: Sie war wohl nur in Millisekunden messbar.

»Nichts«, sagte Madlener resigniert. »Sonst noch was, das ich wissen müsste? Und verschone mich bitte mit seinen Mitgliedschaften in Vereinen und wohltätigen Organisationen, die hat mir Kriminaldirektor Thielen schon alle aufgezählt. Parteimitglied?«

»Ja.«

»Welche?«

»Was meinst du, in welcher Partei man hier ist, als Eingeheirateter in einer angesehenen, alteingesessenen Familie im Süden von Baden-Württemberg und Jurist, wenn man Ambitionen hat und dazu ein geeignetes Netzwerk braucht?«

»Die Linke?«

Jetzt hatte er sie doch zum Grinsen gebracht. Sie schaltete ihr Tablet aus.

»Das war das offizielle Bild aus der Hochglanzbroschüre für verdiente und gleichzeitig bodenständige Lenker und Leiter unseres sonnenverwöhnten Bundeslands. Soll ich tiefer graben?«, fragte sie.

»Nein. Vorläufig nicht. Hören wir uns erst einmal an, was uns der Einserjurist zu sagen hat.«

»Wo treffen wir ihn?«

»In einem konspirativen Café in Ravensburg.«

Sie tauschten einen kurzen Blick aus, Madlener zuckte mit den Achseln.

»Frau Gallmann hat den Termin vereinbart.«

»Wieso nicht in seinem Büro?«

»Er will nicht, dass es zu offiziell wird.«

11

In Ravensburg suchten sie mit ihrem Dienstfahrzeug ein Parkhaus auf, das laut Aushang mehrere Auszeichnungen für besonders frauenfreundliche Parkplätze bekommen hatte. Harriet bestand darauf, dass Madlener nicht auf einen der für Frauen und Mütter reservierten freien Plätze im Erdgeschoss fuhr, obwohl das Parkhaus um diese Zeit brechend voll war und sie aufs oberste Deck kurven mussten, um endlich ihr Auto abstellen zu können.

Was Harriets Sinn für Umweltschutz und Gleichberechtigung anging, war sie in Kleinigkeiten geradezu fanatisch darauf bedacht, alle Spielregeln penibel einzuhalten. Umso erstaunlicher war ihre Großzügigkeit in der Auslegung der Gesetze, wenn es um wirklich wichtige Belange ihrer Arbeit und die Möglichkeiten des Internets ging. Sie hatte eben ein besonders individuell gestaltetes Sensorium für Recht und Unrecht und legte es gerade so aus, wie es ihr in den Kram passte, dachte Madlener, während er hinter ihren laut klackernden Schritten das Treppenhaus hinunterging – den Lift nach unten zu nehmen war natürlich ebenfalls tabu. Nicht aus Gründen der körperlichen Ertüchtigung, sondern der Stromersparnis. Madlener seufzte, aber um des lieben Friedens willen tat er ihr den Gefallen.

Sie waren im »Café Central« in der Innenstadt verabredet. Es war warm, die Sonne schien, und ein laues Lüftchen wehte. Vor dem Café herrschte jetzt am Spätnachmittag Hochbetrieb, jeder Tisch war besetzt. Madlener und Harriet sahen sich um, Matusseks Gesicht konnten sie nicht entdecken. Madlener ging ins Café an die Theke und fragte nach ihm. Der Mann hinter dem langen Glastresen, ein trotz aller Hektik beim Zusammenstellen der Tapas nicht aus der Ruhe zu bringender und fröhlich zur Musik aus den Lautsprechern summender Rastalocken-Träger mit einem T-Shirt, das ihn als Freund von Bob Marley auswies, zeigte nur kurz mit dem Finger zur Decke. Madlener und Harriet steuerten die Treppe nach oben an, vor der eine rote Kordel den

Zugang verwehrte. Madlener hakte sie aus, sie gingen durch, und Harriet hakte sie hinter sich wieder ein.

Im ersten Stock angekommen, orientierten sie sich. Er war ganz im Retro-Stil der 1950er-Jahre gehalten: Rot-goldene Streifentapeten bedeckten die Wände, darauf gerahmte Gemälde, Aquarelle und Zeichnungen von begabten Amateuren oder welchen, die sich dafür hielten, dicht an dicht. In der Mitte des Raums war ein großer ovaler Durchblick ins Erdgeschoss, mit einem Balkongeländer galerieartig abgesichert. Ganz hinten, in der entferntesten Ecke, mit Fensterblick auf die Straße, saß der einzige Gast, ein Mittfünfziger, der die Zeitung, die er las, auf den Tisch sinken ließ, als Madlener und Harriet auf ihn zukamen.

Madlener begrüßte Dr. Matussek und stellte artig seine Assistentin vor, Matussek gab ihnen höflich, aber distanziert die Hand. Sie war feucht, was Madlener bei dem kühlen und beherrscht wirkenden Staatsanwalt nicht vermutet hätte. Er trug einen anthrazitfarbenen Anzug, der perfekt saß, hatte manikürte Fingernägel, eine randlose Brille, die seine Augen übergroß erscheinen ließ, und einen gestutzten Spitzbart, der sein hageres Gesicht noch markanter machte. Seine dichten pechschwarzen Haare waren halblang und perfekt geschnitten, und an seinem linken Handgelenk war ein sündteurer Retro-Chronometer. Außerdem trug er tatsächlich goldene Manschettenknöpfe – so etwas hatte Madlener das letzte Mal bei seiner eigenen Konfirmation gesehen, und die war sechsunddreißig Jahre her. Der Mann war in Gestus und Habitus ein waschechter Snob. Ob die Attitüde nur Schein und er darunter auch wirklich ein Gentleman war, würde sich herausstellen. Die Brillengläser verliehen ihm einen wässrigen und traurigen Blick, der täuschte. Von Kriminaldirektor Thielen wusste Madlener, dass Matussek in Juristenkreisen als »harter Hund« bekannt war, der stets auf die gesetzlich zulässige Höchststrafe plädierte und von Verteidigern angeführte Milderungsgründe mit Genuss Punkt für Punkt widerlegte oder gleich in der Luft zerriss.

»Danke, dass Sie sich herbemüht haben«, sagte er und faltete die Hände über seiner leeren Teetasse zusammen. »Sie werden sich fragen, warum wir uns nicht in meinem Büro getroffen haben. Aber da haben die Wände gelegentlich Ohren, und ich möchte kein Gerücht in die Welt setzen, das durch Mundpropaganda größer gemacht wird, als es ist. Ich darf Sie deshalb darum bitten, dass dieses Gespräch vertraulich behandelt wird.«

Er lehnte sich zurück und wartete.

Im Warten und Den-Mund-Halten war Madlener ebenfalls ein Meister, das gehörte zu seinem Standardrepertoire aus dem Bereich seiner Verhörmethodik. Er sah Matussek an und wartete darauf, wann dieser die Spannung, die sich unweigerlich aufbaute, nicht mehr aushielt. Aber Matussek war ein harter Gegner und reagierte einfach nicht.

»Mein Vorgesetzter, Kriminaldirektor Thielen, hat mir gesagt, dass Sie sich bedroht fühlen«, fing Madlener schließlich an. »Ist das richtig?«

»Nein, das ist nicht präzise. Würde ich mich bedroht *fühlen*, Herr Hauptkommissar, dann ginge ich zum Psychiater. Ich *werde* bedroht. Das ist ein großer Unterschied.«

»Von wem?«

»Das wiederum ist die Krux. Ich weiß es nicht. Sonst hätte ich längst Ermittlungen eingeleitet.«

Harriet mischte sich ein. »Wollen Sie uns nicht der Einfachheit halber erzählen, was passiert ist? Von Anfang an?«

Matussek scannte Harriet von oben bis unten ab, bevor er nickte und eine Brieftasche aus der Jacke zog, die er sorgsam auffaltete und der er zwei zerknitterte und wieder geglättete Zettel in Postkartengröße entnahm. Er legte sie vor Madlener auf den Tisch.

»Den ersten Brief habe ich vor exakt dreizehn Tagen bekommen. Der Umschlag ist weg, und die darin enthaltenen Zettel sind durch so viele Hände gegangen, dass es zwecklos wäre, sie auf Fingerabdrücke zu untersuchen. Es sind nur zwei von einem halben Dutzend, der Rest ist im Abfall gelandet und verschwunden. Diese beiden hat meine Sekretärin noch im Papiermüll gefunden.«

»Warum haben Sie sie weggeworfen?«

»Weil ich ihnen zunächst keine Bedeutung beigemessen habe.

Anonyme Drohungen sind in meiner Position nichts Ungewöhnliches. Ich bin Oberstaatsanwalt.«

Dabei sah er Madlener an, als würde das alles erklären. Madlener warf einen Blick auf die zwei Zettel.

Auf einem stand:

Die Strafe folgt auf dem Fuß.
Sie werden Ihre Schuld sühnen müssen.
Im Namen der Gerechtigkeit, nicht des Gesetzes.

Auf dem anderen:

An Ihrer Stelle würde ich mir ernsthafte Sorgen um meine Familie machen.
Sie sind in allen Punkten schuldig gesprochen worden.
Nicht im Namen des Volkes, sondern von mir.

Harriet sah sie sich an. »Ein normaler Drucker. Nichts Außergewöhnliches. Bis auf den Stil, der auf beiden Zetteln derselbe ist, leicht pathetisch und religiös angehaucht, und den Inhalt. Keine Fehler, sieht nach höherem Bildungsgrad aus.« Sie blickte Matussek an. »Wo wurden sie gefunden?«

»Zwei auf meinem Schreibtisch. Die anderen klemmten in der Türgriffmulde meines Wagens.«

»Wo steht Ihr Auto normalerweise?«

»In der für jedermann zugänglichen Tiefgarage Marienplatz. Ich habe dort einen festen Stellplatz.«

»Was war der Wortlaut der anderen Schreiben?«, fragte Madlener.

»Daran kann ich mich nicht mehr genau erinnern. In etwa eine Variation der beiden hier.«

»Ich werde Sie jetzt nicht fragen, ob Sie Feinde haben, davon ist bei Ihrer Position ja auszugehen. Was schätzen Sie: Wie viele Urteile, für die Sie als Anklagevertreter zuständig waren, haben zu Haftstrafen geführt? Pi mal Daumen?«

Matussek zuckte mit den Schultern. »Ein paar hundert?«

»Irgendein konkreter Verdacht?«

»Nein. Sonst hätte ich Sie ja nicht um Hilfe gebeten. Sehen Sie …« Er beugte sich über den Tisch und wurde leiser. »Es geht mir nicht um mich. Ich habe mir in der Beziehung im Laufe der Jahre ein dickes Fell zugelegt. Außerdem kann ich ganz gut auf mich aufpassen.«

»Sie führen eine Schusswaffe mit sich?«

»Eine Browning 9 mm, Halbautomatik. Inklusive Waffenbesitzkarte und Waffenschein natürlich.«

»Natürlich.«

»Herr Madlener – ich kann es nicht zulassen, dass meine Familie bedroht wird!«

»Haben Sie sie davon informiert?«

»Nein, bis jetzt nicht. Ich möchte auf gar keinen Fall, dass sie damit behelligt wird. Das wäre unerträglich für meine Frau, das möchte ich ihr nicht zumuten. Ich habe diesen Zetteln zunächst keine Bedeutung zugemessen und sie weggeworfen, weil ich beschlossen hatte, sie einfach zu ignorieren. In der irrigen Meinung, das würde von selbst aufhören. Bis diese Geschichte gestern Nacht passiert ist. Da wurde mir klar, dass die Drohungen ernst zu nehmen sind. Ich habe dann unverzüglich Ihren Vorgesetzten davon in Kenntnis gesetzt.«

»Was genau ist geschehen?«

Matussek beugte sich ein Stück weiter nach vorne und flüsterte fast. »Ich bin verfolgt worden. Von einem Auto. Bei der Heimfahrt auf der B 30 nach Friedrichshafen. Nachts, es war zwischen zweiundzwanzig und dreiundzwanzig Uhr, bei Regen und schlechter Sicht. Verfolgt, bedrängt und angefahren. Ich hatte Angst um mein Leben.«

Madlener und Harriet tauschten einen kurzen Blick aus. Madlener fragte: »Warum haben Sie nicht gleich die Polizei von diesem Vorfall verständigt?«

Matussek lehnte sich wieder zurück und seufzte. »Zunächst war das natürlich mein erster Impuls, aber dann habe ich's gelassen.«

»Warum?«

»Wie ich schon sagte: Es war dunkel und regnete, die Sicht war miserabel. Ich habe nicht mal den Autotyp erkannt, geschweige denn, wer am Steuer saß. Der Wagen kam von hinten und fuhr plötzlich auf mich auf, dann setzte er sich neben mich und wollte mich von der Straße drängen. Als das nicht funktionierte, drehte er um und verschwand wieder. Mehr weiß ich nicht.«

»Waren Sie danach schon in der Werkstatt?«

»Nein. Ich bin noch nicht dazu gekommen.«

»Hat niemand bei Ihnen zu Hause den Schaden bemerkt und nachgefragt?«

»Nein. Meine Frau hat ihren eigenen Wagen.«

»Warum keine Anzeige gegen unbekannt? Zumindest wegen der Versicherung?«

»Ich bitte Sie! Ich weiß, wie so was ausgeht. Riesenaufwand für nichts. Das muss meine Vollkasko übernehmen.«

»Gibt es sonst noch etwas, das für diese … Drohungen relevant ist, von dem wir wissen müssten?«

»Das ist alles. Bisher.«

»Haben Sie schon mal etwas Ähnliches erlebt?«

»Das eine oder andere Mal. Im üblichen Rahmen, nach oder während Gerichtsverhandlungen. Da kommt es gelegentlich vor, dass ein Verurteilter durchdreht und alle expressis verbis bedroht, die er dafür verantwortlich macht, dass er ein paar Jahre einsitzen muss. Alles im Sande verlaufen.«

»Gab es vor Kurzem so eine Situation?«

»Nein, schon lange nicht mehr.«

»Haben Sie in nächster Zeit einen Prozess zu führen, in dem Sie mit solchen Reaktionen zu rechnen haben?«

»Nicht, dass ich wüsste … aber ich bin kein Prophet.«

»Kein Drogenprozess oder etwas im Zusammenhang mit organisierter Kriminalität, wo jemand Druck auf Sie ausüben will?«

»Das macht nicht viel Sinn. Ich bin Staatsanwalt, für das Urteil ist immer noch ein Richter zuständig.« Er sah auf seine Uhr. »Apropos Richter – tut mir leid, ich habe in zehn Minuten einen Gerichtstermin. Und dieser Richter wartet nicht gern.«

Mit diesen Worten stand er auf und knöpfte sein Jackett zu. »Haben Sie noch irgendwelche Fragen?«

Madlener und Harriet erhoben sich ebenfalls.

»Jede Menge«, sagte Madlener. »Aber fürs Erste genügt das.«

»Werden Sie mich überwachen lassen?«

»Herr Dr. Matussek – Sie kennen die Personalsituation im Präsidium.«

»Was wollen Sie dann unternehmen?«

»Wir werden – Ihr Einverständnis vorausgesetzt – ein paar Daten Ihrer ehemaligen Kunden abgleichen. Unter anderem.«

Er wandte sich an seine Assistentin. »Harriet – geben Sie dem Herrn Staatsanwalt unsere Nummern?« Madlener ärgerte sich, dass er immer noch keine Visitenkarten hatte machen lassen. Harriet hatte seine Nummern handschriftlich auf ihrer Karte notiert und reichte sie Matussek.

»Sie können mich Tag und Nacht anrufen. Bitte tun Sie das unbedingt, wenn es noch so einen … Vorfall wie gestern Nacht geben sollte. Oder wenn Ihnen noch was einfällt.«

Dr. Matussek blieb vor Madlener stehen und sah ihm in die Augen, wahrscheinlich war das sein Blick, den er anwendete, wenn er verstockte Angeklagte einschüchtern wollte. Bei Madlener blieb er wirkungslos, er hielt ihm stand. »Ich habe Ihr Wort, dass Sie sich dahinterklemmen?«

»Wir tun unsere Pflicht«, erwiderte Madlener und zeigte den Ansatz eines Lächelns, der sich allerdings auf seine Mundwinkel beschränkte.

Matussek nickte und drehte sich wortlos um.

Sie sahen ihm nach, wie er mit federnden Schritten auf der Treppe nach unten verschwand.

Als er weg war, räusperte sich Madlener, drückte Harriet die Zettel in die Hand und sagte: »Harriet, ich fürchte, dass wir doch tiefer graben müssen.«

»Carte blanche?«

»Das will ich nicht gehört haben!«

»Verstehe. Also ja.«

Sie wollten gerade nach unten, als eine junge Bedienung mit Schürze und Namensschild durch eine Tür kam und sich ihnen in den Weg stellte. »Ist der Herr Staatsanwalt weg?«

»Ja«, sagte Harriet.

»Er hat vergessen zu bezahlen«, sagte sie und hielt Madlener den Kassenzettel hin. Er warf einen kurzen Blick darauf und gab ihn an Harriet weiter. »Übernimmst du das, Harriet?«

Harriet verdrehte die Augen und kramte in ihrem Rucksack.

Dr. jur. Matussek war doch ein Snob.

Und kein Gentleman.

Ob er es, wenn es um seine Angelegenheiten ging, mit der Wahrheit nicht so genau nahm wie mit seinen Manieren, das war leicht festzustellen.

Sie brauchten nicht lange zu suchen, bis sie den Wagen des Oberstaatsanwalts in der Tiefgarage am Marienplatz gefunden hatten. Harriet hatte deswegen seine Sekretärin angerufen, aber auch sonst wäre die ramponierte schwarze Limousine im Bereich der Dauerparkplätze gleich aufgefallen. Am Heck und an der Seite hatte sie deutlich sichtbare Schrammen und Dellen.

Madlener ging in die Hocke, Harriet kramte in ihrem Rucksack und reichte ihm eine Beweismitteltüte. Madlener wunderte sich immer wieder aufs Neue, was Frauen so mit sich herumschleppten – insbesondere seine zweite Exfrau und Frau Gallmann in ihren Handtaschen. Aber Harriet übertraf ihre weiblichen Geschlechtsgenossinnen in dieser Hinsicht noch bei Weitem. Mit dem geheimnisvollen Inhalt ihres Rucksacks konnte man wahrscheinlich zwei Wochen in der Wüste Gobi überleben oder wahlweise im Packeis am Nordpol.

Mit seinem neuen Schweizer Taschenmesser, das er zum Geburtstag von seinem Sohn geschenkt bekommen hatte, kratzte er ein paar helle Lackreste in die Beweismitteltüte, verschloss sie und reichte sie seiner Assistentin.

»Ins Labor?«, fragte sie.

»Um Gottes willen! Damit wir uns wieder eine Predigt von Thielen über Kostenersparnis und Verschwendung von Steuergeldern anhören können?«, wehrte Madlener ab. »Nein, die kommt in unsere persönliche Asservatenkammer.«

»Wir haben eine persönliche Asservatenkammer?«, fragte Harriet einigermaßen verblüfft.

»Haben wir. Die unterste Schublade in meinem Schreibtisch.« Er hielt die winzigen Teilchen in der durchsichtigen Tüte gegen das Licht einer Deckenlampe und studierte sie nachdenklich. »Vielleicht brauchen wir sie noch für eine Vergleichsprobe, man kann nie wissen.«

Er reichte Harriet die Tüte, und sie verstaute sie in ihrem Rucksack. »Und jetzt?«

»Jetzt machen wir zwei ein Update. Und dazu lade ich dich auf einen Kaffee ein.«

In diesem Moment klingelte sein Smartphone. Er nahm den Anruf entgegen. »Ja?«

Konzentriert hörte er zu, sagte: »Danke, Frau Gallmann. Sind unterwegs«, steckte das Handy weg und sah Harriet an. »Unseren Kaffeeklatsch müssen wir ein andermal nachholen. Ich weiß, dass du alles Mögliche kannst, aber dass Hellsehen auch zu deinen Fähigkeiten gehört, ist mir neu.«

»Wieso?«

»Jetzt haben wir den Schlamassel, den du dir vorhin so gewünscht hast.«

In Harriets Augen blitzte es auf. »Wirklich? Sag bloß, unser Büro ist abgebrannt?«

Betrübt schüttelte er den Kopf. »Nein, leider nicht. Eine Leiche, weiblich. Wird kein schöner Anblick werden. Sie wurde in Überlingen auf den Bahngleisen gefunden. Jedenfalls das, was von ihr übrig ist.«

»Suizid?«

»Ich habe noch nie von einem Suizid gehört, bei dem sich jemand nackt auf die Gleise legt. Thielen wartet schon. Fahren wir.«

12

Schon von Weitem sahen Madlener und Harriet die blinkenden Lichter der zahlreichen Rettungs- und Polizeifahrzeuge, als sie in Überlingen nach der Umrundung von fünf Kreisverkehrsinseln die Wiestorstraße Richtung Schiffslandungsplatz herunterfuhren. Der Bahnhof von Überlingen war, wohl einzigartig in Deutschland, ein Stockwerk unter Straßenniveau zwischen zwei Tunnels in einem felsigen Einschnitt gelegen und bestand nur aus einem Bahnsteig. Der ganze Bereich um den Felseinschnitt war großräumig mit Absperrband abgesichert, ein Riesenaufgebot an Uniformierten sorgte dafür, dass weder die üblichen Neugierigen noch Reporter oder Urlauber Zugang zum Bahnhof bekamen. Sogar das Technische Hilfswerk war mit Fahrzeugen und Männern vor Ort. Es herrschte pure Konfusion. Im ersten Moment konnte man den Eindruck bekommen, eine unterirdische Bombenexplosion hätte die halbe Stadt lahmgelegt, so viele Helfer wuselten mehr oder weniger zielgerichtet umher: Feuerwehrmänner mit ihren schweißtreibenden Schutzanzügen und Helmen, Polizisten, Sanitäter und Notärzte, sogar Techniker von der Spurensicherung in ihren weißen Overalls.

Madlener hielt am Absperrband an, ignorierte die rudernden Armbewegungen eines Polizisten und stieg gleichzeitig mit Harriet aus dem Wagen. Der Polizist, ein junger Wichtigtuer, kam mit einem Gesicht wie eine Kampfdrohne auf sie zu.

»Fahren Sie gefälligst weiter! Hier können Sie nicht stehen bleiben!«, rief er, aber Madlener und Harriet zückten schon ihre Ausweise, und Madlener fragte: »Wo finden wir Kriminaldirektor Thielen?«

»Wer soll das sein?«, erwiderte der Polizist misstrauisch, nachdem er die Ausweise unter die Lupe genommen hatte.

»Haben Sie gedient?«, fragte Madlener – obwohl er nie in seinem Leben eine Kaserne von innen gesehen hatte – in einem militärischen Ton, der Harriet erstaunt aufhorchen ließ.

Der Polizist nahm so etwas wie Haltung an und meldete mit

einem Anflug von Stolz in der Stimme: »Jawohl, Herr Hauptkommissar. Bei den Gebirgsjägern in Füssen. Gebirgsaufklärungsbataillon 230.«

»Schön, schön. Dann können Sie sich ja einen Feldwebel bei der Rekrutenausbildung vorstellen, groß, Brille, Glatze und mit lautem Befehlston, der jeden zur Schnecke macht, der es wagt, zu widersprechen«, sagte Madlener.

»Kann ich, jawohl. Da unten im Westtunnel ist so jemand, der schreit, dass die Wände wackeln. Der Alte bei uns in Füssen war genauso.«

»Das muss er sein«, sagte Madlener nickend. »Danke.«

Während Madlener mit seiner Assistentin die Treppe zum Bahnsteig hinunterging, riskierte es Harriet, ihm eine Frage zu stellen, die ihr auf der Zunge lag. »Du warst bei der Bundeswehr?«

»Beim Bund, so heißt das«, korrigierte er sie gespielt streng. »War ich nie. Ich habe verweigert und war Zivi. Zivildienstleistender.«

»Hätte mich auch gewundert, nach dem, was ich in deiner Akte gelesen habe. Von wegen nicht teamfähig und aufsässig gegen Vorgesetzte.«

»Welche Akte?«

Harriet besann sich und antwortete: »Sorry. Ich kenne keine Akte, Herr Hauptkommissar. Ich habe nie eine gesehen und werde sie nie wieder erwähnen.«

»Das will ich dir auch geraten haben«, sagte Madlener und blieb unten auf dem Bahnsteig stehen, weil Götze, ihr junger Kollege vom Präsidium, gerade aus dem westlichen Tunnel gewankt kam, sich neben dem Gleisbett an die Mauer lehnte und nach Atem rang. Die bei Außeneinsätzen unvermeidliche Sonnenbrille hatte er auf seine Haare hochgeschoben, um seine coole Professionalität zu unterstreichen. Passend zu diesem schwülheißen Sommertag trug er ein Exemplar aus seiner unerschöpflichen Hawaiihemden-Kollektion, giftgrün mit gelben Seepferdchen, dazu eine weiße Leinenhose, edel zerknittert. Er wirkte wie ein Kreuzfahrttourist, der unterwegs war zu einer Beachparty, sich aber verirrt hatte und dummerweise in eine Polizeiaktion geraten war. Sein gegeltes schwarzes Haar glänzte in der Sonne, und als er sich jetzt abrupt vornüberbeugte und sich heftig auf seine weißen Gucci-Slipper übergab, fiel ihm auch noch die Ray-Ban-Sonnenbrille ins Gestrüpp der Gleisböschung.

Madlener und Harriet tauschten einen kurzen Blick aus, dann schwangen sie sich vom Bahnsteig auf das Gleisbett und warteten, bis Götze seine Brille mit spitzen Fingern aufgehoben hatte und wieder einigermaßen ansprechbar war.

»So schlimm?«, fragte Harriet mitleidig und reichte ihm ein Tempotaschentuch, das Götze, der passend zur Grundfarbe seines Hemds ganz grün im Gesicht war, dankbar annahm. Er wischte sich damit über Mund und Gesicht.

»Schlimmer«, brachte er heraus. »Da entlang!« Keuchend wies er auf den Tunnel, bevor er sich wieder an der seitlichen Mauer abstützte und weiterwürgte.

Madlener und Harriet traten in den schattigen Tunneleingang, in den Kabel für Scheinwerfer verlegt worden waren. Schon von Weitem hörten sie die Stentorstimme ihres Chefs: »Das ist mir so was von schietegal, dass wir Ihren Fahrplan durcheinanderbringen! Der Zugverkehr wird dann wieder aufgenommen, sobald wir hier mit unserer Arbeit fertig sind, und keine Sekunde früher! Und wenn Ihnen das nicht passt, dann können Sie sich von mir aus beim Innenminister persönlich beschweren!«

Gut hundert Meter hinter dem Tunneleingang erleuchtete grelles Scheinwerferlicht die gespenstisch wirkende Szenerie und warf die verzerrten Schatten der Techniker an die schmutzigen Wände. Wie bei einem Science-Fiction-Film suchten, fanden, tüteten, kratzten und fotografierten die Gestalten in ihren weißen Overalls, als wären es geklonte Aliens. Jeder schien genau zu wissen, was er zu tun hatte, jeder Handgriff saß. Blitzlichter zuckten auf.

Ein schlanker, junger Managertyp im Anzug mit Krawatte und grimmiger Machermiene kam Madlener und Harriet entgegengestapft, würdigte sie aber keines Blickes. Mitten im grellsten Scheinwerferlicht, im Auge des Sturms, stand Thielen wie ein Fels in der Brandung und strich sich mit fahrigen Bewegungen und hochrotem Kopf die wenigen überlangen Haarsträhnen über die Glatze. Als er erkannte, wer da aus dem Gegenlicht auf ihn zukam, war ihm die Erleichterung im angespannten Gesicht abzulesen.

»Gott sei Dank kommen Sie endlich, Madlener. Wissen Sie, was hier los ist? Wir haben den Zugverkehr vom halben Bodenseeraum stilllegen lassen müssen.«

»Und jetzt konfrontiert man Sie mit dem Schmetterlingseffekt«, stellte Madlener fest und ließ seinen Blick umherschweifen.

»Dem was?«, fragte Thielen irritiert und machte ein Gesicht, als versuchte Madlener, ihm auf die Schnelle die physikalischen Gründe für die unaufhaltsame Expansion des Universums zu erklären.

»Na ja – dass Ihre Anordnung, diese Strecke vorläufig nicht befahren zu lassen, zur Folge hat, dass der ganze Zugverkehr nördlich der Alpen zum Erliegen gebracht wird.«

»So was Ähnliches hat dieser Typ von der Bahn auch gesagt. Aber die Sauerei hier geht nun mal vor. Mensch, Madlener, immer wenn man Sie braucht, sind Sie nicht zur Stelle! Und überhaupt – seit Sie hier sind, haben wir mehr gewaltsame Todesfälle als in meinen letzten zehn Dienstjahren zusammen!«

»Was wollen Sie damit sagen?«

Thielen schüttelte den Kopf und winkte resigniert ab. »Vergessen Sie's.«

Madlener ging nicht weiter darauf ein. »Was haben wir?«, fragte er stattdessen kurz und bündig.

Thielen holte einmal tief Luft, bevor er aufzählte: »Eine weibliche Leiche, nackt und in Einzelteilen. Wurde wahrscheinlich von mehreren Zügen erfasst, die Strecke ist ziemlich stark frequentiert. Aber eine Zeit lang scheint niemand etwas bemerkt zu haben. Bis endlich ein Zugführer, der die Augen aufhielt, Meldung machte, sind wohl noch etliche Züge über die Leiche – respektive das, was noch von ihr übrig war – rübergefahren. Und haben ein entsetzliches Gemetzel angerichtet. Wir wissen nicht, wie viele Züge es waren. Wir wissen nicht, wann die Frau ums Leben gekommen ist, warum sie sich überhaupt in einem Tunnel nackt auf den Gleisen herumgetrieben hat, wir wissen so gut wie gar nichts! Und da wagt es dieser Typ von der Bahn, mir Vorhaltungen zu machen, dass wir mit unseren Ermittlungen den Zugverkehr behindern! Der hat sie doch wohl nicht mehr alle!«

Immer noch aufs Äußerste erzürnt, schrie er dem Managertyp, der längst den Tunnel verlassen hatte, hinterher: »Nicht Sie werden sich über mich beschweren – ich werde mich über Sie beschweren!«

Als keine Reaktion kam, beruhigte sich Thielen wieder, schaltete zwei Gänge zurück und breitete die Hände aus: »Na, Madlener, was sagen Sie dazu?«

Im Licht der starken Scheinwerfer lagen diverse Plastikplanen neben oder im Gleisbett, und schwarze Täfelchen mit Nummern standen bei jedem noch so kleinen menschlichen Partikel, es waren Dutzende. Eine Gestalt im Overall, die Kapuze über dem Kopf, kniete vor einer Plane und hob sie hoch, um das, was darunterlag, genauer zu inspizieren.

»Sind das die Überreste von einer Person?«, fragte Madlener.

»Das wissen wir auch noch nicht mit absoluter Gewissheit«, antwortete Thielen. »Aber die Frau Doktor sagt, dass wir dem ersten Augenschein nach davon ausgehen können.«

Madlener erstarrte, als er die kniende Gestalt genauer ansah, versuchte aber, sich nichts anmerken zu lassen. Nein, das konnte nicht sein!

»Frau Doktor?«, kam es ihm gerade noch über die Lippen.

Thielen zuckte mit den Achseln. »Na, wen haben Sie erwartet? Unsere Gerichtsmedizinerin, Frau Dr. Herzog, natürlich. Sie beide kennen sich doch. Sie ist wieder zurück aus Finnland.«

»Schweden«, brachte Madlener noch heraus, obwohl seine Kehle auf einmal staubtrocken war und er heftig schlucken musste, um den Kloß in seinem Hals hinunterzubekommen.

»Was?«, fragte Thielen verwirrt. »Ist ja egal, irgendwo in Skandinavien war sie jedenfalls. Bin gottfroh, dass sie wieder hier ist. Eine patente und kompetente Frau, ihr Vertreter war eine einzige Katastrophe. Kein Funken Humor. Haben Sie schon mal einen Pathologen gesehen, der keinen Humor hat? Den braucht man aber, um da unten in diesen Leichenkellern zu überleben ...«

Madlener hörte nicht mehr, was Thielen zum Besten gab. Er vernahm nur ein gewaltiges Rauschen in seinen Ohren, das ungefähr der Lautstärke des Rheinfalls bei Schaffhausen entsprach, wenn man direkt darunterstand. Wie ein Schlafwandler auf nächtlicher Tour machte er ein paar Schritte auf den immer noch über dem Fundstück gebeugten Rücken zu.

»Frau Dr. Herzog«, wollte er sagen, aber er merkte, dass seine Stimme ihm nicht mehr so recht gehorchte. Er räusperte sich und nahm einen erneuten Anlauf, diesmal mit Nachdruck, und siehe, seine Stimmbänder und sein Kehlkopf funktionierten doch noch. »Ellen ...«

Der Kapuzenkopf drehte sich langsam um. Ja, es war Ellen, die ihn ansah und gleichzeitig nicht ansah, jedenfalls schlug sie, als sie sicher war, dass die Stimme, die sie eben vernommen hatte, wirklich zu Madlener gehörte, die Augen gleich wieder nieder und antwortete in einem geschäftsmäßigen Ton, während sie vorgab, den Körperteil vor sich weiter zu untersuchen: »Hallo, Max. Wir haben hier einen auf Bauchnabelhöhe zerteilten Torso, Teile von Gliedmaßen und einen abgetrennten Kopf dort drüben. Alles in allem – diverse Kleingewebeteile nicht mitgerechnet, die ich noch genauer untersuchen und zuordnen muss – haben wir bisher elf größere Körperfragmente. Dem ersten Augenschein nach alle von einer weiblichen Person stammend.«

»Alter?«, sagte er und hörte seine eigene Stimme, als würde sie gar nicht zu ihm selbst gehören und käme aus einer leeren, rostigen Mülltonne.

»Erwachsen, aber jung, etwa zwischen fünfundzwanzig und vierzig, aber das ist eine sehr grobe Schätzung.«

»Auffällige Merkmale?«

»Bis jetzt nicht. Dazu muss ich sie erst auf meinem Tisch haben.«

»Wie war's in Stockholm?«

Jetzt erst drehte sie sich ganz um und blickte ihm ins Gesicht mit ihren braunen Augen, die ins Goldfarbene changierten. Jede schlaflose Minute in den langen Nächten, in denen er seine Hotelzimmerdecke angestarrt hatte, hatte er sie genau so vor sich gehabt. Und in seinen Träumen ebenso. Sie sah immer noch so aus, wie er sie in Erinnerung hatte. Nur dass sie nicht den Ansatz eines Lächelns zeigte.

Leise, sodass nur er es hören konnte, wisperte sie: »Max, bitte! Nicht jetzt.«

Er erwiderte ihren Blick und versuchte, mit dem seinen ihr Inneres zu sezieren.

»Wann dann?«, gab er genauso leise zurück. »In der Mittsommernacht?«

»Die ist längst vorbei.«

Damit wandte sie sich wieder dem Leichenteil zu, das vor ihr auf der Gleisschwelle lag.

Thielen, der ein gutes Stück entfernt mit Harriet unter eine Plane gesehen hatte, die einen abgetrennten Fuß bedeckte, rief den beiden zu: »Frau Doktor – wie lange brauchen Sie noch? Können wir die Leichenteile endlich einsammeln und wegbringen?«

Dr. Ellen Herzog stand entschlossen auf und zog sich die Latexhandschuhe aus. »Ich für mein Teil habe genug gesehen. Wenn die Spurensicherung fertig ist, können die Sanis die Leichenteile wegbringen. Dann kann die Strecke wieder freigegeben werden.«

Madlener, der sich halbwegs wieder im Griff hatte, schüttelte den Kopf. »Die Bahn muss warten. Hat schon jemand den Osttunnel untersucht?«

»Soviel ich weiß, nein«, antwortete Thielen. »Dazu sehe ich keine Veranlassung.«

»Dann werden wir das jetzt tun. Kommen Sie mit, Frau Holtby?«

Er nickte Ellen zu. »Frau Doktor … habe die Ehre …«

Damit marschierte er Richtung Tunnelausgang, Harriet folgte ihm.

Thielen und Dr. Herzog sahen ihnen nach.

»Hat er was?«, fragte Thielen.

»Nicht, dass ich wüsste«, log Dr. Herzog.

»He, Madlener – ist das unbedingt nötig? Hier ist die Leiche, nicht dort drüben auf der anderen Seite! Wie lange soll das noch dauern?«, rief Thielen seinem Kommissar nach.

»So lange, wie es angebracht ist«, schallte die Antwort zurück.

Thielen sah ein, dass es sinnlos war, Madlener aufhalten zu wollen. Er feuerte seine Latexhandschuhe auf den Boden vor Wut. »Herrgott, Madlener …«

»Er wird schon wissen, was er tut«, sagte Dr. Herzog.

»Das will ich hoffen.« Seufzend hob er die Handschuhe wieder auf. »Madlener ist ein wahnsinnig guter Ermittler. Aber ich habe auch noch nie jemanden gesehen, der eigensinniger ist. Diesmal lasse ich es ihm noch durchgehen. Aber das nächste Mal …«

»Mad Max eben«, sagte Dr. Herzog und zeigte auf einmal den Ansatz eines Lächelns, der aber wie eine Mischung aus Trauer und Enttäuschung war.

Thielen drohte dem abwesenden Madlener mit erhobenem Zeigefinger. »Seine Extratouren werde ich ihm noch austreiben, darauf kann er Gift nehmen!«

»Viel Glück dabei«, sagte Dr. Herzog, nahm ihren Koffer und ging zum Ausgang.

13

Auf dem Rückweg ins Präsidium nach Friedrichshafen saß Harriet am Steuer. Madlener sprach kein einziges Wort. Sie beide konnten, wenn sie unter sich waren, etwas, zu dem nur ganz wenige Menschen in der Lage waren: Sie konnten schweigen. Nicht wie ein altes Ehepaar, das sich längst nichts mehr zu sagen hatte und zwischen dem es unangenehme Schwingungen gab. Das Gegenteil war der Fall: Beide hatten ein untrügliches Gespür dafür, wann sie es respektieren mussten, dass der andere geistig etwas Schwerwiegendes zu verdauen hatte oder schlicht und einfach keinen Bock hatte, zu reden.

Harriet hielt sich eisern daran, weil sie in dieser Beziehung genauso war wie ihr Vorgesetzter, der ebenfalls einen siebten Sinn dafür hatte, wenn ihr nicht nach Sprechen zumute war. Noch schlimmer wären belanglose Plaudereien gewesen. Also ließen sie es und waren im Stillen dankbar darüber, dass der andere genauso tickte.

Es war spät geworden, und sie hatten auch so genug im Kopf durchzugehen, was den Fund der Leichenteile im Eisenbahntunnel anging. Madlener und Harriet hatten den Osttunnel betreten und mit starken Taschenlampen das Gleis, den Damm und die Wände abgesucht, aber nichts finden können außer zerdrückten Bierdosen und Zigarettenstummeln. Danach waren sie auf den Bahnsteig zurückgeklettert und hatten ihren Kollegen und den Sanis zugesehen, wie sie das, was von der Leiche übrig war, herausgebracht hatten.

Madlener hatte dazu schweigsam eine Zigarette geraucht und einen gründlichen Blick auf die Tafel mit den Zugverbindungen geworfen. Schon da hatte Harriet es irgendwie nicht gewagt, ihn anzusprechen, es war, als habe er sich eine unsichtbare Noli-me-tangere-Hülle übergeworfen, und sie ahnte auch, warum. Sie allein kannte die Verbindung mit Dr. Ellen Herzog, aber sie wusste nicht, ob diese beendet war, seit die Pathologin

ihren Auslandsaufenthalt angetreten hatte. Das war seine Privat-
angelegenheit, und sie respektierte dies ebenso, wie er die ihren
respektierte.

Sie hatten noch die Umgebung des Bahnhofs begutachtet, das
Chaos hatte sich allmählich aufgelöst und die Aufregung wieder
einer gewissen Normalität Platz gemacht, obwohl natürlich allen
Verantwortlichen klar war, dass die Medien sich am nächsten Tag
wilden Spekulationen hingeben würden.

Kriminaldirektor Thielen hatte sich nach mehreren Telefon-
gesprächen der örtlichen und überregionalen Presse gestellt und
noch am Bahnhof eine improvisierte Pressekonferenz abgehalten,
wo er sich klugerweise auf die wenigen Fakten beschränkt hatte,
die inzwischen bekannt waren, und sich auf keinerlei Spekulationen einließ. Danach hatte er sie beide und Götze noch ins Präsidium gebeten, um die weitere Vorgehensweise zu besprechen.

Natürlich hatte Frau Gallmann den Tisch im Besprechungsraum
schon vorsorglich präpariert, und wie immer standen Kaffee,
Tee, die obligatorischen Salzstangen und Schokoriegel bereit, als
Madlener und Harriet den Raum betraten. Sie waren die Ersten,
und Harriet, die im Tunnel schon unzählige Fotos mit ihrem
Smartphone gemacht hatte, begann sofort damit, auf dem überdimensionalen Flipchart einen Grundriss des Fundorts mit den
genau bezeichneten Leichenteilen – soweit sie gesichert waren –
aufzuskizzieren, während Madlener so lange gedankenverloren
und penetrant klirrend mit dem Löffel in seiner Kaffeetasse her-
umrührte, bis der Kaffee kalt geworden war. Noch immer sprach
er kein Wort, er hatte sich auf dem Laptop die Zugverbindungen
von und nach Überlingen heruntergeladen und gab vor, sie zu
studieren, obwohl er andere Gedanken wälzte. Frau Gallmann,
die ebenfalls ein untrügliches Gespür dafür hatte, wann es besser
war, den Mund zu halten, goss ihm wortlos frischen Kaffee ein,
nachdem sie den alten weggeschüttet hatte.

Endlich tauchten Thielen und Götze auf. Sie machten einen
erschöpften Eindruck, wenn auch aus unterschiedlichen Gründen. Götze hatte aus seinem Spind im Waschraum frische Klamotten angezogen, eine graue Jogginghose und einen grauen

Kapuzensweater und sein Gesicht farblich angepasst. Er setzte sich mit einem Ächzer wie nach einem Marathonlauf und trank dankbar vom Tee, während Thielen seine Brille aus dem Etui nahm und sie gründlich putzte, bevor er Harriets Skizze am Flipchart studierte. Schließlich drehte er sich um und sah sein Team an, das erwartungsvoll am Tisch Platz genommen hatte, ebenso wie Frau Gallmann, die bei jeder Besprechung anwesend war, um Protokoll zu führen.

»Ich fürchte«, begann er, »wir werden diesen Fall nicht auf die Schnelle als Suizid einstufen und ad acta legen können. Jedenfalls nicht, bis wir eine Identifizierung des Leichnams haben und eine eindeutige Bestätigung bekommen, dass keine Fremdeinwirkung vorliegt. Und das wird dauern. Wird jemand, auf den Geschlecht und ungefähres Alter zutreffen, gegenwärtig als vermisst geführt?«

Die Frage beantwortete Harriet: »Bis jetzt nicht. Jedenfalls nicht in unserem Zuständigkeitsbereich.«

Thielen nickte und stöhnte vernehmlich. »Wir wissen ja nicht einmal, wann sich das Ganze ereignet hat. Morgen wird auf meine Veranlassung hin in der Zeitung stehen, dass wir auf Zeugen hoffen, die vielleicht eine Beobachtung gemacht haben und einen sachdienlichen Hinweis geben können. Des Weiteren wird Götze sich morgen ans Telefon setzen, um mit den in Frage kommenden Lokführern der letzten achtundvierzig Stunden zu sprechen.« Dazu sah er Götze an, der nickte bloß müde. »Irgendwelche anderen Vorschläge?«

Keiner meldete sich.

»Das war's dann fürs Erste. Außer, Sie haben schon irgendeine Theorie, Madlener.«

Alle richteten ihre Blicke auf Madlener. Der hatte zwar mit einem Ohr zugehört, war aber mit seinen Gedanken immer noch ganz weit weg und brauchte eine gehörige Weile, bis er geistig wieder voll anwesend war. Er sagte: »Nun, Sie alle kennen meine Meinung. Es ist ein grundsätzlicher Fehler, zu theoretisieren, bevor man sämtliche Fakten auf dem Tisch hat. In dem Fall auf dem Tisch der Pathologie. Weil man sonst anfängt, die Fakten zu verdrehen, um sie der Theorie anzupassen, anstatt die Theorie aufgrund der Tatsachen zu entwickeln. Aber um Ihre Frage zu beantworten, Herr Kriminaldirektor: Nein.«

Thielen nickte, strich seine Haarsträhnen zurecht und sagte: »Dann wünsche ich allseits eine gute Nacht.«

Sie standen auf, um zu gehen, doch Thielen hielt Madlener mit einer Handbewegung auf. Er wartete, bis Götze und Harriet den Raum verlassen hatten, bevor er ein letztes Mal versuchte, ihm doch noch etwas aus der Nase zu ziehen. »Kommen Sie, Madlener, Sie haben doch irgendeine Theorie. Verraten Sie sie mir, und wenn sie noch so abgehoben ist.«

Madlener schüttelte den Kopf. »Nicht bevor wir nicht wissen, ob der Körper bei lebendigem Leib zerstückelt wurde oder post mortem.«

Thielen nahm die Brille ab und rieb sich erschöpft die Augen. »Das wird uns die Frau Doktor so bald wie möglich sagen müssen. Sie bleiben diesbezüglich an ihr dran und machen Druck?«

Er hatte das in aller Unschuld gemeint, doch Madlener brauchte eine Sekunde zu lange, um zu reagieren, bis er mit einem brummigen »Ja, ja, das macht Frau Holtby« antwortete und ging.

Thielen wandte sich an Frau Gallmann, die noch aufräumte, und fragte: »Was für eine Laus ist dem Madlener denn über die Leber gelaufen?«

Frau Gallmann zuckte mit den Schultern. »Vielleicht hat er wieder seine Migräne?«

Thielen spähte aus dem Fenster, das zur Ehlersstraße hinausging, und sah Harriet, die auf ihrer Vespa davonfuhr und Madlener zuwinkte, der aus dem Eingang kam und kurz die Hand zum Gruß hob. Er kramte in seinen Taschen, blickte sich um und zündete sich eine Zigarette an. Thielen wunderte sich, er hatte gar nicht gewusst, dass Madlener rauchte. Er selbst hatte es sich seit seinem Urlaub unter Höllenqualen abgewöhnt, und nun sehnte er sich plötzlich nach einem einzigen Zug aus einer Kippe. Um sich selbst auf andere Gedanken zu bringen, fragte er beim verführerischen Anblick der Schale mit Schokoriegeln seine Sekretärin: »Sagen Sie, Frau Gallmann, wie hieß gleich noch mal der Schauspieler in dem Film, der in Marseille spielt, wo er als Detective aus New York auf Entzug ist, weil ihn das französische Drogenkartell heroinsüchtig gemacht hat? Stand der nicht auf Schokolade?«

Frau Gallmann, ausgewiesene Expertin für sämtliche Daten und Kinohits aus der Filmgeschichte, antwortete tatsächlich wie aus der Pistole geschossen: »Ja das war Gene Hackman, ›French Connection‹, Teil 2, 1975. Hat beim kalten Entzug statt Heroin Schokolade als Ersatzdroge bekommen. Französische Schokolade. Die schmeckte ihm aber nicht. Er wollte amerikanische. Hershey's.«

Sie war gerade dabei, die Süßigkeiten wegzuräumen, aber ihr Chef ergriff das ganze Schälchen mit den Schokoriegeln.

»Gene Hackman. Genau. Das da nehme ich. Als kleine Wegzehrung«, sagte er, grinste schief und machte, dass er mit seiner Beute davonkam, bevor seine Sekretärin irgendwelche Einwände vorbringen konnte.

14

I see the bad moon arising
I see trouble on the way
I see earthquakes and lightnin'
I see bad times today
Don't go around tonight
Well, it's bound to take your life
There's a bad moon on the rise …

Madlener hatte sich, weil er wusste, dass er sowieso die ganze Nacht kein Auge zutun würde, doch noch sein Dienstfahrzeug geschnappt, obwohl er eigentlich zu Fuß in sein Hotel zurück-gehen wollte, und fuhr nun ziellos durch die Nacht. Aber was hieß da ziellos – so wie sein Denken nur um ein Zentrum kreiste, kreiste auch er mit seinem Dienstwagen um eine bestimmte Gründerzeitvilla in einer bestimmten Straße, in der in der Erd-geschosswohnung unter der Wohnung seines Expsychiaters eine bestimmte weibliche Person ihr Zuhause hatte, die vor einem halben Jahr zu seinem Fixstern geworden war, der heute in einem hässlichen Tunnel bei einer noch hässlicheren Angelegenheit plötzlich vom Firmament verschwunden war.

Weil diese weibliche Person anscheinend schon wieder eine Weile hier in Friedrichshafen war, ohne sich bei ihm zu melden, so, wie sie es ausgemacht hatten – wenn er nicht schon unter schwerer Demenz litt und seine Erinnerung ihn trog. Aber das tat sie nicht, er hatte ein ausgezeichnetes Gedächtnis. Wenn man ihn nachts um drei Uhr aufgeweckt und nach Details von Ellens Aussehen beim Abschied gefragt hätte, er hätte jedes einzelne Attribut von ihr aufzählen können, von der Farbe der Man-telknöpfe – weiß – bis zu der ihrer Schuhe – schwarz. Und zu der ihrer widerspenstigen Haarlocke – brünett –, die sie immer, wenn sie nervös war, aus ihrer Stirn strich und hinters linke Ohr klemmte. Und er hatte jeden einzelnen Tag bis zu ihrer avisierten Rückkehr gezählt.

Dümmer geht's nimmer, dachte er.

Seine Gedanken irrlichterten zwischen abgrundtiefer Enttäuschung und grenzenlosem Zorn über sich selbst und seine heillose irrationale und pubertäre Fixierung auf Dr. Ellen Herzog, die er auch noch in einem Akt manischer Selbstgeißelung durch aberwitzige Hoffnungen genährt hatte wie ein winziges Zaunkönigpärchen einen Kuckucksjungvogel.

Als ihm dieser schräge ornithologische Vergleich durch den Kopf schoss, hielt er spontan an einer Tankstelle an und musste sich erst einmal orientieren, wo er bei seiner Irrfahrt eigentlich gelandet war. Er stellte den Motor und den CD-Player mit der John-Fogerty-Nummer von Creedence Clearwater Revival aus, lauschte dem Ticken des Autos und dem Rauschen des Verkehrs und suchte den Unheil verkündenden Mond, den er nicht finden konnte, weil der nächtliche Himmel wolkenverhangen war.

»Logical«, so hieß ein Song von Supertramp, einer seiner Favoriten in der Top-100-Liste der besten Rocktitel aller Zeiten, der ihm plötzlich durch den Kopf geisterte. War es logisch, was er gerade getan hatte?

Definitiv nein.

In seinem Schädel war nur brodelndes Chaos. Er sah sich um. Genauso gut hätte er auf einem fremden Planeten gelandet sein können. Aber er war in einem Nest ungefähr zehn Kilometer vor Friedrichshafen, das Ortsschild hatte er übersehen oder ignoriert, es war ihm auch total egal. Die Tankstelle war für einen schwäbischen Marktflecken völlig überdimensioniert, er kam sich vor wie im falschen Film – Neonreklamen, die sich in Wasserpfützen spiegelten, Zapfsäulen, parkende Lastwagen, glänzende Straßen, es hatte leicht geregnet. Er stand als Einziger auf dem leeren Parkplatz – nein, ganz am Waldrand war noch ein SUV, in dem sich etwas bewegte. Wohl ein Pärchen beim Parkplatzsex.

Er stieg aus und tastete nach seinen Zigaretten. Die Schachtel war natürlich leer.

Mist, Mist, Doppelmist!

Erst wollte er sie achtlos ins Gebüsch werfen, aber dann besann er sich und ging zu einem Abfallkorb, wo er sie korrekt entsorgte – so weit hatte ihn seine Assistentin Harriet mit ihrem Umweltfimmel also schon erzogen …

Er betrat den Verkaufsraum und überredete den Angestellten hinter dem Tresen, der über irgendwelchen Abrechnungen brütete, ihm ausnahmsweise eine Schachtel HB zu verkaufen, obwohl offiziell schon längst geschlossen war. Im Gang, der zum Imbissteil führte, brannte noch Licht. Er verspürte auf einmal übermächtigen Kaffeedurst. Also marschierte er an Spielautomaten vorbei, die blinkten und piepsten und ihn anbettelten. Durch eine Glastür kam er ins Raststättenbistro, das so urgemütlich war wie die Sammelumkleide eines Hallenbads aus den 1970er-Jahren, und stellte sich an die Theke. Der einzige Gast zu dieser späten Stunde war ein angetrunkener Schwergewichtler, der die Bedienung, eine gelangweilte, vom Alter her undefinierbare Wasserstoffperoxidblondine mit überbetontem Augen-Make-up und viel Botox im Gesicht, von einem Barhocker aus belaberte. Vor sich hatte er ein halb volles Glas Weißbier und fünf leere Schnapsgläser stehen, die er auf den Kopf gestellt hatte und zu einem Türmchen aufbaute. Sein schwarzes T-Shirt trug die besonders originelle Aufschrift: »Ich bin kein Gynäkologe. Aber ich kann's mir ja mal anschauen«. Die Blondine demonstrierte ihr brennendes Interesse an den vernuschelten verbalen Auslassungen ihres Gastes damit, dass sie akribisch die Kaffeemaschine mit den Ausmaßen des Maschinenleitstands eines Raumkreuzers polierte und ihm den Rücken zukehrte.

Die Tristesse des Imbissraums, die ein Edward Hopper auch nicht deprimierender hinbekommen hätte, wurde durch zwei graue Plastikmännerstatuen, die antiken griechischen Figuren nachempfunden und mit Kunststoffefeu umwickelt waren, geradezu ins Metaphysische gesteigert. Helene Fischer tönte aus den Lautsprechern und vervollständigte das Gesamtkunstwerk, das nicht unbedingt dazu einlud, den Gemütspegel von Madlener, der sowieso schon in der Nähe des Gefrierpunkts war, auch nur halbwegs hochzupushen.

Die Blondine mit ihrem Bustier, das schwarz war und mit glitzernden Goldpailletten verziert, die ein großes »D & G« bildeten, reagierte einfach nicht auf Madlener, obwohl er sich mehrfach räusperte und versuchte, ihren Blick einzufangen. Folglich klopfte er mit einer Münze, die er noch als Wechselgeld vom Zigarettenkauf in der Hand hatte, auf die Glasplatte der Theke, um sie endlich auf sich aufmerksam zu machen und die trällernde Stimme von Helene Fischer zu übertönen, die penetrant von einem Fieber, das sie immer wieder spüren wollte, sang. Madlener nahm sich zum wiederholten Mal fest vor, eine Art Gegen-(S)hitliste von Songs aufzustellen, aber diese Idee verwarf er sofort wieder. Zu viel Aufwand, zu viel Zeitverschwendung für etwas, das einem sowieso auf die Nerven ging. Er tippte noch einmal mit seiner Münze aufs Glas.

»He, Alter, was soll das?«, fuhr ihn der verhinderte Hobbygynäkologe unvermittelt von der Seite an und schreckte ihn aus seinen Überlegungen. Madlener wandte sich ihm zu. Bei näherer Betrachtung konnte der Typ auch Roadie und Rausschmeißer bei den Böhsen Onkelz sein – er war zottelbärtig, stiernackig, glatzköpfig, hatte Oberarme wie das Michelin-Männchen und eine eintätowierte doppelte Acht am Hals unterhalb des Ohrläppchens, das mit einem kleinen silbernen Totenkopfohrring verziert war. Die Zahl 8 stand für den Buchstaben H, den achten im Alphabet. Madlener hatte von diesem Symbol aus rechten Kreisen gelesen, es bedeutete »Heil Hitler«.

Nette Gesellschaft um diese Zeit!, dachte er und überlegte kurz, ob er lieber gehen sollte. Aber er hatte sich nun einmal in den Kopf gesetzt, dass er jetzt einen Espresso brauchte, auch wenn es diesem Typ vielleicht nicht in den Kram passte.

»Wie bitte?«, sagte er und starrte dem Glatzkopf direkt in die Augen, obwohl er schon als Kind bei seinem ersten Zoobesuch gelernt hatte, dass man das bei größeren Primaten tunlichst unterlassen sollte, um sie nicht herauszufordern und ihre Aggressivität zu wecken.

Der lebende Sitzsack rutschte mit einer Behändigkeit, die man ihm bei seiner Statur gar nicht zugetraut hätte, von seinem Barhocker und baute sich vor Madlener auf. »Hast du was gesagt, Alter?«

Mit einem Mal war die Thekenblondine zur Stelle. »Lass ihn,

Klausi!«, sagte sie in scharfem Ton und wandte sich Madlener zu.
»Ja? Was darf's sein?«

»Einen doppelten Espresso bitte«, sagte Madlener und sah zu, wie die Blondine nickte und Klausi noch einen warnenden Blick zuwarf, ehe sie die Kaffeemaschine in Gang setzte.

Aber Klausi hatte gerade angefangen, Witterung aufzunehmen, und kam allmählich in Fahrt. Er packte Madlener am Oberarm.

»He«, sagte er, »sieh mich an, wenn ich mit dir rede!« Ein Schwall von Schnaps- und Bierdunst ließ Madlener ein Stück zurückweichen und die Hand wegstoßen.

»Nicht anfassen!«, sagte er und drohte mit dem Finger. »Das mag ich gar nicht!«

»Was magst du dann, Alter – willst du mich vielleicht anmachen?«, grunzte Klausi gefährlich.

»Nein, ganz gewiss nicht« erwiderte Madlener so konziliant wie möglich und wandte sich der Espressotasse zu, die ihm die Blondine über den Tresen zuschob. Er gab ihr einen Fünf-Euro-Schein, sagte »Stimmt so« und wollte mit der Tasse weggehen. Aber das gefiel Klausi erst recht nicht.

»Gar nichts stimmt so. Wir sind noch nicht fertig miteinander.«

»Ich wusste gar nicht, dass wir überhaupt angefangen haben«, rutschte es Madlener heraus.

Die Blondine, die ihren Pappenheimer kannte, fand es nun an der Zeit, dazwischenzugehen, bevor die Situation weiter eskalieren konnte. »Hallo, hört auf, ihr beiden. Du …«, damit meinte sie Madlener, »… trinkst jetzt deinen Espresso aus und gehst besser. Und du, Klausi: Setz dich wieder hin!«

Aber auf dem Ohr war Klausi anscheinend taub. Er ließ nicht locker und schubste Madlener. »Du willst mich wohl für blöd verkaufen? Was ist – hältst du mich für blöd?«, spuckte er Madlener ins Gesicht.

»Willst du wirklich eine ehrliche Antwort?«, gab Madlener zurück. Er machte einen völlig ruhigen Eindruck, die Linke mit der Espressotasse zitterte nicht ein bisschen, den Schubser hatte er geschickt ausbalanciert. Aber in seinem Inneren kochte es, er bekam auf einmal einen Tunnelblick, als er die Tätowierung ansah, darunter die pulsierende Halsschlagader und den baumelnden Totenkopf seines Gegenübers, und bevor er seinen Verstand einschalten konnte, musste sein vorlauter Mund einen Spruch vom Stapel lassen: »Nicht alles, was zwei Backen hat, ist ein Gesicht.«

Es dauerte, bis die Bedeutung dieser Worte zum zerebralen Sprachverarbeitungszentrum von Klausi vorgedrungen war, und Madlener wollte schon gehen, als der Schwergewichtler zwei Schritte nach vorne machte und versuchte, Madlener am Arm zu packen und ihn herumzureißen, um ihm mit der rechten Faust einen Schwinger zu verpassen. Doch damit hatte Madlener gerechnet – er drehte sich um und schüttete Klausi gleichzeitig den heißen Espresso mitten ins Gesicht. Der schrie auf und hielt sich im Reflex die Hände vor die Augen. Das hätte er besser nicht tun sollen, weil er jetzt die nächste blitzschnell ausgeführte Bewegung seines Gegners nicht kommen sah – Madlener drosch ihm seinen rechten Fuß mit voller Wucht zwischen die Beine.

Klausi ging mit einem gurgelnden Laut in die Knie und sackte auf den Boden. Madlener zögerte nicht, ihm zwei zusätzliche wohltemperierte Tritte mitzugeben, einen in den Solarplexus und einen gegen die Rippen. Damit war Klausi ausreichend lang für einen geordneten Rückzug Madleners außer Gefecht gesetzt. Er stöhnte nur noch, und während die Blondine hysterisch »Aufhören! Sofort aufhören!« kreischte und um die Theke herumeilte, sah Madlener zu, dass er durch die Hintertür, die für Raucher offen stand und ins Freie führte, hinaus und zu seinem Auto kam, wobei ihm Helene Fischer noch immer etwas von diesem Fieber hinterhersang, das sie unbedingt spüren wollte.

Er brauste ohne Licht vom Platz, und erst, als er die Ortseinfahrt lange hinter sich gelassen hatte, kam er aus seinem Adrenalinrausch wieder nach und nach zu sich und wunderte sich über sich selbst, weil er nicht mehr wusste, was für ein Teufel ihn eben geritten hatte. Ein Wirkungstreffer von Klausi in seinem Gesicht, und er wäre reif gewesen für eine Woche auf der Intensivstation mit anschließender Suppendiät durch die Schnabeltasse. Sein Expsychiater Dr. Auerbach hätte ihm bestimmt gesagt, dass er unterbewusst genau das gesucht hatte, um sich selbst zu bestrafen.

Er ging vom Gas und machte endlich die Scheinwerfer an, als ihn das dritte entgegenkommende Auto mit dem Fernlicht angeblitzt hatte.

Erst als er das Stadtgebiet von Friedrichshafen erreichte, war sein Betriebsmodus fast wieder auf Normalnull. Aber anstatt sein Hotel anzusteuern, machte er einen Schlenker in die stille Villengegend, wo Vater und Tochter Auerbach wohnten. Er hielt hundert Meter vor der stilvollen zweistöckigen Gründerzeitvilla mit dem schmiedeeisernen Eingangstor, schaltete Licht und Motor aus und stieg aus dem Wagen. Im Erdgeschoss, der Wohnung von Ellen, brannte noch Licht. Die Straße war menschenleer. Er blieb außerhalb des Lichtkegels der Straßenlampe am Zaun stehen und starrte wie ein Stalker zu den beleuchteten Fenstern.

Sollte er einfach bei Ellen klingeln und auf eine Aussprache bestehen? Jetzt – es war inzwischen kurz nach ein Uhr in der Nacht? Er sah an sich herunter. Er stank nach Adrenalin und Espresso, der Kaffee hatte einen Fleck auf seinem Jackett hinterlassen, wahrscheinlich lauerte auch noch ein gehöriger Rest von Streitlust in seinen Augen. Er musste wie ein entsprungener Patient aus der nächsten Klapsmühle wirken, der eben seinen Wärter niedergeschlagen hatte und aus dem Hochsicherheitstrakt entkommen war. Nicht gerade der richtige Zeitpunkt und das richtige Aussehen, um in einem überraschenden Rendezvous mit schmachtenden Liebesbeteuerungen eine zweifelnde ehemalige Geliebte von der Dringlichkeit und Ehrlichkeit seiner Absichten zu überzeugen. Obwohl er genau das bis zu diesem Augenblick hatte tun wollen.

Er zuckte vor Schreck zusammen, als er plötzlich etwas an seinem Bein spürte. Ein schlanker schwarzer Kater umschmuste ihn unverschämt und schnurrte. Er nahm ihn hoch in seine Arme, was dieser sich gern gefallen ließ, und streichelte ihn. Sie waren alte Bekannte: Es war Carlo, der Hausfreund von Ellen, auf einem seiner nächtlichen Streifzüge. Madlener drückte ihn an sich, und das Zutrauen und die Wärme des Katers brachten ihn endlich wieder auf den Boden der Tatsachen zurück.

»Sag deinem Frauchen, dass ich ein Idiot war, weil ich sie

nicht einmal angerufen habe in Stockholm«, flüsterte er Carlo ins spitze Ohr. »Sag ihr das, ich hoffe, sie versteht es.«

Das Ohr zuckte, als habe Carlo verstanden, aber es war wohl Madleners Nase, die es kitzelte. Madlener ließ den Kater wieder sanft auf die Straße hinunter, stieg in sein Auto und fuhr zurück ins Hotel »Zum silbernen Zeppelin«.

Für heute hatte er genug.

15

Den Rest der Nacht verbrachte Madlener damit, auf seinem Bett zu liegen und die Decke anzustarren. Er versuchte krampfhaft, an nichts zu denken, was natürlich nicht funktionierte. Dann merkte er, dass er völlig verspannt war, Genick, Brust, Arme, Beine – wie auf dem Sprung. Wonach? Für den Griff zum Smartphone auf seinem Nachttisch? Weil Frau Gallmann anrief oder sein Chef? Oder vielleicht sogar Dr. Herzog? Wenigstens aus beruflichen Gründen, weil sie irgendetwas an den Leichenteilen des zerstückelten Opfers aus dem Überlinger Eisenbahntunnel entdeckt hatte, das unweigerlich und schnurstracks zum Täter führte?

Mist, Mist, Doppelmist.

Als er endgültig aufgab und beschloss aufzustehen, war es vier Uhr morgens. Er duschte ausgiebig, was ihm prompt das Klopfen seines Zimmernachbarn einbrockte, welches er, wie immer, ignorierte, rasierte sich gründlich, zog sich frische Klamotten an und begab sich durch das nächtliche Friedrichshafen hinunter zur Uferstraße, am Gondelhafen vorbei bis zum Hafendamm mit dem Moleturm am Ende. Er stieg die neun Ebenen hoch bis zur obersten Plattform, weil der Himmel inzwischen wolkenlos geworden war und die Sterne blinkten. Von dort aus blickte er zur Uferpromenade der Stadt hinüber, die friedlich und menschenleer war.

Er drehte sich um und richtete sein Augenmerk zum Himmel. Früher einmal, als Schüler, hatte er sich amateurmäßig mit Astronomie beschäftigt, sein Teleskop war mit den wenigen Habseligkeiten, die er aus Stuttgart mitgenommen hatte, im Container einer Umzugsfirma eingelagert. Weil er sich davon nicht wie von so vielen seiner Siebensachen trennen mochte, die er nur noch als Ballast empfunden und weggegeben oder -geworfen hatte. Jetzt hätte er auf einmal Lust gehabt, das Teleskop auf der Plattform zweiundzwanzig Meter über dem Wasserspiegel des Bodensees aufzustellen und ungestört und abgehoben von den Unzulänglichkeiten der profanen Welt hindurchzusehen. Er erinnerte sich daran, wie sich dabei immer zuverlässig ein innerer Seelenfrieden eingestellt hatte, nach nichts sehnte er sich mehr in diesem Augenblick.

Aber auch mit bloßem Auge hatte der klare Sternenhimmel eine seltsam tröstliche Wirkung auf ihn. Allein der Gedanke daran, wie nichtig das menschliche Streben, Zappeln und Wichtignehmen angesichts der unendlichen Gleichgültigkeit und Arroganz des Universums war, vermochte es tatsächlich, ihn wieder gelassen und ruhig werden zu lassen. Er suchte und fand die Sommersternbilder, die sich für immer in sein Gedächtnis eingeprägt hatten: die Wega in der Leier fast im Zenit, fünfundzwanzig Lichtjahre entfernt; den Schwan, auch Kreuz des Nordens genannt; den Adler; den Schützen; und er wünschte sich, einmal im Leben den südlichen Sternenhimmel auf einer polynesischen Insel weitab vom üblichen Lichtsmog sehen zu können ...

Wie lange er da so stand, sich gedanklich in den Weiten der Galaxis verlor und sich den Hals verrenkte, wusste er nicht – jedenfalls so lange, bis sich weit im Osten das Firmament grau und rötlich einfärbte, der Nachtnebel sich auflöste und das Lichtschimmern den nächsten Tag ankündigte. Inzwischen tat ihm allmählich der Nacken weh. Ein einsamer Kajakfahrer paddelte lautlos an der Mole vorbei auf den offenen, vollkommen ruhigen See hinaus, dessen spiegelglatte Oberfläche kein Windhauch kräuselte.

Madlener blickte zum Schweizer Ufer hinüber, am südlichen Horizont zeichneten sich bereits die Berge mit ihren schneebedeckten Gipfeln im fahlen Dämmerlicht ab. Zeit, nach Hause zu gehen beziehungsweise dorthin, wo sein provisorisches Zuhause war, ins Hotel »Zum silbernen Zeppelin«, und ein paar Tassen Kaffee zu trinken, um für den anstrengenden Tag gerüstet zu sein. Der Gedanke an sein spartanisch eingerichtetes Hotelzimmer deprimierte ihn nicht, im Gegenteil, es erheiterte ihn, wenn er daran dachte, dass Provisorien in seinem Leben immer am längsten Bestand hatten. Er musste einen Fall auflösen und seine ganze Konzentration, sein Können, seine Erfahrung und seine Intuition aufbieten, um den Mörder der zerstückelten weiblichen Leiche zu finden. Dass es Mord war, stand für ihn zweifelsohne fest.

Seltsam, dass er ausgerechnet in diesem Moment, als er die Metalltreppenstufen des Aussichtsturms wieder hinunterstieg, erneut von jenem eigenartigen Jagdfieber erfasst wurde, das ihn überkam, als er an das Opfer dachte und die Umstände, wie und warum es wohl ums Leben gekommen und grausam zerstückelt in den Tunnel geraten war, gedanklich durchspielte. Er wusste noch rein gar nichts von dieser Frau, aber das würde sich bald ändern. Noch heute musste er damit anfangen, ihre Identität zu ermitteln, um ihr Gerechtigkeit widerfahren zu lassen. Das war für ihn die eigentliche Triebfeder seines Jobs. Zwar konnte er kein begangenes Unrecht ungeschehen machen, aber er sah es als seine verdammte Pflicht und Schuldigkeit an, den Täter ausfindig zu machen und seiner gerechten Strafe zuzuführen. Dabei ging es ihm weniger um eine gesellschaftlich sanktionierte Art von Vergeltung – obwohl er selbstverständlich fand, dass ein Täter niemals ungestraft davonkommen durfte –, sondern eher darum, die Würde eines Opfers wiederherzustellen, auch wenn er dieses Motiv seines Handelns niemandem genauer hätte beschreiben können. Nicht einmal Dr. Auerbach.

So in Gedanken versunken ging er am dunklen verglasten Kubus des Medienhauses an der Uferpromenade vorbei in Richtung Zeppelin-Museum, als ihm ein Pärchen auffiel, das sich in einiger Entfernung lautstark stritt. Worum es ging, bekam er nicht mit, aber die weibliche Stimme kannte er – natürlich, es war Harriet! Unweit von den beiden lag ihre Vespa am Boden, der altmodische schwarze Motorroller, daneben ihr Helm mit dem auffälligen Aufkleber, die rote Rolling-Stones-Zunge auf schwarzem Grund. Es wäre ihm ausgesprochen peinlich gewesen, ihr jetzt in aller Herrgottsfrüh in einer für sie unangenehmen privaten Situation über den Weg zu laufen, und deshalb wandte er den zwei Streitenden schnell, bevor er gesehen werden konnte, den Rücken zu und tat so, als würde er die Schaufenster des Zeppelin-Museums genauer unter die Lupe nehmen. Im spiegelnden Glas konnte er unauffällig beobachten, was genau sich da zwischen Harriet und der männlichen Person abspielte.

Harriet schrie den jungen Mann an und fing an, ihn zu

schubsen. Madlener kam er bekannt vor, den Namen wusste er nicht, aber er hatte ihn schon ein paarmal bei der Verkehrspolizei gesehen, er fuhr Streifenwagen. Madlener überlegte fieberhaft, ob er sich einmischen sollte, aber es sah nicht so aus, als habe der blonde Typ ihr aufgelauert, sonst wäre Madlener ohne zu zögern dazwischengegangen. Es schien sich eher um einen typischen Beziehungsstreit zu handeln. Er entschied sich dafür, erst einmal abzuwarten, schließlich war Harriet alt genug und körperlich durchaus in der Lage, auch mit brenzligen Situationen fertigzuwerden, das hatte sie oft genug bewiesen. Trotzdem atmete er erleichtert auf, als Harriet den Mann anschnauzte, dass sie nichts mehr von ihm wissen wolle und dass er sich gefälligst vom Acker machen solle. Dann klaubte sie ihren Helm vom Boden, wuchtete ihren Roller hoch, zog den Helm über den Kopf, ließ den Motor an und fuhr davon. Der Blonde rief ihr noch einmal hinterher, sah ein, dass es sinnlos war, und trollte sich dann in Richtung Unterführung zum Romanshorner Platz, wobei er wütend eine leere Bierdose wegkickte.

Madlener machte sich nachdenklich zurück auf den Weg zu seinem Hotel. Er hatte Harriet oft genug bei hitzigen Gelegenheiten erlebt, um zu wissen, dass sie eigentlich immer kühles Blut bewahrte und nie den Kopf verlor, das war eine ihrer ganz großen Stärken. Wenn sie tatsächlich einmal so ausrastete wie vorhin, musste das schwerwiegende Gründe haben. Davon, dass sie anscheinend eine Beziehung hatte, die schlimm in der Krise war, hatte er nicht die geringste Ahnung. Er hatte seine Assistentin nie in Begleitung eines Freundes gesehen, über ihr Privatleben hatten sie nie ein Wort verloren, weder über ihres noch über seines. Eher hatte sie über seines Bescheid gewusst, sie hatte Ellen und ihn im Krankenhaus zusammen gesehen, als er und Harriet zur Beobachtung eingeliefert worden waren, nachdem er beim Internatsfall ohne das beherzte Eingreifen seiner Assistentin beinahe ertrunken wäre.

Ihm wurde klar, dass sie nie privat auf einen Kaffee zusammengesessen hatten. Das einzige Mal, als er sie spontan dazu eingeladen hatte, war der Telefonanruf aus dem Präsidium dazwischengekommen, der sie umgehend zum Auffindungsort der

Leiche im Tunnel beorderte. Den ehernen Vorsatz, Privates und Berufliches strikt zu trennen, hatten sie beide stets eingehalten, weiß der Teufel, warum. Weil zu viel private Nähe der objektiven Ermittlungsarbeit in die Quere kommen könnte? Das war ausgesprochener Unsinn, Doppelmist, sozusagen, schalt er sich selbst, weil er auf einmal feststellte, dass er sich Sorgen um Harriet machte. Er wusste nichts über sie. Vielleicht hatte sie Probleme, die sie sich unter vier Augen gern von der Seele geredet hätte. Wenn er seine Gefühle ihr gegenüber auf den Prüfstand stellte, waren sie beinahe väterlicher Natur. Er wusste nicht einmal, ob sie noch Eltern hatte und wie sie mit denen klarkam.

Er durchquerte die Unterführung von der Montfort- zur Ailingerstraße und hörte einen Zug über seinen Kopf rattern. Als Kind hatte er furchtbare Angst vor Unterführungen gehabt, weil er gedacht hatte, sie könnten über ihm einstürzen, wenn etwas so Schweres wie ein Zug darüberfuhr. Da wurde ihm plötzlich klar, wie die zerstückelte Leiche in den Tunnel geraten war. Er beschleunigte seine Schritte, aber nicht deshalb, weil die Luft in der Giftröhre so nach Abgasen stank.

16

Punkt acht Uhr betrat er die Klinik und fuhr mit dem Aufzug hinunter in die Pathologie. Gestärkt mit vier Tassen Kaffee und ebenso vielen Croissants und gerüstet mit dem festen Willen, nach der gestrigen Begegnung mit Dr. Ellen Herzog mit einem Gesichtsausdruck der eisernen Neutralität aufzutreten. Aber der entglitt ihm schon beim Eintritt in die kühlen, durchdringend nach Formaldehyd riechenden Gänge im Hades des Klinikums, als er Ellen erspähte, die hinter ihrem Schreibtisch an einem Mikroskop saß und ihm den Rücken zugekehrt hatte. Neben ihr stand ein vollbärtiger, baumlanger Assistent im weißen Kittel, der sich zu ihr hinunterbeugte und ihren Ausführungen lauschte. Die altmodische Kaffeemaschine, das Überbleibsel aus dem letzten Jahrtausend, keuchte wie immer asthmatisch vor sich hin. Madlener kam es vor, als hätte sich nichts verändert, seit er das letzte Mal hier gewesen war.

Und doch hatte sich alles verändert.

Seine Schritte auf dem weiß gekachelten Boden waren deutlich zu hören, bis er in hinreichendem Abstand zu den beiden stehen blieb. Dr. Herzog sah nicht auf, ihr Assistent flüsterte ihr bei seinem Anblick leise etwas zu, sodass Madlener den Eindruck bekam, er hätte irgendwelche heiligen Hallen betreten, in denen jedes laute Wort als schwere Freveltat aufgefasst werden konnte.

Er räusperte sich, und Ellen gab ihrem auf Rollen stehenden Stuhl einen kleinen routinierten Schubs. Sie drehte sich und sah ihm mit einem süßsauren Lächeln, das auch ihrem Steuerberater hätte gelten können, der ihr mitteilte, dass eine saftige Nachzahlung ans Finanzamt fällig war, direkt ins Gesicht. Madlener nickte leicht, und Ellen sagte zu ihrem Assistenten: »Lassen Sie mich für einen Augenblick mit dem Kommissar allein, Mario, ja?«

Madlener spürte eine Art elektrisch aufgeladenes Spannungsfeld zwischen sich und Ellen, das beim geringsten Anlass anfangen würde, zu knistern und Funken zu sprühen. Der Assistent warf Madlener einen Blick zu, als würde er ihn lieber in einer dieser sarggroßen Metallschubladen mit einem Zettel am großen Zeh liegen sehen, weil er ihn dann bei Bedarf einfach wieder in sein Fach zurückschieben hätte können, und verließ gemessenen Schrittes den Raum.

Sie verharrten, bis die Tür hinter ihm ins Schloss fiel. Diesmal fiel es Madlener nicht schwer, einfach nur dazustehen und nichts zu sagen, weil er beim besten Willen nicht wusste, wie er anfangen sollte. Ellen durchbrach schließlich das unangenehme Schweigen, indem sie sagte: »Ich nehme an, du bist beruflich hier …«

Madlener hatte Probleme, seine am Gaumen klebende Zunge zu lösen, bis er antworten konnte: »Nun, es gibt hinreichende Gründe dafür.«

»Elf große und zahlreiche kleine, ja«, seufzte Ellen. »Das ist es, was von unserem Opfer übrig geblieben ist. Kaffee?«

»Gerne«, antwortete Madlener, und Ellen rollte auf ihrem Stuhl in einer eleganten Bewegung zur Kaffeemaschine.

»Du weißt noch, wo die Tassen stehen?«, sagte sie, während sie die gläserne Kaffeekanne von der heißen Platte nahm.

Madlener ging zum Hängeschrank und griff aus reiner Bosheit nach der Tasse mit der Aufschrift »Ellen's own«, die er ihr hinhielt. Ellen registrierte die subtile Herausforderung, aber sie kommentierte sie nur mit einem leichten Heben ihrer linken Augenbraue – eine artistische Gesichtsmimik, die seines Wissens nur sie beherrschte – und schenkte ihm ein.

»Danke«, sagte er und verbrannte sich prompt Lippen und Zunge beim Versuch, zu trinken und Ellen dabei im Auge zu behalten.

Sie verzog keine Miene, als sie ungerührt fragte: »Ist er immer noch so schlecht wie früher?«

»Schulnotenmäßig auf einer Skala von eins bis sechs ungefähr eine Sieben, würde ich sagen. Jedenfalls ist er heiß wie immer«, antwortete Madlener und blies in die Tasse, bevor er einen ersten Vorstoß riskierte. »Seit wann bist du zurück aus Stockholm?«, fragte er und nahm vorsichtig einen Schluck.

»Seit einer Woche.«

»Gut siehst du aus. Viel beim Segeln gewesen?«

»In meiner Freizeit. Aber die war knapp bemessen.«

»Mit Kollegen?«

»Unter anderem, ja. Ich bin andauernd eingeladen worden …«

»Kann ich verstehen. Warum hast du dich nicht mal gemeldet?«

»Sollte ich?«

Er stellte die Tasse ab, härter, als er es eigentlich wollte. »Herrgott, Ellen – mach's mir doch nicht so schwer … Es tut mir leid.«

»Was?«, fragte sie mit einem Gesichtsausdruck, als wisse sie wirklich nicht, worum es ging.

»Dass ich nicht versucht habe, dich anzurufen. Aber wir hatten eine Abmachung. Und ich habe mich daran gehalten. Das war ein Fehler. Und es ist mir bisweilen verdammt schwergefallen, mich nicht zu melden, das kannst du mir glauben.«

»Soso. Bisweilen«, murmelte sie und nippte nachdenklich an ihrem Kaffee, bevor sie fortfuhr. »In den ersten Tagen habe ich jeden Abend gehofft, du würdest unsere kindische Abmachung brechen«, sagte sie mit belegter Stimme und blickte ihm dabei nicht in die Augen. »Nach ein paar Wochen habe ich mir nichts sehnlicher gewünscht. Weißt du, wie oft ich die ersten Ziffern deiner Handynummer eingetippt habe? Bevor ich wieder auf ›Aus‹ gedrückt habe?«

»Ich kann es mir vorstellen. Ungefähr so oft wie ich wahrscheinlich.«

»Kann schon sein. Aber weißt du was: Nach zwei Monaten hatte ich es satt, auf einen Anruf deinerseits zu warten, und habe alles dafür getan, unsere Abmachung oder Nichtabmachung zu vergessen. Das ist mir mehr oder weniger gelungen. Und inzwischen habe ich mich daran gewöhnt. Es hat wehgetan, aber es war notwendig. Das ist alles, was ich dazu sagen kann.«

Madlener nickte. »Ging mir ebenso«, brachte er gerade noch mit fester Stimme heraus.

Sie sahen sich an, aber keiner machte den ersten Schritt auf den anderen zu.

»Na dann sind wir ja quitt und können zum geschäftlichen Teil übergehen«, sagte Ellen plötzlich mit einer unerwarteten Frostigkeit in der Stimme, deren Kältegrad der Temperatur der

Kühlschränke in ihrem unterirdischen Reich entsprach, und Madlener spürte, dass sie in diesem Moment und dieser Umgebung nicht bereit war, aufzutauen, Süßholz zu raspeln und ihm um den Hals zu fallen. Auch er schien von einer unbegreiflichen Ganzkörperlähmung befallen zu sein und schaffte es nicht, über seinen eigenen Schatten zu springen. Obwohl er jetzt schon wusste, dass er genau das spätestens bereuen würde, sobald er die geflieste Unterwelt verlassen und vor der Klinik ins Tageslicht blinzeln würde, nahm er den Ball scheinbar ungerührt auf und verfiel in den betont neutralen Ermittlermodus.

»Dann ist das jetzt eine offizielle Anfrage bezüglich des Torsos und der anderen Teile der Toten. Hast du darüber schon neue Erkenntnisse? Oder soll ich vielleicht lieber zum ›Sie‹ übergehen?«, fügte er in einem Anfall von unverhüllter Provokation hinzu, weil er sich in seinem Stolz gekränkt fühlte und beleidigt war.

»Jetzt sei nicht albern«, entgegnete sie souverän und stand auf. »Willst du die Teile noch einmal sehen?«

»Nein, nicht unbedingt. Das, was ich gestern gesehen habe, reicht mir voll und ganz. Ist der Leichnam … wie soll ich sagen … ist er komplett?«

»Ja, zu fünfundneunzig Prozent. Und alle Teile, die wir aufgefunden haben, scheinen zu einer Person zu gehören.«

»Scheinen?«

»Na ja, einige Kleinteile werden gesondert einer DNS-Analyse unterzogen, aber das braucht seine Zeit.«

Er zuckte mit den Schultern, und Dr. Herzog fuhr fort: »Das Opfer war weiblich, zwischen fünfundzwanzig und vierzig Jahre alt, wog etwa fünfzig bis fünfundfünfzig Kilogramm, war ungefähr einhundertfünfundsechzig Zentimeter groß, dunkelhaarig, keinerlei besondere Kennzeichen, keine Tattoos oder Narben von alten Verletzungen. Augenfarbe: Grün. Und jetzt das Wichtigste für eure Ermittlungen: Das Opfer wurde post mortem in den Tunnel verbracht. Wenn du mich fragst: nicht um den Leichnam einfach zu beseitigen und loszuwerden, sondern um die Tote komplett auszulöschen. Da steckt ein großer Vernichtungswillen dahinter. Dafür spricht auch, dass wir nicht das kleinste Kleidungsstück fanden. Auch kein Schmuckstück am Körper, keinen Ring, keine Uhr, einfach nichts. Die Rückstände unter den Fingernägeln muss ich noch untersuchen.«

»Wie sieht's mit Fingerabdrücken aus? Einem brauchbaren Zahnstatus?«

»In Arbeit. Das, was ich bisher habe, waren nur die äußeren Eindrücke. Die Feinarbeit ist als Nächstes dran.«

»Wie ist sie zu Tode gekommen?«

»Nach erster Augenscheinnahme: innerlich verblutet. Drei Stiche in die Brust und in den Bauchraum. Einer hat den Herzbeutel getroffen und zerfetzt.«

»Ein Messer?«

»Ja, unzweifelhaft. Ein großes, einschneidig, glatt, nicht gezackt. Nach Art und Tiefe der Einstiche etwa fünfzehn bis zwanzig Zentimeter lang und drei bis vier Zentimeter breit.«

»Hat sie sich gewehrt?«

»Sieht nicht so aus. Keine Schnittwunden an den Händen, aber auch das muss ich noch näher untersuchen, die Hände sind zerstückelt. Den schriftlichen Befund schicke ich dir zu, sobald ich ihn habe.«

»Und der wahrscheinliche Todeszeitpunkt?«

»Sehr schwer zu sagen. Das kann ich bisher nur ungefähr eingrenzen. Vor zwei bis vier Tagen, grob geschätzt.«

»Mehr nicht?«

»Nein.«

Madlener verarbeitete die Informationen, während er den Kaffee austrank. Die leere Tasse stellte er in die Spüle. »Danke für deine Informationen und den Kaffee. Wenn du noch etwas Relevantes entdeckst …«

»Ich habe deine Nummer«, sagte sie.

»Und ich dachte schon, du hättest sie verloren.«

»Dito«, entgegnete sie.

Sie schenkten sich wirklich nichts und schauten sich in die Augen, als wollten sie entweder gleich aufeinander losgehen wie zwei Boxer im Ring oder sich in die Arme fallen.

Aber da klopfte es an die Tür, die gleich darauf geöffnet wurde, was sie aus ihrer Befangenheit löste. Der Assistent schaute herein.

»Die Angehörigen von Herrn Brandl wären jetzt da«, meldete er Dr. Herzog.

»Komme sofort«, antwortete Ellen und schenkte Madlener einen letzten Blick. »Kannst du mir und unserem Opfer einen Gefallen tun?«, sagte sie mit der Weichheit in der Stimme, die Madlener so an ihr mochte und auf die er seit einem halben Jahr hatte verzichten müssen. Dabei berührte sie sogar seinen Arm.

»Wenn ich kann …« Er nickte.

»Gib der Frau ihren Namen zurück.«

»Versprochen«, erwiderte er und ging.

17

Bis sich alle zum morgendlichen Update im Besprechungsraum des Präsidiums einfanden, versuchte Madlener verstohlen, aus Harriets wie immer kleopatramäßig geschminktem Gesicht abzulesen, in welcher Verfassung sie war. Doch sie wirkte völlig normal: in sich gekehrt, konzentriert, vielleicht ein wenig fahrig, wie sie ihre Utensilien aus ihrem Rucksack holte und vor sich auf dem Tisch ausbreitete – Tablet, eine Flasche Wasser ohne Kohlensäure, kalten grünen Tee im Tetrapak und ihr Smartphone. Madlener hatte schon die große, rollbare Plexiglastafel, die endlich die alte Sperrholztafel abgelöst hatte, positioniert und mit Fotos aus dem Tunnel bestückt, die er wie die Grundrisszeichnung des Fundorts mit den genau bezeichneten Leichenteilen vom Flipchart übernommen hatte, das danebenstand. Alle Daten und Informationen, die sie bisher hatten, waren von ihm säuberlich aufgelistet worden. Viel war es nicht, aber inzwischen standen dort Geschlecht, Größe, Haarfarbe, Gewicht und das ungefähre Alter des Opfers. Darüber, dick unterstrichen: »Name des Opfers?«.

Er wartete, bis Thielen aufgehört hatte zu telefonieren und sich erwartungsvoll neben Götze setzte. Frau Gallmann hatte wie üblich Kaffee, Tee und Softdrinks serviert und auf ihrem Stammplatz am Kopfende des Tischs den Stenoblock und einen Stift bereitgelegt, weil sie – auch wie immer – das Protokoll anfertigte, für das sie das Gesprochene in unleserlichen Krakeln und Kürzeln mit einer unglaublichen Präzision und Schnelligkeit mitstenografierte. Sie war eine der wenigen, die das überhaupt noch konnten. Dabei dokumentierte sie akkurat jedes Wort, das gesagt wurde, tippte es später ab und verteilte das Protokoll. Ihre Arbeit verrichtete sie mit bemerkenswerter Effizienz und Genauigkeit, dazu sah sie immer aus wie aus dem Ei gepellt mit ihren Pumps, dem Kostüm und ihrer krisenfesten Frisur, die jedem Sturm, jeder Temperatur und jeder Modeänderung trotzte. »Paris, London, Mailand, Friedrichshafen – die Frisur sitzt!« Jedes Mal, wenn Madlener ihr über den Weg lief, fiel ihm dieser dämliche Werbespruch ein. Ihre eng anliegenden Kostüm- oder Hosenanzugvariationen, die ebenso wie ihre Schals farblich gelegentlich etwas aus dem Rahmen fielen, waren die einzige Extravaganz, die sie sich leistete. Sie schien seit Menschengedenken ihr Idealgewicht zu halten, Madlener hatte nie gesehen, dass sie außer Kaffee und Wasser etwas zu sich genommen hatte.

Er fragte sich manchmal, warum sie ihren cholerischen Chef so bemutterte und geradezu rührend um sein Wohlergehen bemüht war. Dabei beschlich ihn der leise Verdacht, dass es da mehr gab als ein schnödes Arbeitsverhältnis, aber das ging ihn schließlich nichts an, er nahm es eher amüsiert zur Kenntnis. Jedenfalls hatte sich Frau Gallmann in ihrer altmodischen Gluckenhaftigkeit ihm gegenüber stets loyal verhalten – auch für ihn war sie in der kurzen Zeit, seit er bei der Kripo Friedrichshafen war, zur Ikone der Verlässlichkeit und geradezu ein Fels in der Brandung des Veränderungs- und Modernisierungswahns um jeden Preis geworden.

Jetzt brachte sie noch einen Teller mit Nüssen und Schokokeksen herein, den sie auffällig nahe in der Greifweite ihres Chefs platzierte, der sofort ungeniert zulangte.

Götze trug an diesem Morgen, dem Ernst der Sitzung angemessen, ausnahmsweise kein Hemd aus seiner unerschöpflichen Hawaii-Kollektion, sondern ein schwarzes Polo zur schwarzen Hose mit schwarzem Gürtel, dazu eine Swatch mit schwarzem Latexarmband. Er war unrasiert und arbeitete wohl auf einen Dreitagebart hin. Nur die gelben All-Star-Leinenschuhe demonstrierten, dass er nicht über Nacht zu einer satanistischen Sekte konvertiert war.

Madlener löste sich von seinen irrlichternden Gedankensprüngen und räusperte sich. »Gibt es irgendwelche Neuigkeiten, bevor ich zusammenfasse und einen möglichen Tathergang erläutere?«, fragte er in die Runde, als endlich Ruhe eingekehrt war.

Götze zeigte auf wie in der Schule. »Nichts bei eventuellen Vermissten, was in das Schema passt, das wir auf der Tafel haben. Aber ich bleibe dran, die umliegenden Reviere sind informiert. Was die Lokführer angeht, die den Tunnel im fraglichen Zeitraum befahren haben, gibt es nur die Aussage eines Herrn …« – er kramte in seinen Unterlagen, bis er fündig wurde – »… eines Herrn Michael Schams, dessen Anruf gestern gegen vierzehn Uhr in der Notrufzentrale das Auffinden der Leichenteile erst ermöglicht hat. Ich habe mit ihm telefoniert. Er war bisher der Einzige, der im Tunnel im Licht seiner Lok einen menschlichen Körperteil gesehen zu haben glaubte.«

»Womit er leider recht behalten hat«, fügte Thielen überflüssigerweise hinzu.

»Ich versuche, die anderen in Frage kommenden Zugführer zu erreichen, aber das ist nicht so einfach, sie sind fast alle dienstlich unterwegs«, sagte Götze noch und lehnte sich zurück.

Madlener warf Harriet einen fragenden Blick zu, aber sie schüttelte nur kurz ihren Kopf und hob abwehrend die Hände, also hatte sie nichts Neues beizutragen. Das war ungewöhnlich, weil Harriet eigentlich immer etwas einfiel, das andere übersehen hatten. Aber das merkte nur Madlener, der sich vorgenommen hatte, sie heimlich genauer im Visier zu behalten als sonst.

Thielen meldete sich zu Wort, musste aber erst einen Schokokeks zu Ende kauen und hinunterschlucken. »Die Presse hat heute alle wichtigen Infos veröffentlicht. Bisher sind keine Zeugenmeldungen eingegangen. Und jetzt spannen Sie uns nicht länger auf die Folter, Madlener. Wie ich sehe, haben Sie bereits von Dr. Herzog die neuesten Erkenntnisse aus der Pathologie. Das sind doch schon genügend Fakten für eine Theorie über den Tathergang. Dann lassen Sie mal hören.« Er fühlte sich wohl stark unterzuckert, jedenfalls griff seine Hand schon wieder nach dem Süßigkeitenvorrat.

Madlener konzentrierte sich und fing an. »Fest steht: Auffindungsort nicht gleich Tatort. Das Opfer wurde erstochen, den genauen Todeszeitpunkt wissen wir noch nicht. Es wurde ausgezogen und wahrscheinlich in den Kofferraum eines Wagens verbracht. Wo das geschah, wissen wir ebenfalls noch nicht. Das kann ein einzelner Täter bewerkstelligt haben, das Opfer war nicht schwer, es wog laut Dr. Herzog zwischen fünfzig und fünfundfünfzig Kilogramm. Der Täter – nehmen wir mal an, es war nur einer – fuhr mit der Leiche zum Busbahnhof Wiestorstraße über dem Bahnhof Überlingen. Das Ganze ging aller Wahrscheinlichkeit nachts vonstatten, er muss so nah wie möglich an die Brüstung oberhalb des Bahngleises gefahren sein. Der Täter ist zu einer Zeit unterwegs, zu der normalerweise nichts los ist, er sieht sich um, wartet den richtigen Moment ab, dann kippt er die Leiche unbemerkt auf einen ein- oder ausfahrenden Zug, sie landet auf dem Dach eines Waggons, fährt mit, bis die Fliehkräfte oder die Erschütterungen zu stark werden und sie im Tunnel herunterfällt, ohne dass es irgendjemand bemerkt. Vielleicht gerät sie da schon, wenn sie von der Tunnelwand zurückprallt, mehrfach unter die Räder. Oder sie wird von nachfolgenden Zügen zigfach überrollt – ohne dass es einem Zugführer auffällt. Möglich ist beides. Nur so ist es zu erklären, dass die Leiche dermaßen zerstückelt ist und schließlich von diesem Lokführer ...«

Er sah Götze auffordernd an, der ganz gebannt von Madleners Ausführungen war, aber nun rasch einen Blick auf seine Notizen warf und »Michael Schams« einwarf.

Madlener fuhr fort: »... Michael Schams gesehen und gemeldet wird. So oder so ähnlich muss es sich abgespielt haben. Ach ja – der Täter setzt sich anschließend in sein Auto und fährt weg. Er kann sicher sein, dass so gut wie keine Spuren an der Leiche festzustellen sind, die Rückschlüsse auf ihn zulassen. Falls sie überhaupt früher oder später aufgefunden wird, dann ist nicht mehr viel von ihr übrig. Außer die Frau Doktor findet doch noch etwas.«

Nach diesen Ausführungen schwiegen alle, Madlener setzte sich, goss sich Kaffee ein, nahm zwei Löffel Zucker und rührte um.

»Brainstorming. Was sagt uns die Vorgehensweise über den Täter?«, fragte Thielen in das leise Klirren des Kaffeelöffels hinein. Ihm schmeckten auf einmal die Schokokekse nicht mehr, er schob den Teller von sich weg.

Madlener nickte. »Zum möglichen Täter: Wenn er schon die Leiche nackt durch die Gegend transportiert, was mit einem gewissen Risiko verbunden ist, dann ist er erstens zielgerichtet vorgegangen, er wird den Mord geplant haben und auch die Entsorgung des Leichnams. Zweitens hat er mit einem großen Vernichtungswillen gehandelt, was drittens bedeutet: Der Mörder kannte das Opfer und umgekehrt. Dies ist kein Zufallsmord oder der Mord nach einem heftigen Streit. Das zeigen auch die drei festgestellten Stichwunden, wovon eine tödlich war. Bei einem Mord aus Eifersucht oder blindem Hass wäre es nicht ungewöhnlich, dass der Täter x-fach zusticht, weil er sich in seiner Raserei in einen Blutrausch hineinsteigert. Das war hier nicht der Fall, er war kühl und ist zielgerichtet vorgegangen, wollte sein Opfer töten und tat dazu das, was unbedingt notwendig war. Das Opfer muss den Täter gekannt haben, ließ ihn nah an sich herankommen. Dr. Herzog hat keine Abwehrschutzhandlungen, sprich: Schnittwunden an den Händen festgestellt. Er muss wohl völlig überraschend zugestochen haben. Und viertens stellt sich mir die Frage: Wenn er die Leiche schon loswerden will, ohne dass ihre Identität festzustellen ist, weil man daraus eventuell Rückschlüsse auf ihn ziehen könnte – warum vergräbt er sie dann nicht irgendwo im Wald, wo man sie höchstwahrscheinlich nie findet? Das ist ein Widerspruch, den ich noch nicht ganz erklären kann.«

»Das ist allerdings merkwürdig«, stimmte Thielen zu. »Können wir aus der Vorgehensweise irgendwelche Rückschlüsse auf ein mögliches Motiv ziehen?«

»Wurde sie vergewaltigt? Hatte sie Sex vor ihrem Tod?«, fragte Harriet.

»Da sind wir noch auf genauere Ergebnisse aus der Pathologie angewiesen«, sagte Madlener. »Was sich da angesichts des Zustands der Leiche noch feststellen lässt, weiß ich nicht.«

»Wie gehen wir jetzt weiter vor?«, fragte Thielen.

»Ich schlage vor, dass die Kollegen aus den anderen Abteilungen uns unter die Arme greifen und sich bei den Anwohnern am Busbahnhof Wiestorstraße umhören, ob irgendjemand etwas Verdächtiges gesehen hat. Das bringt wahrscheinlich wenig, ist zeitaufwendig und bedeutet eine Menge Laufarbeit, aber wir wollen nichts unversucht lassen«, meinte Madlener.

»Ich regle das«, stimmte Thielen zu.

»Na schön«, sagte Madlener und wandte sich an Götze. »Götze, Sie kümmern sich um die Lokführer. Erkundigen Sie sich, ob und wann auch Güterzüge die Tunnelstrecke im fraglichen Zeitraum befahren haben. Engen Sie das auf Fahrten bei Dunkelheit und in aller Früh ein.« Götze machte sich Notizen und nickte.

Madlener sah Harriet an. »Frau Holtby grast die Vermisstenfälle ab, auch im weiteren Umkreis. Leider sind wir mitten in der Urlaubszeit. Das heißt, wenn jemand seit ein oder zwei Wochen verschwunden ist, fällt das unter Umständen vorerst nicht weiter auf.«

Götze meldete sich zu Wort. »Und wenn das Opfer eine illegale Prostituierte aus dem Ausland ist? Da kräht doch außer ihrem Zuhälter kein Hahn nach.«

Thielen zeigte mit dem Finger auf Götze: »Guter Einwand. Scheint mir sehr plausibel.«

Madlener zuckte mit den Schultern. »Könnte durchaus sein, klar. Hören Sie sich mal bei den Kollegen von der Sitte um, obwohl ich das weniger glaube. Bei einer solch drastischen Strafaktion im Rotlichtmilieu verschwindet das Opfer spurlos. Baggersee, Mülldeponie et cetera.«

Thielen fand Gefallen an der Idee. »Und wenn das Opfer so grausam hingerichtet wurde, weil es eine Art Drohung sein sollte? Für die anderen Prostituierten? Im Sinne von: Seht her, euch geht's genauso, wenn ihr nicht pariert?«

Madlener schüttelte den Kopf. »Denke ich eher nicht. Warum sollte der Täter die Leiche dann so entsorgen, wie er es getan hat? In einem Eisenbahntunnel, wo sie vielleicht erst in einer Woche, einem Monat oder nie gefunden wird? Egal, ob das Opfer angeschafft hat oder nicht – es muss so oder so zumindest Bekannte oder Nachbarn geben, denen auffällt, dass sie weg ist. Aber das kann nun mal dauern, bis eine Vermisstenanzeige eingeht.«

Thielen seufzte. »Das heißt, wir können noch rein gar nichts ausschließen.«

»Mit unserem gegenwärtigen Wissensstand: nein.«

Thielen nickte nachdenklich. Als Madlener aufstand und damit anzeigte, dass die Besprechung beendet war, wurde dem Kriminaldirektor auf einmal blitzartig bewusst, dass er seine durch die ausgefeilte rhetorische Kunst und Leidenschaft seiner diversen Appelle und Ansprachen mühsam aufgebaute Autorität in einer einzigen Sitzung, ohne dass er es richtig bemerkt hatte, an

Madlener abgegeben hatte. Fieberhaft überlegte er, wie er das durch eine souveräne Tat wieder hinbiegen konnte, bevor sich die Versammlung ganz aufgelöst hatte, weil alle Beteiligten den Aufgaben nachgingen, die Madlener angeordnet hatte.

Er stellte sich vor die Tür, die Madlener gerade ansteuern wollte, und fragte, ganz der Chef: »Und Sie, Madlener? Darf ich fragen, was Sie jetzt vorhaben?«

Madlener hatte sich auf sein Smartphone konzentriert und sagte nebenher: »Ich warte auf Ergebnisse.«

Thielen machte ein Gesicht, als ob Madlener ihm die Schokokekse geklaut hätte. »Nein, nein, das übernehme ich. Herrschaften – wie bei allen Ermittlungen laufen sämtliche Fäden bei mir zusammen! Also, wenn sich irgendetwas ergibt – sofortige Meldung an Frau Gallmann. Ich beurteile und koordiniere das dann und leite es gegebenenfalls weiter, damit es nicht zu unnötigen Verzögerungen oder Überschneidungen kommt. Update telefonisch alle drei Stunden. Das gilt für alle, auch für Sie, Herr Madlener.«

Er strich die widerspenstigen schütteren Haare auf seiner Glatze zurecht in der beruhigenden Gewissheit, einigermaßen diplomatisch die Abstufungen der Hierarchie deutlich gemacht und damit seine Kernkompetenz wieder ins rechte Licht gerückt zu haben.

Madlener zuckte nur mit den Schultern und öffnete schon die Tür.

»Wo wollen Sie hin, Madlener? Ich bin noch nicht fertig!«, hielt ihn Thielen auf. Eigentlich wollte er Madlener noch irgendetwas Läppisches aufs Auge drücken, nur um damit zu demonstrieren, dass er die absolute Befehlsgewalt in den Mauern des Präsidiums hatte.

Aber Madlener hielt sein Smartphone hoch. »Tut mir leid, Herr Thielen, ich habe eben eine Nachricht von Dr. Matussek erhalten, er bittet dringend um ein sofortiges Treffen. Außerdem kann ich im Tunnelfall momentan sowieso nicht mehr tun.«

Thielen musste einsehen, dass Madlener recht hatte, und winkte ab. Er wartete, bis Frau Gallmann, Harriet und Götze den Raum verlassen hatten, dann nahm er Madlener beiseite und fragte konspirativ: »Was gibt's bei Matussek Neues? Sagen Sie – ist der Staatsanwalt in irgendeiner Weise gefährdet?«

»Ich werde es herausfinden.«

»Wenn da auch nur das Geringste passiert, stecken Sie ganz tief in der Bredouille, Madlener, um ein unschönes anderes Wort nicht zu benutzen. Ich will das nur mal gesagt haben. Sie sind mir für Dr. Matusseks Sicherheit verantwortlich. Und halten Sie mich auch in der Sache auf dem Laufenden!«

»Tag und Nacht, wenn es sein muss, Herr Kriminaldirektor«, erwiderte Madlener mit todernster Miene, aber nicht ohne eine gewisse Süffisanz in der Stimme, für die Thielen ein empfindliches Sensorium hatte, gegen die er im Augenblick jedoch machtlos war. Bevor ihm eine Entgegnung einfiel, mit der er Madlener elegant Kontra hätte geben können, war der schon weg und auf dem Weg nach unten.

Thielen konnte der Versuchung nicht länger widerstehen und warf einen gierigen Blick auf den Besprechungstisch, aber Frau Gallmann hatte den Teller mit den Schokokeksen bereits abgeräumt.

18

Madlener fuhr mit Harriet in Richtung Meersburg aus Friedrichshafen hinaus. Er hatte sie, die schon auf dem Weg in ihr Büro war, noch eingeholt und ihr mitgeteilt, dass er sie brauchte. Jetzt hielt sie sich wieder mit einer Hand am Sicherheitsgurt fest, mit der anderen packte sie ihr Tablet auf den Knien und starrte ausdruckslos nach vorne. Es herrschte wie immer um diese Jahres- und Tageszeit dichter Verkehr, ein Lastwagen nach dem anderen kroch vor ihnen her, sie kamen nur stockend voran.

»Wo fahren wir hin?«, fragte Harriet unvermittelt in das Schweigen hinein.

»Zu Dr. Matussek nach Hause. Er fühlt sich akut bedroht.«

»Du meinst, er *wird* bedroht.«

»Das auch.«

Harriet schüttelte missbilligend den Kopf.

»Immer raus damit«, sagte Madlener.

Harriet sah ihn misstrauisch von der Seite an. »Was meinst du?«

»Na ich seh's dir doch an, dass du wissen willst, warum ich dich von den laufenden Ermittlungen abziehe und dich bei Matussek dabeihaben möchte, obwohl das nun wirklich zweitrangig ist.«

»Stimmt. Warum tust du das?«, fragte sie.

»Ich nehme an, die von dir informierten Kollegen melden sich von selbst, wenn eine auf unser Opfer zutreffende Vermisstenanzeige eingeht, richtig?«

»Sicher.«

»Na schön. Wenn's wirklich was Neues gibt, hat Frau Gallmann unsere Nummer. Dr. Matussek hat mich um Hilfe gebeten. Der Chef billigt und wünscht es ausdrücklich, dass ich mich gleich darum kümmere. Aber bevor wir Dr. Matussek treffen, will ich von dir wissen, ob du zwischenzeitlich etwas tiefer gegraben hast, was ihn angeht. Oder bist du nicht dazu gekommen?«

Sie hielten an einer roten Ampel, und er wandte sich Harriet direkt zu.

»Schon«, sagte sie.

»Na dann lass mal hören …«

»Irgendwas stinkt da«, sagte Harriet.

»Wieso? Wo hat er denn Dreck am Stecken?«

»Das ist es ja«, seufzte Harriet. »Nirgendwo. Und dabei habe ich ein paar Quellen angezapft, die …«

Madlener unterbrach sie mit einer abwehrenden Handbewegung, während er Gas gab, aber gleich wieder vom nächsten Lastwagen, den sie einholten, ausgebremst wurde. »Ich will's gar nicht wissen. Gib mir nur die Resultate!«

»Okay, okay. Null Punkte in Flensburg. Keine persönlichen Schulden, beste Schufa-Bonität. Keine Krankheiten, jedenfalls keine, die er von einem Arzt behandeln hat lassen. Die für sein Alter üblichen Vorsorgeuntersuchungen hat er natürlich gemacht.«

Madlener schaute überrascht zu ihr hinüber. »Woher weißt du denn so was?«

»Ich dachte, du willst es nicht wissen«, entgegnete sie auf ihre gewohnt schnippische Art. »Nur so viel, als Hausnummer: Auch unsere Beamtenkrankenversicherung hat ihre Unterlagen gespeichert. Und was gespeichert ist, kann man einsehen, wenn man eine Ahnung davon hat, wo man reinkommt, wie man reinkommt, und die nötigen Programme dafür hat. Einzelheiten?«

Madlener winkte ab. »Um Gottes willen: nein! Du hast recht – ich will's wirklich nicht wissen. Also von Krankheiten, die einer ärztlichen Behandlung bedürfen, ist er bisher verschont geblieben.«

»Er schon«, sagte Harriet. »Bei seiner Familie sieht das anders aus. Aber darauf komme ich nachher noch zurück. Die Steuern der Familie Haggenmiller-Matussek werden pünktlich entrichtet, nicht einmal eine Mahngebühr in den letzten Jahren. Ob sie sich aus Steuerersparnisgründen irgendwo auf Jersey oder den Kaimaninseln den Luxus eines heimlichen Auslandskontos erlauben, habe ich noch nicht gründlicher recherchiert, das ist sehr zeitaufwendig.«

»Dann lass das. Wir sind nicht von der Steuerfahndung.«

»Ganz wie du meinst. Im Übrigen: Alles, was mit dem Weingut und der Vermarktung zu tun hat, läuft auf den Namen und die

Firma seiner Frau. Sie haben Gütertrennung vereinbart. Alles überkorrekt, wie es sich für einen Beamten seines Kalibers gehört.«

»Er ist doch katholisch, oder?«, fragte Madlener.

»Ja, warum?«, wollte Harriet verblüfft wissen.

»Weil er dann gute Chancen hat, heiliggesprochen zu werden. Und zwar noch zu Lebzeiten, wenn das alles stimmt, was du rausbekommen hast, und er seine Kirchensteuer pünktlich bezahlt, wovon ich ausgehe.«

»Sieht auf den ersten Blick ganz danach aus, ja. Aber ich habe noch tiefer gebohrt.«

»Dachte ich mir. Soll ich jetzt sagen: gute Arbeit?«

»Angebracht wäre es, aber angesichts deiner grundsätzlichen Einwände gegen meine Hackerqualitäten überspringen wir das.«

Sie wechselten einen kurzen Blick, und Madlener schluckte eine entsprechende Entgegnung hinunter.

Endlich waren sie auf der Bundesstraße nach Meersburg, und nun ging es allmählich flotter voran. Madlener wusste, wann er abbiegen musste. Er war einmal auf dem Weingut der Haggenmillers gewesen, weil Staatsanwalt Dr. Matussek angesichts der guten und abgeschlossenen Ermittlungsarbeit im Internatsfall zu einem kleinen Umtrunk gebeten hatte, den sogar Madlener nicht ausschlagen konnte, obwohl er es liebend gern getan hätte. Aber Thielen hatte mit Nachdruck auf seine Teilnahme bestanden.

Madlener hasste Stehpartys, sie waren auf seiner inneren Beliebtheitsskala ganz weit unten aufgelistet, kurz vor Bergwanderungen und Herpes.

Harriet fuhr in geschäftsmäßigem Ton fort, als würde sie von ihrem Einkaufszettel ablesen: »Dr. Matussek hat aber – und jetzt kommt's! – anscheinend jemanden, der für ihn die Schmutzarbeit übernimmt.«

»Wie das?«

»Ich habe alle Fahrzeuge gecheckt, die auf das Privatweingut Haggenmiller zugelassen sind. Und ebenso die aller Angestellten. Und da bin ich dann endlich auf etwas gestoßen.«

Madlener war nun wirklich erstaunt. »Mein Gott, Harriet – wann hast du heute Nacht geschlafen?«

Er bog vor Hagnau in die Landstraße nach rechts ein.

»Gar nicht«, sagte sie freimütig. »Ich brauche nicht so viel Schlaf.«

Er warf ihr einen misstrauisch-besorgten Blick zu.

»Ehrlich«, sagte sie, zuckte mit den Schultern und lächelte entwaffnend.

Da war sie wieder, die Unschuld vom Lande, seufzte Madlener innerlich, oder besser noch: der Wolf im Schafspelz, aber er ließ sich nichts anmerken, während sie durch Wälder, Weinfelder und Obstplantagen fuhren, die sich im hügeligen Hinterland des Bodensees abwechselten.

Harriet kam endlich auf den Punkt. »Es gibt da eine Art Hausmeister, einen Mann für alle Fälle, heute sagt man wohl Security-Manager, und der ist vorbestraft.«

Madlener war auf einmal hellwach. »Vorbestraft weswegen?«

»Körperverletzung. Hat eine Bewährungsstrafe bekommen. Matussek hat für ihn ausgesagt. Dass er so eine Art Leibwächter sei und ihn verteidigt habe, weil er angegriffen worden sei. Und dass er für das Weingut arbeite und absolut zuverlässig sei, diese Nummer.«

»Wie heißt der Mann?«

»Jürgen Kurbjuweit.«

Ein privates Hinweisschild tauchte am Straßenrand auf: »Weingut Haggenmiller«. Madlener bog ab, zwischen Weinfeldern ging es eine kurvige Straße bergauf.

»Kurbjuweit? Ein Schläger?« Er sah Harriet fragend an.

»Allerdings. Kurbjuweit war früher Kickboxer, Türsteher, Werttransportfahrer und bei einem Wachdienst. Nun arbeitet er für den Herrn Oberstaatsanwalt. Und jetzt frage ich dich: Wozu braucht der dann uns, wenn er einen professionellen Leibwächter hat? Und warum hat er uns davon nichts erzählt?«

»Das ist die Eine-Million-Euro-Frage.«

Die Reihen der Weinstöcke schienen endlos zu sein, die Weinfelder zogen sich hin, so weit das Auge reichte.

»Und genau diese Frage werden wir Dr. Matussek stellen«, sagte Madlener, als hinter der nächsten Kuppe etwas aufblitzte. Es war der moderne Bau des Anwesens der Familie Haggenmiller-

Matussek, der erhöht vom altehrwürdigen Weingut mit den ehemaligen Stallungen und Scheunen und dem kopfsteingepflasterten Innenhof halb in einen Hügel hineingebaut war, ein futuristischer zweistöckiger Kubus aus Beton, Glas und Stahl. Er war das architektonische Gegenstück zu der Ansammlung von renovierten Fachwerkbauten, die wie ein kleines Dorf wirkten, und einem einzigen Zweck untergeordnet: der Präsentation von Weinbau und Wohlstand oder dem, was die Tourismusindustrie darunter verstand – ein Postkartenmotiv für die Leser der »Landlust«. Tradition und Moderne, diese beiden scheinbar gegensätzlichen Pole zu amalgamieren schien das Bestreben der Familie Haggenmiller-Matussek zu sein, das sie auch für die Außenwelt deutlich sichtbar demonstrieren wollte. Schwäbische Zurückhaltung und Bescheidenheit waren hier offensichtlich überflüssige Relikte aus der Vergangenheit, man zeigte inzwischen unverhohlen, zu was man es mit dem Fleiß und Geschick von Generationen gebracht hatte.

Sie fuhren direkt auf das Schmuckstück von einem Weingut zu, das nun in seiner ganzen Pracht vor ihnen lag.

»Sag mir noch kurz, was das für eine Sache war, auf die du zurückkommen wolltest«, erinnerte Madlener Harriet, während sie langsam über den knirschenden Kies auf den großen Besucherparkplatz zusteuerten, auf dem schon einige Autos standen – und ein Junge auf Krücken, der ihnen neugierig entgegensah.

»Ja, das gehört zum Kapitel Gesundheit. Matusseks vierzehnjähriger Sohn hat eine Form der Cerebralparese.«

Madlener warf Harriet einen fragenden Blick zu.

»Das ist eine Bewegungsstörung, die an einer frühkindlichen Hirnschädigung liegt.«

»Harriet, allmählich wirst du mir unheimlich. Könntest du über mich auch so viel herausfinden?«

»Nicht nötig. Das meiste weiß ich ja sowieso schon«, sagte sie grinsend und zeigte wieder das überlegene Frettchengesicht, das Madlener schon zur Genüge kannte.

Er seufzte resigniert, hielt an und machte den Motor aus. »Gott sei Dank habe ich dich nicht zum Feind.«

»Das haben mir schon einige gesagt.«

Madlener seufzte erneut – wann würde Harriet einmal nicht die passende Antwort auf Lager haben?

Sie stiegen aus, und der schlaksige blonde Junge kam mit seinen Krücken auf sie zu. Er konnte gehen, wenn auch ungelenk, und schien die Krücken nur unterstützend einsetzen zu müssen. Sein Gesicht war mit Sommersprossen übersät und machte einen aufgeweckten Eindruck, als er sie mit einer kieksenden Stimmbruchstimme fragte: »Sind Sie von der Polizei?«

Madlener nickte und fragte: »Und du? Oder soll ich schon ›Sie‹ sagen?«

»Nicht nötig. Ich bin Hubertus, der Sohn des Hauses. Freunde nennen mich Hubsi, aber das mag ich nicht mehr so.« Er lachte und zeigte zwei silberglänzende Zahnspangen.

»Kann ich verstehen, Hubertus. Wir wollen zu deinem Vater.«

»Ich weiß. Sagen Sie – warum sind Sie nicht mit Blaulicht und Sirene gekommen?«

»Zu auffällig. Wir wollen die Bösen ja nicht verscheuchen, sondern einfangen.«

Der Junge überlegte einen Moment, bevor er Madleners Lächeln erwiderte und altklug entschied: »Klingt plausibel. Haben Sie wenigstens Waffen dabei?«

Harriet hob den linken Arm und zeigte kurz ihr Holster unter der schwarzen Windjacke. Hubertus nickte anerkennend, drehte sich um und stakste mit seinen Krücken voraus. »Folgen Sie mir unauffällig. Ich bringe Sie zu meinem Vater.«

19

Madlener und Harriet warteten im »Livingroom« des futuristischen Wohnhauses, in den sie Hubertus geführt hatte, während er ausplauderte, dass seine Mutter, die eine ausgesprochene Vorliebe für alles Moderne habe, ihn so nenne. Durch die verglaste Außenfassade konnte man einen Ausblick auf den fernen Bodensee am Horizont genießen – wenn einem danach war.

Madlener war nicht danach.

Es gab mehrere Sitzgruppen, alle aus feinstem Leder in rötlichen Farbtönen. Eine davon war um einen gemauerten Kamin gruppiert, über dem ein großformatiges Originalgemälde von Otto Dix hing, eine Vanitasdarstellung, wie Madlener feststellte, eine herausfordernd den Betrachter ansehende blonde Nackte, hinter der der Tod schon lauerte. Dix war in der Nazizeit zu einem »entarteten Künstler« erklärt worden und am Bodensee in die innere Emigration gegangen. Bis zu seinem Tod hatte er in Hemmenhofen auf der Halbinsel Höri am Untersee gegenüber der Insel Reichenau gelebt und gearbeitet. Madlener hatte genügend Muße und Gelegenheit, der interessierten Harriet dies zu erläutern, weil der Hausherr und dessen Gattin noch auf sich warten ließen. Hubertus war sie holen gegangen.

Es war eine Spezialität von Madlener, private Räume im Schnelldurchgang abzuscannen, weil sein geschulter Blick oft mehr über das Innenleben seiner Bewohner herausfand, als diese im Gespräch von sich preisgaben. Eine Interpretation dessen, was er bisher gesehen hatte, behielt Madlener für sich, aber er fand es immer nützlich, so viele Eindrücke und Informationen wie möglich über Menschen zu sammeln, mit denen er aus beruflichen Gründen zu tun hatte.

Eine junge Hausangestellte erschien und bot Bodensee-Secco aus eigener Herstellung an, den sie beide dankend ablehnten – Harriet trank prinzipiell keinen Alkohol, und Madlener mochte das süßliche Zeug nicht, schon gar nicht am helllichten Tag, es verursachte ihm nur Sodbrennen. Seltsamerweise, dachte er, denn als die Hausangestellte stattdessen den gewünschten Kaffee und Wasser brachte, fiel ihm auf, wie viel Kaffee er im Laufe eines Tages konsumierte, der ihm nicht das geringste Problem bereitete. Nicht einmal der gebrühte Muckefuck von Dr. Ellen Herzog aus der Pathologie hatte ihm Magenschmerzen verursacht – die Umstände, unter denen er ihn getrunken hatte, schon. Und der hier schmeckte ausgezeichnet, was er die Hausangestellte auch prompt wissen ließ, als er nach der Kaffeesorte fragte.

Hubertus kam zurück und leistete ihnen Gesellschaft, ihn hatte wohl die Neugier gepackt, und Madlener ließ sich von ihm die einzelnen Gebäude des Weinguts und ihren Zweck erklären, die man von der Glasfront aus sehen konnte. Der Junge kam der Aufforderung mit Eifer und Ernst nach, wobei ihm bei allem Bemühen um reines Hochdeutsch zuweilen doch ein schwäbischer Ausdruck durchrutschte.

Schritte erklangen von der großen Treppe her, die hinauf zum Schlaftrakt führte. Dr. Matussek und Gattin hatten ihren Auftritt. Er war tadellos gekleidet und zeigte keine Emotion, als er Madlener und Harriet seiner Frau vorstellte, die ausgesprochen schlank, ausgesprochen groß und ausgesprochen sportlich war. Madlener fragte sich, ob alles an ihr so echt war, wie es auf den ersten Blick wirkte. Kein Mensch war so perfekt, jedenfalls nicht von Geburt an. Wenigstens ihr Lächeln war echt, wenn auch besorgt. Sie hatte schulterlange brünette Haare, war kaum geschminkt und beim genaueren Hinsehen sicher zehn Jahre älter als ihr Mann. Sie schien eine Vorliebe für Klunker zu haben, sie trug zwei schwere Ohrgehänge, wahrscheinlich Erbstücke, dachte Madlener, und mehrere mit Steinen besetzte Ringe an den sorgfältig manikürten Fingernägeln, die naturglänzend lackiert und ebenfalls echt waren. Damit hätte sie Handmodel sein können. Handarbeit schloss Madlener aus, die überließ sie wohl ihren Angestellten. Sie trug einfache, aber teure Hauskleidung: einen minzfarbenen Pullover aus Cashmere zur cremefarbenen Hose und cremefarbene Pumps. Von den Haarspitzen – ob das wohl Extensions waren? – bis zu den Schuhsohlen: die perfekte Landlady.

Frau Constanze Haggenmiller-Matussek legte ihren rechten Arm um die Schulter ihres Sohnes, eine beruhigende Geste, und sah ihrem Gatten zu, der mit spitzen Fingern eine Lidl-Plastiktüte hochhielt, die er hinter seinem Rücken verborgen hatte, und ohne jeden Small Talk gleich zur Sache kam.

»Als ich das auf dem Schreibtisch meines Büros gesehen und ausgepackt habe – ich habe es dabei angefasst, also sind meine Abdrücke drauf –, habe ich als Erstes meine Sekretärin um eine Tüte gebeten, diese hier, und alles wieder eingepackt. Dann bin ich aus Sorge um meine Familie hierhergefahren, vorher habe ich Sie natürlich angerufen. Danke für Ihr rasches Kommen.«

Er hielt die Tüte noch immer in die Höhe, bis Harriet sie ihm abnahm.

Madlener fragte: »Dann ist Ihre Familie informiert?«

»Meine Frau, ja. Ich hielt es für richtig. Aber vielleicht ist es besser, wenn mein Sohn auch Bescheid weiß.«

Madlener gab Harriet mit einem Blick zu verstehen, dass sie die Tüte ausleeren sollte, was sie auf dem großen Kristallglastisch auch tat. Zum Vorschein kam ein normales gelbes Postpäckchen. Harriet machte ein Foto mit ihrem Smartphone und warf einen genaueren Blick auf den Adressaufkleber. »Adresse mit einem gewöhnlichen Drucker gedruckt, Stempel fast unleserlich, heißt aber wahrscheinlich ›Briefzentrum‹, also keinerlei Hinweis auf den Absender …«

Sie zog geschickt wie eine routinierte OP-Schwester ein Paar Latexhandschuhe aus den unergründlichen Tiefen ihres Rucksacks heraus und an, bevor sie damit ein schwarzes Gebilde aus dem Karton nahm, das zwischen Styroporfüllmaterial lag und aussah wie ein Spielzeugsarg. Hubertus machte große Augen und blickte seine Mutter an. Harriet klappte den Sargdeckel auf und zog mit den Fingern einen schwarzen Skorpion heraus, den sie Madlener hinhielt und dann selbst genauer inspizierte.

»Ein Origami«, bemerkte sie. »Und zwar von einem Meister seines Fachs. Wer kann so was?«

Sie stellte Dr. Matussek die Frage. Der zuckte mit den Schultern. »Keine Ahnung. Sagen Sie's mir. Aber die Drohung ist ja wohl eindeutig.«

Madlener betrachtete den Skorpion auf Harriets Handfläche genauer, ohne ihn zu berühren.

»Sieht irgendwie gruselig aus. Was ist ein Origami?«, fragte Hubertus, der nun auch näher gekommen war und mit seiner Nase den schwarzen, unheimlich lebensecht wirkenden Skorpion fast berührte.

Harriet antwortete ihm. »Origami nennt man die japanische Falttechnik und auch die kleinen Kunstwerke, die daraus entstehen. Aus einem Blatt Papier, ohne Hilfsmittel, das ist der Clou.«

»Hat der Skorpion irgendeine besondere Bedeutung für Sie oder Ihre Familie?«, wollte Madlener wissen.

Dr. Matussek sah seine Frau an, die angewidert den Kopf schüttelte. Er wandte sich an Madlener. »Nun, ich denke, die Bedeutung liegt wohl in der Figur selbst. Dass es sich um eine Drohung handelt, steht ja wohl außer Frage.«

»Zweifelsohne«, murmelte Madlener und nickte Harriet zu, die alles wieder sorgfältig wegpackte, nachdem sie es fotografiert hatte. »War kein Zettel dabei?«

»Nein.«

»Wir werden das im Labor untersuchen lassen.«

»Ist das alles, was Sie machen?« Zum ersten Mal mischte sich Hubertus' Mutter ein und hielt ihren Sohn demonstrativ an den Schultern. »Worauf sollen wir noch warten? Bis einer von uns über den Haufen gefahren wird? Entschuldigen Sie, aber mein Mann hat mir erzählt, was ihm auf der Fahrt hierher vor ein paar Tagen passiert ist.«

Dass sie beinahe ihre Landadel-Contenance verloren hätte, überraschte Madlener, aber der kleine Fauxpas war wohlkalkuliert. Die Frau hatte sich eisern unter Kontrolle. »So weit wird es nicht kommen.« Er lächelte verbindlich.

Dann drehte er sich zu Dr. Matussek um und sagte ihm unverblümt ins Gesicht: »Vorausgesetzt, Sie erzählen uns endlich die ganze Wahrheit.« Sein Lächeln war auf einmal verschwunden, sein Ton immer noch verbindlich.

»Ich … ich verstehe nicht …«

»Oh, Sie verstehen mich sehr wohl, Herr Oberstaatsanwalt.

Kann ich mal einen Ihrer Angestellten sprechen? Den Herrn Kurbjuweit? Ist er hier im Haus, oder patrouilliert er schon mit einer Schusswaffe im Anschlag über das Gelände?«

Damit hatte er Matussek auf dem falschen Fuß erwischt. Er hob entschuldigend die Hände und sagte: »Sie verstehen das falsch, Herr Kommissar. Herr Kurbjuweit ist eher so eine Art Hausmeister. Er ist dafür verantwortlich, dass die Dinge am Laufen bleiben. Außerdem steht er auf der Gehaltsliste der Firma meiner Frau.«

»Ein ehemaliger Kickboxer bei der Weinlese? Das möchte ich gern sehen.«

»Dass Herr Kurbjuweit zufällig früher eine Kampfsportart ausgeübt hat ... Meine Frau hat ihn jedenfalls nicht als Leibwächter eingestellt, wenn Sie darauf anspielen.«

Frau Haggenmiller fand es angebracht, etwas dazu zu sagen. »Er ist gerade unterwegs zu einigen Kunden. Herr Kurbjuweit liefert auch Bestellungen aus.«

»Auch?«, fragte Madlener bewusst misstrauisch.

»Nun ja, er hat ein größeres Aufgabengebiet. Er checkt bei Bedarf auch den Hintergrund von Leuten, die für uns arbeiten. Wir wollen ja sicherstellen, dass wir uns keine Laus in den Pelz setzen, nicht wahr?«

»Kann ich den Skorpion noch mal sehen?«, fragte Dr. Matussek plötzlich. »Mir ist da gerade etwas eingefallen ...«

Harriet zeigte ihm die Bilder auf ihrem Smartphone. Matussek nickte und drehte sich zu Madlener um. »Es könnte sein, dass ich jemanden kenne, der so was schon mal gemacht hat. Origami, meine ich.«

»Ja?«, sagte Madlener nur und warf einen Blick auf sein Smartphone, auf dem gerade eine Nachricht eingegangen war.

»Ein Mann, gegen den ich die Anklage vertreten habe. Ist schon lange her, sehr lange. Warten Sie, er hatte so einen ungewöhnlichen Vornamen ... Fernando ... nein: Ferdinand. Jetzt fällt's mir wieder ein: Ferdinand Aigner.«

»Wann war das?«

»Vor acht, neun, zehn Jahren? Ich kann mich nicht mehr an jeden erinnern, den ich hinter Gitter gebracht habe.«

»Wissen Sie noch, um was es dabei ging? Wie die Anklage lautete?«

»Totschlag, glaube ich. Er wurde schuldig gesprochen. Weil es kein Geständnis gab, bekam er die Höchststrafe.«

»Danke, das wär's«, sagte Madlener kurz angebunden. »Sie hören von uns.«

Matussek war perplex. »Ergreifen Sie keine Vorsichtsmaßnahmen?«

»Sie haben doch einen Experten, der das bereits tut. Wir kümmern uns um diesen Aigner. Danke, wir finden selbst raus«, sagte er, und bevor Matussek reagieren konnte, war Madlener schon auf dem Weg zum Ausgang. Harriet packte ihren Rucksack und die Plastiktüte und folgte ihm.

Ihre Schritte knirschten im Kies, als sie im Laufschritt zu ihrem Dienstwagen marschierten.

»Warum auf einmal so in Eile?«, fragte Harriet. »Findest du nicht, dass wir ihm noch ein wenig auf den Zahn hätten fühlen sollen?«

»Weshalb?«, fragte Madlener, sperrte auf und klemmte sich hinters Lenkrad. »Dr. Matussek ist kein Verdächtiger. Aber er hat Angst.«

»Woher willst du das wissen?«, fragte Harriet und verschanzte sich hinter ihrem Sicherheitsgurt.

»Ich weiß es«, erwiderte Madlener einfach. »Nur weiß ich noch nicht, warum.«

»Vor diesem Aigner?«

»Das werden wir feststellen. Aber ich habe eben eine SMS von Dr. Herzog bekommen. Wir müssen ins Klinikum.«

»Setzt du mich vorher im Präsidium ab? Dann kann ich mich gleich um diesen Aigner kümmern.«

»Nein. Ich möchte dich in der Pathologie dabeihaben.«

Warum, sagte er nicht. Er wollte einfach jemanden an seiner Seite haben, wenn er mit Ellen sprach. Damit er sich zurückhielt und nichts von sich gab, was er hinterher bereuen würde. Ihm war klar, dass er irgendwann, möglichst bald, aus Zwecken der seelischen und emotionalen Hygiene mit Ellen ein Grundsatzgespräch führen musste. Aber solange eine unbekannte Leiche auf einem ihrer Stahltische lag, war das wohl nicht der geeignete Zeitpunkt.

Die Fahrt ins Klinikum war für Harriet eine echte Mutprobe, Madlener steuerte den Dienstwagen im Höchsttempo ohne Blaulicht und Sirene durch den einsetzenden Feierabendverkehr, sodass sie nur noch ihren Sicherheitsgurt umklammern konnte und gar nicht dazu kam, ihr Tablet oder das Smartphone zu benutzen.

Ihre Verkrampfung löste sich erst, als Madlener quietschend im Halteverbot vor der Klinik anhielt. Harriet schälte sich aufatmend aus ihrem Sitz, holte das selbst gebastelte Schild – sie hatten noch immer kein offizielles – mit der Aufschrift »Polizei im Einsatz« aus ihrem Rucksack und klemmte es gut sichtbar hinter das Lenkrad, bevor sie zusah, dass sie ihren Chef einholte, der schon durch den Eingang stürmte.

20

Sie liefen Dr. Ellen Herzog auf dem Gang zur Pathologie über den Weg. »Ich will gerade in die Cafeteria«, sagte sie. »Wollt ihr mitkommen und mir Gesellschaft leisten?«

»Nichts gegen einen kleinen Kaffeeklatsch – aber was gibt es denn so Wichtiges? Ich habe gerade einen neuen Rekord im Nichteinhalten sämtlicher Regeln der Straßenverkehrsordnung aufgestellt, um so schnell wie möglich hierherzukommen«, entgegnete Madlener, noch immer außer Atem und in betont neutralem Tonfall.

»Na dann kann es dir ja nur recht sein, wenn du ein paar Gänge zurückschaltest. Ganz im Vertrauen ...«, sie hakte sich bei Harriet unter und zog sie mit sich, »... ich kann meinen Kaffee dort unten manchmal nicht mehr ertragen. Aber der in der Cafeteria ist auch nicht viel besser. Dafür haben sie wirklich leckeren Kuchen.«

Die zwei gingen Arm in Arm plaudernd und lachend voraus wie zwei beste Freundinnen und schienen seine Gegenwart einfach zu ignorieren. Madlener kam sich auf einmal überflüssig und ziemlich dämlich vor, aber ihm blieb schließlich nichts anderes übrig, als brav hinter ihnen herzudackeln.

Dr. Herzog hatte sich das letzte Stück Schwarzwälder Kirsch an der Selbstbedienungstheke ergattert, dazu einen Latte macchiato, Harriet ein Wasser ohne Kohlensäure und Madlener einen Espresso ohne Chichi. Er war einmal und nie wieder in einem Starbucks in Stuttgart gewesen, und das Gewese um Non-fat-Milch, Halbfettmilch, Dutzende verschiedene Geschmacksrichtungen von Vanille bis Brombeer, Soja vegan und nicht vegan, dafür mit Honig, hatte ihn nach viertelstündigem Studium der Getränkekarte so verwirrt, dass er ohne zu bestellen wieder aufstand und das gesamte Starbucks-Imperium auf seine Liste von Dingen, die die Welt nicht brauchte, setzte, und zwar ziemlich weit oben.

Er war zu einer kleinen italienischen Eisdiele auf der gegenüberliegenden Straßenseite gegangen und hatte sich dort erleichtert einen ganz normalen doppelten Espresso gegönnt. Mit nichts dazu außer einem Löffel Zucker und einer sauberen Tasse. Dort saß er dann, nippte an seinem Gebräu, das so war, wie er es liebte, heiß, süß und stark, und dachte darüber nach, warum die Leute die an sich schon komplizierte Welt immer noch komplizierter machen mussten.

Eine Antwort darauf hatte er bis heute nicht gefunden.

Nun steuerte er mit seiner Tasse auf den Ecktisch in der Cafeteria zu, an dem es sich die beiden Frauen schon gemütlich gemacht hatten. Madlener wusste nicht, worüber sie geredet hatten, aber er hatte die paranoide Vermutung, dass seine Person ihr Gesprächsthema gewesen war, jedenfalls endete das fröhliche Schnattern und Kichern abrupt, als er sich zu ihnen gesellte. Er betrachtete Ellen heimlich und tat so, als müsse er den Zucker, den es nur in Tütchen gab, Kristall für Kristall in seine Tasse abzählen, um seinen wertvollen Espresso nicht zu übersüßen. Ellen sah blendend aus, fand er, gut erholt und braun, aber daran, dass sie ihre widerspenstige Haarsträhne ständig hinter ihr Ohr klemmte, merkte er, wie nervös sie in Wirklichkeit war.

Nach einer angemessenen Pause knurrte er: »Also – hast du was für uns?«

»Gleich«, sagte sie und genoss den nächsten Bissen von ihrer Torte, indem sie kurz die Augen schloss und mit der Zungenspitze einen Klecks Sahne von der Oberlippe leckte. Madlener gab vor, diese kleine Bewegung nicht gesehen zu haben, aber ihn beschlich der ungute Verdacht, dass sie das mit Absicht getan hatte, um ihn zu quälen.

Wie grausam konnten Frauen noch sein?

»Ich habe genauere Untersuchungen an den weiblichen Überresten vorgenommen«, sagte Ellen und ging nahtlos von der Schwarzwälder Kirschtorte zum pathologischen Neubefund über. »Dabei habe ich festgestellt, dass unser Opfer aus dem Tunnel schwanger war.«

Harriet und Madlener wechselten einen überraschten Blick.

»Welcher Monat?«, fragte Madlener.

»Ich schätze mal sechste Woche, deshalb habe ich es bei der ersten oberflächlichen Inaugenscheinnahme nicht gesehen, zumal vom Unterleib ziemlich wenig übrig geblieben war. Hilft euch das weiter?«

Madlener schlürfte den letzten Tropfen Espresso aus und schob die leere Tasse von sich weg. »Sobald wir einen Verdächtigen haben und ihm die Vaterschaft nachweisen können – ja. Sehr sogar, weil wir dann ein mögliches Motiv hätten.«

»Aber ihr habt noch keinen Verdächtigen.«

»Bis jetzt nicht«, sagte Harriet.

Ellen pickte das letzte Stück Torte auf und ließ es sich schmecken. »Übrigens – ich habe nichts unter den Fingernägeln gefunden. Sie muss sich nicht gewehrt haben. Und Drogen waren auch keine im Blut festzustellen.«

»Was geschieht jetzt mit dem Leichnam?«, wollte Harriet wissen.

»Wenn sich in absehbarer Zeit niemand findet, der die Frau vermisst, wird sie wohl auf Staatskosten beigesetzt. So lange bleibt sie bei mir im Kühlfach«, antwortete Dr. Herzog unverblümt.

Harriet stand auf. »Ich muss mich mal eben kurz frisch machen«, sagte sie und verschwand.

Zwischen Ellen und Madlener entstand eine peinliche Pause. Schließlich beugte er sich nach vorne und sagte so sanft, aber nachdrücklich, wie es ihm möglich war: »Wir sollten miteinander reden, meinst du nicht auch?«

»Es ist doch alles gesagt«, entgegnete Ellen nebenbei und grüßte ein paar Kollegen in weißen Kitteln, die am Tisch vorbeikamen und ihr zuwinkten. »Du lebst dein Leben und ich meines. Und ich wünsche dir von Herzen alles Gute dabei.« Sie erhob sich.

Madlener glaubte in ihrem letzten Satz einen unüberhörbaren Spott zu spüren, den er beim besten Willen nicht verstand. Am liebsten hätte er ihre Hand nehmen und sie wieder zu sich herunterziehen wollen, aber er unterließ es. Die Cafeteria war ziemlich voll, und er hatte keine Ahnung, wie Ellen dann reagieren würde. Das wollte er lieber nicht ausprobieren. Sie hatte ihm zwar noch nie eine Szene gemacht, erst recht nicht vor anderen Leuten. Ellen war nicht der zickige, unreife Typ, außerdem hatte es während ihrer Beziehung nie einen Grund für eine heftige Auseinandersetzung gegeben. Aber in der Cafeteria des Klinikums befanden sie sich auf ihrem Territorium, und Madlener hatte weiß Gott nicht vor, hier und jetzt alles auf den Tisch zu packen, was zwischen ihnen stand. Was war das eigentlich? Dass keiner den anderen angerufen hatte? Weil sie beide zu stolz und zu stur waren?

Der Anlass für die dicke Luft zwischen Ellen und ihm kam Madlener auf einmal erneut lächerlich und banal vor. Er wollte nicht, dass diese wunderbare Beziehung, die sie einmal gehabt hatten, plötzlich nichts mehr wert und Makulatur war, nur weil sie sich beide wie beleidigte, bockige Kinder benahmen und schmollten. Dazu bedeutete Ellen ihm zu viel. Er brauchte nur in ihre braunen Augen zu sehen, die ins Goldene changierten, dann wusste er das.

Oder hatte sie längst einen anderen und suchte nur nach einem Vorwand, machte sozusagen aus einer Mücke einen Elefanten, um ihn so auf die elegante Tour abzuservieren? Das konnte natürlich auch der Fall sein. Deshalb vielleicht die kühle, herablassende Art und Weise, wie sie ihn seit ihrer Rückkehr behandelte. Er wurde einfach nicht schlau aus ihrem Verhalten.

»Na dann – wir sehen uns, notgedrungen«, sagte sie, unterbrach damit abrupt seinen Gedankengang und brachte ihren Teller zum gebrauchten Geschirr in das Gestell mit den Tabletts.

»Ellen, warte«, sagte er leise, aber das konnte sie schon nicht mehr hören – vielleicht wollte sie es auch nicht. Er sah durch die Glaswand, wie sie in Richtung Aufzug davonging. Er hatte gar nicht bemerkt, dass Harriet schon am Ausgang der Cafeteria mit unbewegtem Gesicht auf ihn wartete. Als er sie schließlich registrierte, stand er schwerfällig auf.

»Machen wir uns wieder an die Arbeit«, sagte er. »Wir sollten alles über diesen Aigner herausbekommen. Und damit fangen wir gleich an.«

Er sah Harriets Miene an, dass ihr etwas auf der Zunge lag. Aber sein versteinertes Gesicht machte auf Harriet wohl einen so abweisenden Eindruck, dass sie lieber den Mund hielt und ihm nur wortlos die Tür aufhielt.

21

Als Madlener und Harriet im Treppenhaus der Verkehrspolizei zu ihrem Büro hochgingen und im zweiten Stock angelangt waren, rief eine Männerstimme von unten herauf: »Harriet!«

Harriet blieb stehen und beugte sich über das Geländer nach unten. »Was willst du noch?«

»Harriet, rede mit mir! Bitte ...«, hallte es herauf.

»Du kannst mich mal!«, schrie Harriet unvermittelt in einer Lautstärke zurück, die Madlener vor Schreck leicht zusammenzucken ließ. »Lass mich gefälligst in Ruhe und verpiss dich!«

So, das war deutlich und musste wenigstens in halb Friedrichshafen angekommen sein, dachte Madlener. Und hoffentlich auch bei diesem blonden Polizisten in Uniform, der offensichtlich nicht lockerlassen und nach dessen Namen er sich gelegentlich heimlich erkundigen wollte.

Madlener ging weiter und tat so, als habe er nichts gehört. Und das war auch besser so, wenn er Harriets verkniffene Miene aus dem Augenwinkel betrachtete. Sie war wieder zu ihm aufgeschlossen, stiefelte mit ihren klackernden Schuhen neben ihm her und hatte hektische Flecken im Gesicht. Selten hatte er sie so wütend gesehen, eigentlich nur einmal, nämlich gestern Nacht auf dem Buchhornplatz vor dem Zeppelin-Museum.

»Think positive!«, das hatte ihnen Thielen eben nach dem kurzen Briefing im Besprechungsraum, das nichts wirklich Neues gebracht hatte, in bester Absicht eingetrichtert. Madlener hatte nur noch darauf gewartet, dass er ihnen »Yes, we can!« hinterhergerufen hätte. Dann wäre er ihm auf der Stelle an die Gurgel gegangen.

Na großartig, dachte er, als er die Tür zu ihrem gemeinsamen Büro aufsperrte, wenigstens ist unser beider Privatleben so komplett im Arsch, dass wir uns voll und ganz auf unseren Job konzentrieren können. Think positive.

Zwei Stunden später sprachen sie wieder miteinander, als sei nichts geschehen. Eigentlich war längst Feierabend, aber weder

Madlener noch Harriet schienen besondere Sehnsucht nach ihrem jeweiligen Zuhause zu verspüren. Madlener hatte herumtelefoniert, und Harriet war ganz in ihrer Computerrecherche aufgegangen.

Als Letztes hatte Madlener noch Dr. Matussek angerufen, um ihm mitzuteilen, dass er sich vor Aigner in Acht zu nehmen habe, weil er wieder auf freiem Fuß sei. Falls er Aigner auch nur zu Gesicht bekomme, solle er sich sofort melden. Und dass sie Aigner in der Sache vernehmen und Matussek in Kenntnis setzen würden, sobald sich etwas Neues ergab.

Matussek schien das Gespräch nicht weiter zu beunruhigen. Er bedankte sich und legte auf.

Madlener lehnte sich zurück und sagte: »Hör mal, Harriet, hättest du nicht Lust auf einmal 38 und vorher die 7?«

Es dauerte höchstens eine halbe Sekunde, bis Harriet kapierte, was er damit meinte, und wie ein Springteufelchen aus ihrem Schreibtischstuhl hochschoss. »Und ich dachte schon, du fragst nie!«

»Dann nichts wie los. Übrigens – heute bist du eingeladen.«

»Wie das?«

»Ganz einfach: weil ich das schon immer mal tun wollte. Aber bisher hat sich noch keine Gelegenheit dazu ergeben.«

Es war noch hell und warm, und ausnahmsweise war diesmal kein Gewitter im Anmarsch, das sonst in diesem verregneten Sommer so zuverlässig jeden Abend aufzog, dass man seine Uhr danach hätte stellen können. Madlener und Harriet saßen auf zwei billigen weißen Plastikstühlen an einem wackligen Tisch im Freien beim Asia-Imbiss, der sich auf einem leeren Grundstück einen Katzensprung entfernt vom Präsidium befand, und ließen sich ihre Stammgerichte mit den Nummern 38, 45 und zweimal 7 schmecken, die Madlener spendiert hatte: Rindfleisch Zitronengras, Schweinefleisch Szechuan und vorher Tom-Yam-Gung-Suppe. Sie hatten den ganzen Tag über kaum etwas gegessen und waren deshalb schier am Verhungern.

Madlener war froh, dass er aus richtigen Tellern mit richtigem Besteck essen konnte und keine Aluminiumfolien von Styroporbehältern zerren und sich dabei verbrühen oder bekleckern musste. Harriet schlug sich wacker, Madlener wunderte sich oft, welche Mengen sie verdrücken konnte, ohne auch nur ein Gramm zuzunehmen. Er liebäugelte noch mit der Nummer 116 auf der Speisekarte, gebackene Früchte mit Honig und Mandeln, aber er überließ es seiner Assistentin, sich den Nachtisch zu genehmigen, und verzichtete seiner Linie wegen darauf.

Kurz bevor der Asia-Imbiss zumachte, kam pünktlich wie immer ein goldener Porsche Panamera vorgefahren, aus dem der Madlener vom Sehen her schon bekannte Zuhälter ausstieg, der mit seinem tätowierten, muskulösen Oberkörper, über den sich ein ärmelloses T-Shirt spannte, den langen blonden Haaren und dem Walrossbart wie ein Wikinger auf der Suche nach geeigneten Dörfern zum Brandschatzen aussah. Stattdessen holte er nur brav seine vorbestellten Gerichte in zwei riesigen Plastiktüten ab, die er im Porsche verstaute, bevor er gesittet wieder davonfuhr. Inzwischen waren sie sich beim Asia-Imbiss schon so oft begegnet, dass sie sich grüßend zunickten und so gegenseitig ihren Respekt bekundeten. Wenigstens ließ der schwäbische Zwillingsbruder der Marvel-Comic-Figur Thor seine Mädchen, die unweit des Polizeipräsidiums für ihn arbeiteten, nicht verhungern.

Bei dieser Gelegenheit kam es Madlener so vor, als ob er in einer Art Zeitschleife lebte, die sich immer wiederholte, jeden Morgen beim Aufstehen bis zum hastigen Abendimbiss aufs Neue. Ihn schauderte – jeden Murmeltiertag bis in alle Ewigkeit eine Abfuhr von Ellen zu bekommen, das hätte er nicht ausgehalten. Wenn schon in einer Zeitschleife, dann würde er sich einen anderen Tag aussuchen, er wusste auch genau, welcher das wäre. Als Ellen völlig unerwartet mitten in der Nacht vor seinem Hotel aufgetaucht war. Das war schon über ein halbes Jahr her. Aber, wie hatte seine Mutter immer so schön altmodisch und treffend gesagt: »Das Leben ist kein Wunschkonzert!«

Er putzte sich den Mund mit seiner Papierserviette ab und wartete, bis Harriet mit ihrer Nachspeise fertig war, dann fing er an. »Wir werden uns diesen Aigner morgen vorknöpfen müssen.

Vorausgesetzt, wir bekommen heraus, wohin er sich verzogen hat, das dürfte das Schwierigste werden. Offiziell wohnt er bei seiner Nichte in Konstanz, aber ich konnte sie unter ihrer Nummer nicht erreichen. Und der für ihn zuständige Bewährungshelfer hat auch noch nichts von ihm gehört. Aigner ist vor zwei Wochen entlassen worden. Hat fast zehn Jahre abgesessen. Wegen Totschlags. Aber das hast du sicher auch schon rausbekommen.«

»Ja. Ich habe auch die genauen Daten, falls du sie brauchst. Geburtsdatum, Vorstrafen einzeln aufgelistet, anfangs nur Kleinkram, Einbruchdiebstahl, Urkundenfälschung, Versicherungsbetrug, Autoschiebereien et cetera. Nichts Besonderes, bis zur Verurteilung wegen Totschlags. Vertreter der Anklage war tatsächlich Dr. Matussek. Was ich nicht rausbekommen habe, ist, ob er Origami-Spezialist ist.«

»Aber ich weiß es. Von seiner Anstaltsleiterin, einer netten Oberregierungsrätin namens Franke, mit der ich telefoniert habe. Sie hat selbst einen gefalteten Elefanten von Aigner auf ihrem Schreibtisch im Knast stehen.«

Sie sahen sich an. Und gleichzeitig sprachen sie dasselbe aus: »Und was sagt uns das?« Darüber mussten sie zum ersten Mal an diesem Tag schmunzeln. Ihre berufliche Denkweise hatte sich anscheinend wieder synchronisiert, und die Zahnrädchen in ihren Köpfen griffen endlich exakt ineinander.

Madlener legte als Erster los. »Wir können Aigner noch keinen Strick aus der Tatsache drehen, dass er Origami macht. Und vielleicht eines seiner Meisterwerke an Dr. Matussek geschickt hat. Die Drohzettel sind anonym. Aber wir werden uns den Herrn mal anschauen müssen. Was weißt du über den Totschlag?«

»Vor ungefähr zehn Jahren wurde in Weingarten eine Frau in ihrer kleinen Wohnung erstochen aufgefunden.«

»Weingarten bei Ravensburg?«

»Ja. Ihr Name war Elfie Lammert. Verdächtiger Nummer eins war Aigner. Er hatte eine Beziehung mit ihr gehabt, allerdings war er wahrscheinlich nicht der Einzige …«

Madlener unterbrach sie: »Wie alt war die Tote?«

Harriet kramte in ihrem Gedächtnis. Dazu brauchte sie kein Tablet – was sie einmal in ihrem Kopf gespeichert hatte, konnte sie jederzeit wieder abrufen. »Sechsunddreißig Jahre, eine kleine Tochter.«

»Was ist mit der Tochter?«

»Sie wurde später adoptiert. Von Aigners Nichte. Aber sie muss vor einem Jahr gestorben sein. Der damalige Mann der Nichte lebt auch nicht mehr. Verkehrsunfall.«

»Woran ist die Tochter gestorben?«

»Hodgkin-Lymphom. Das ist eine bösartige Erkrankung des Lymphsystems. Kommt besonders oft bei Kindern vor. Sie hieß Sophie und war zwölf Jahre alt.«

»Krebs?«

Harriet nickte.

»Weiter.«

»Aigner wird verhaftet, aber er beteuert immer wieder seine Unschuld. Dummerweise wird das Tatmesser in seiner Wohnung gefunden. Und Wäsche mit dem Blut der Toten. Aigner dreht durch, behauptet, jemand hätte ihm das alles untergeschoben, um ihn zum Täter zu machen. Ein Alibi für die Tatzeit hatte er nicht.«

»Dann fast zehn Jahre Knast ...«

»Du sagst es. Die letzten hat er in der JVA Singen abgebüßt.«

»Hast du gewusst, dass Singen ein Seniorenknast ist?«

»Tatsache? So was gibt es?«

»War mir ebenfalls neu. Aber die Überalterung unserer Gesellschaft scheint auch vor den Straftätern nicht haltzumachen. Wir fahren morgen nach Konstanz, falls es nichts Neues im Tunnelfall gibt. Wo soll ich dich abholen?«

»Ich warte vor dem Präsidium.«

»Na schön. Um acht?«

»Ja. Danke für die Einladung.«

»Gerne«, sagte er, und dann gingen sie zum Parkplatz des Präsidiums, um nach Hause zurückzukehren, wo niemand auf sie wartete. Während Madlener Harriet nachblickte, wie sie auf ihrem Motorroller davonfuhr, dachte er, dass sie es bisher immer vermieden hatte, dass er ihre Wohnung sah. Entweder war es ihr peinlich, wo und wie sie wohnte – das konnte er sich bei ihrem ausgeprägten Selbstbewusstsein eigentlich kaum vorstellen –, oder es gab einen anderen Grund, den er nicht kannte. Aber er würde ihn herausbekommen, denn irgendetwas stimmte nicht mit ihr.

Er setzte sich in sein Dienstfahrzeug und merkte auf einmal, wie müde er war. Kein Wunder, er hatte in der Nacht zuvor kein Auge zugetan, das rächte sich jetzt. Wenn er gleich ins Bett ging, würde es ihm vielleicht gelingen, einzuschlafen. Die nötige Bettschwere hatte er.

Madlener hatte über vierzig seiner Favoriten-CDs ohne Hülle im Handschuhfach, tastete blind im Stapel und fischte nach dem Zufallsprinzip eine heraus. Er schob sie in den Player und drehte die Lautstärke auf.

My wife has burned the scrambled eggs
The dog just bit my leg
My teenage daughter ran away
My fine young son has turned out gay
Cut off my fingers in the door of my car
How could I do it?
My wife is proud to tell me
Of her love affairs
How could she do this to me?

Er lächelte. Irgendwie fand er es komisch, dass Sting von The Police offensichtlich noch ein paar Probleme mehr an der Backe hatte als er. Madlener drehte lauter und steuerte den Wagen vom Parkplatz auf die nächtliche Straße, wobei er einem Taxi die Vorfahrt nahm, das quietschend abbremsen musste und ihm hinterherhupte. Aber das war ihm gleichgültig. Er wollte nur noch in sein Hotelbett.

22

Noch am späten Abend brach Dr. Matussek nach Ravensburg auf, er nahm den Wagen seiner Frau Constanze, einen dunkelblauen BMW X5. Sie wollte ihn zuerst nicht allein fahren lassen, sie und sein Sohn waren der Meinung, dass er damit ein unnötiges Risiko einging. Doch Matussek bügelte ihre Befürchtungen ab. Er war trotz der nebulösen Drohungen nicht gewillt, sich von heute auf morgen in seiner gewohnten Lebensführung auch nur im Geringsten einschränken zu lassen. Den nächtlichen Zwischenfall mit dem weißen Auto, den er vor ihnen zunächst verheimlicht hatte, tat er als unglücklichen Zufall mit Blechschaden und Fahrerflucht ab. Außer seiner Sekretärin und ein paar Kollegen vom Gericht kannte kein Mensch seine kleine Zweitwohnung, und dass ein kürzlich entlassener Exhäftling so viel Energie und Tatkraft aufbrachte, ihm auf Schritt und Tritt, ohne dass er es bemerken würde, zu folgen, erschien ihm lächerlich.

Das hatte er auch Kommissar Madlener am Telefon mitgeteilt, als dieser ihn pflichtgemäß von seinen Ermittlungen in Sachen Aigner informiert und ihn vorsorglich gewarnt hatte, dass Aigner auf freiem Fuß war. Wenn er Matussek tatsächlich konkret bedrohen würde und man ihm das mit Zeugen oder irgendwelchen Indizien nachweisen konnte, wäre er schneller wieder hinter Gittern, als er »Buh!« sagen konnte. Und genau das hatte Matussek dem Kommissar erklärt, bevor er sich bedankte und auflegte.

Dass er über Aigners Entlassung selbst gut unterrichtet war, verschwieg er wohlweislich.

Matussek hatte am nächsten Tag einen wichtigen Termin bei einem Richter und gab vor, sich noch ungestört in seinem Apartment mit den relevanten Akten vertraut machen zu wollen. Aber das war nicht viel mehr als ein Vorwand. In Wirklichkeit wollte er in Ruhe nachdenken. Nicht weil er Angst hatte, sondern weil er befürchtete, dass einiges aus dem Ruder laufen könnte. Seit er den Skorpion auf seinem Schreibtisch gesehen hatte, wusste er, dass Aigner ernst machte. Die Dinge kamen ins Rollen, aber nicht unbedingt so, wie er sich das vorgestellt hatte.

Zehn Jahre Knast sollten einen Menschen doch gefügiger machen, hatte er immer gedacht. Bei den meisten, die er für eine ähnlich lange Zeit hinter Gitter gebracht hatte, war das auch so. Die lange Haft hatte sie zermürbt, manche sogar zerstört. Aus glühenden Rachegedanken war bleierne Depression, Passivität und Gleichgültigkeit geworden. Seltsamerweise mussten die zehn Jahre bei diesem Aigner das Gegenteil bewirkt haben. Der Skorpion bewies das. Aber, realistisch betrachtet, was konnte Aigner schon groß tun? Er war im Gefängnis alt geworden, war bestimmt nicht mehr sehr fit, hatte nicht den geringsten finanziellen Rückhalt und konnte froh sein, wenn er irgendwo einen Unterschlupf fand, in dem er sich verkriechen und auf sein baldiges Ende warten konnte. Das, wenn es nach Matussek ging, nicht mehr allzu lange auf sich warten lassen würde – aber nicht so, wie Aigner sich das vorgestellt haben dürfte.

Dr. Matussek wusste genau Bescheid über Aigners Entlassungstermin, seine Führung während der Haft und seine einzige soziale Bindung, die er laut Aktenvermerk noch hatte: seine Nichte. Als Oberstaatsanwalt hatte er natürlich Einsicht in die Unterlagen der JVA Singen, wann und so oft er wollte. Außerdem hatte er Kurbjuweit damit beauftragt, Aigner ein wenig auf den Zahn zu fühlen. Aigner wollte anscheinend nicht mitspielen, doch das war nicht weiter tragisch. Es wäre natürlich einfacher gewesen, aber auch so wusste Matussek, was zu tun war. Konnte Plan A nicht durchgeführt werden, dann kam eben Plan B zum Einsatz. Matussek hatte immer eine Alternative im Ärmel, deshalb konnte er nie auf dem falschen Fuß erwischt werden, das war seine große Stärke.

Er würde die Nacht ungestört vom nervigen Herumgenöle seiner Frau, die ständig dieselben Fragen nach dem Warum und Wieso stellte, in seinem Apartment in einem anonymen Wohnblock in Ravensburg verbringen und durcharbeiten, so lange es sein musste, um in der Früh topvorbereitet vor dem Richter zu erscheinen. Alles andere würde sich von selbst ergeben.

Mit seiner Fernbedienung ließ Matussek das Tor zur Tiefgarage des modernen siebenstöckigen Apartmenthauses hochfahren, bevor er den BMW die Zufahrt hinunterrollen ließ. Er wartete am Ende der Rampe mit dem Blick in den Rückspiegel darauf, dass das Tor wieder zuging und nicht etwa jemand unbemerkt noch durchschlüpfte, dann erst steuerte er seinen Parkplatz an und stieg aus. Er sah sich um, horchte, griff nach seinem Aktenkoffer, sperrte das Auto ab und ging in Richtung Fahrstuhl. Dabei tastete er kurz nach seiner Waffe in der Innentasche seines Sakkos, es war beruhigend, zu wissen, dass er sie dabeihatte, obwohl er nicht damit rechnete, irgendeiner wirklichen Gefahr ausgesetzt zu sein. Er betätigte den Knopf und hörte, wie sich der Fahrstuhl in Bewegung setzte. Als der Lift ankam, riss er die Tür mit einem Ruck auf – der Fahrstuhl war leer. Er drückte die oberste Taste, Stockwerk 7.

Als der Fahrstuhl nach oben anfuhr, bemerkte Matussek, dass das Licht des Erdgeschossknopfes aufleuchtete. Das ärgerte ihn, weil gleich jemand zusteigen würde. Wenn Dr. Matussek etwas auf den Tod nicht ausstehen konnte, dann war es, in engen Aufzügen – und dies war laut Beschriftung ein für höchstens vier Personen zugelassener Lift – mit fremden Menschen und deren Ausdünstungen und, was oft noch schlimmer war, deren Geschwätz zwangsweise eingepfercht zu sein. Selbst wenn das nur für ein paar Höhenmeter lang der Fall war. Er ging ganz nach hinten, lehnte sich an die Rückwand und starrte nach oben, um keinen Blickkontakt aufnehmen zu müssen.

Es war ein älterer Herr mit einer Schiebermütze, der vor dem Lift stand und ihm den Rücken zukehrte. Matussek griff schon nach seiner Waffe, als der Mann sich umdrehte und Matussek erleichtert feststellte, dass er ihn vom Sehen her kannte, er war ihm ein paarmal im Haus begegnet. Wie stets hatte er seinen Rauhaardackel dabei, der bei Matusseks Anblick gleich bedrohlich zu knurren begann.

Sein Herrchen riss unsanft am Halsband, sagte »Bisch du ruhig!« und strahlte Matussek an. »Keine Angscht, er isch gut erzogen.«

Leider wusste das der Hund nicht, der jetzt sogar anfing,

Matussek hysterisch anzukläffen. Wieder riss der Mann am Halsband, der Hund jaulte auf. Matussek wünschte den Hund samt Herrchen in dem Moment sonst wohin, nur nicht in diesen Aufzug. Der Mann packte den Dackel und nahm ihn auf den Arm, um ihm mit einer Hand die Schnauze zuzuhalten und mit der anderen den Knopf für den ersten Stock zu drücken. Matussek fragte sich, warum dieser Hundebesitzer die paar Treppenstufen nicht zu Fuß gegangen war, sondern ihn mit seiner Gegenwart und der seiner bissigen und ungezogenen Töle nötigte, zweimal anhalten zu müssen.

Im ersten Stock stieg der Mann wieder aus, setzte den Hund ab, der sofort erneut auf Matussek loswollte, aber noch rechtzeitig von seinem Herrchen am Halsband zurückgerissen wurde, und wünschte ihm noch einen schönen Abend. Dann zog er seinen heftig kläffenden Dackel mit einem letzten Ruck aus dem Lift und zerrte ihn hinter sich her, obwohl der Hund sich mit aller Gewalt und vier Pfoten dagegenstemmte.

Matussek murmelte irgendetwas, drückte, obwohl es sinnlos war, den Tür-zu-Knopf, und nach einer kleinen Ewigkeit schloss sich die Aufzugstür endlich wieder. Er atmete auf und begann sich schon auf sein Apartment zu freuen, wo er endlich seine Ruhe finden würde.

Im siebten Stock angekommen, machte er die Aufzugstür vorsichtig auf und spähte auf den langen Gang hinaus. Die Luft war rein, er schalt sich einen Feigling mit Verfolgungswahn – selbst wenn der Skorpion von Aigner war, sollte der ihm nur ein wenig Angst einjagen, was er ja nun getan hatte. Außerdem spielte dieser kleine gefaltete Hinweis nun ihm, Matussek, geradezu in die Karten.

Er ging den langen Gang mit Türen rechts und links entlang und erreichte schließlich seine Wohnung. Dort sah er sich noch einmal um, fingerte den Schlüssel heraus, sperrte auf und ließ die Tür erleichtert hinter sich ins Schloss fallen.

Von innen drehte er den Schlüssel zweimal um, probierte noch einmal, ob auch wirklich zu war, und sicherte zusätzlich noch mit der Türkette ab. Dann genehmigte er sich als Erstes ein kaltes Bier aus dem Kühlschrank, bevor er sein Sakko auszog und es über die Stuhllehne hängte. Kurz überlegte er, ob er sich ein heißes Bad einlassen sollte, da konnte er am besten nachdenken, aber dann verwarf er die Idee wieder. Ein Bad würde ihn so müde machen, dass er danach Gefahr lief, im Bett neben seinen Akten, die er noch durcharbeiten wollte, einzuschlafen. Er schlüpfte aus seinen Schuhen und ging in sein Arbeitszimmer, um die Schreibtischlampe einzuschalten.

Mitten auf dem Tisch lag ein gefalteter Skorpion.

Sein jogging- und tennisgestähltes Sportlerherz geriet ins Stolpern und setzte kurz aus. Matussek konnte spüren, dass jemand in seinem Apartment war. Er tastete nach dem Wandlichtschalter. Als das Licht über seinem Lesesessel im Eck anging, fiel es auf eine Gestalt, die es sich dort bereits gemütlich gemacht und eine hässliche schwarze Pistole auf ihn gerichtet hatte. Er zuckte heftig zusammen, und ihm entfuhr trotz aller Kaltblütigkeit, die er normalerweise an den Tag legte, ein erschrockenes Ächzen. Er erkannte den Mann auf den ersten Blick, obwohl er ihn schon so lange nicht mehr gesehen hatte.

Es war Ferdinand Aigner.

»Sie haben jetzt die Wahl, Dr. Matussek«, sagte Aigner völlig ruhig. »Es gibt zwei Möglichkeiten für Sie. Möglichkeit Nummer eins: Sie versuchen, auf mich loszugehen, um mich zu überwältigen. Das hat unweigerlich zur Folge, dass ich Sie erschießen muss. Und das werde ich in diesem Fall ohne zu zögern tun, das können Sie mir glauben. Möglichkeit Nummer zwei: Sie geben mir Ihre Waffe, die Sie zweifelsohne besitzen, setzen sich an Ihren Schreibtisch und hören sich an, was ich Ihnen zu sagen habe. Sie stellen keine Fragen und reden nur, wenn Sie aufgefordert werden. Also – wie entscheiden Sie sich?«

Matussek stand immer noch da wie erstarrt, in seinem Kopf rasten die Gedanken. Die Waffe hatte er in seinem Sakko in der Küche. Sollte er versuchen zu fliehen? Das war aussichtslos – bis er die dreifach abgesperrte Tür aufbekam, hatte er schon längst eine oder mehrere Kugeln in seinem Rücken. Würde Aigner tatsächlich abdrücken? Das wollte er nicht riskieren, also zog er seinen Schreibtischstuhl heran und setzte sich.

Aigner nickte zufrieden und ließ die Waffe sinken, behielt sie aber in der Hand. »Sehr vernünftig, Herr Staatsanwalt«, lobte er.

»Oberstaatsanwalt«, korrigierte Matussek bissig, wohl um zu zeigen, dass er beileibe nicht daran dachte, vor einem Exknacki zu kuschen und von Anfang an klein beizugeben.

»Verzeihung, wenn ich Sie nicht korrekt angesprochen habe. Aber das letzte Mal, als wir uns gesehen haben, waren Sie das noch nicht. Obwohl mir damals schon klar war, dass Sie den Marschallstab im Tornister hatten, sozusagen. Ist gute zehn Jahre her.«

»Was wollen Sie, Aigner?« Er bekam die Worte so heraus, wie sie klingen sollten: harsch und von oben herab.

Aigner erhob sich und kam mit der Waffe im Anschlag auf Matussek zu. Die angebliche Gelassenheit fiel von seinem Gesicht ab wie eine Maske und machte einer unverhohlenen Wut Platz, die sich anscheinend nur mit Müh und Not im Zaum halten ließ. Er blieb seitlich von Matussek stehen und bohrte die Mündung seiner Walther P38 in dessen rechtes Ohr.

»Zum einen«, sagte er dabei leise, »möchte ich, dass Sie mir gefälligst mit dem gleichen Respekt begegnen wie ich Ihnen. Also – wie lautet die korrekte Anrede?«

»Herr Aigner«, brachte Matussek mit schmalen Lippen heraus.

»Na sehen Sie. Geht doch. Zum anderen haben Sie eben gegen die Regel verstoßen, dass Sie nur reden, wenn Sie gefragt werden. Tun Sie das noch einmal, schieße ich Sie in die rechte Kniescheibe. Wenn Sie verstanden haben und akzeptieren, dann nicken Sie.«

Matussek nickte kaum wahrnehmbar, aber Aigner nahm die leichte Bewegung als Einverständnis.

»Gut«, sagte er und setzte sich wieder Matussek gegenüber in den Lesesessel. »Sie haben eine Waffe?«

»Ja.«

»Wo ist sie?«

»In der Küche. In meinem Sakko.«

»Gut, gut«, kommentierte Aigner, langte in seine Tasche, zog zwei Plastikbänder heraus und warf eines davon Aigner zu, der es gerade noch auffangen konnte.

»Das ist ein Kabelbinder«, sagte Aigner. »Fesseln Sie Ihre rechte Hand damit an die Armlehne. Na los!«

Widerwillig befolgte Matussek den Befehl. Aigner kam wieder heran, zurrte den Kabelbinder richtig fest und brachte den zweiten um Matusseks linkes Handgelenk und die andere Armstütze an, wobei er sorgfältig darauf achtete, dass Matussek nicht doch noch eine falsche Bewegung machte. Als er damit zufrieden war, ging er hinaus in die Küche und ließ Matussek einfach auf seinem Schreibtischstuhl zurück.

Matussek überlegte fieberhaft, was er tun konnte. Er hatte geglaubt, das Heft des Handelns fest in der Hand zu halten, aber jetzt ... Hatte er einen Anfängerfehler gemacht und seinen Gegner unterschätzt? Er zerrte probehalber an seinen Fesseln, doch die Kabelbinder waren mit roher Kraft nicht zu zerreißen und außerdem so eng festgezurrt, dass sie schmerzhaft in seine Handgelenke einschnitten.

In dem Moment kam Aigner auch schon zurück, in der einen Hand Matusseks Browning. Er legte beide Waffen auf den Beistelltisch des Lesesessels neben sich und wandte sich wieder Matussek zu. »Jetzt wollen wir uns mal wie zwei zivilisierte Menschen unterhalten, von Mann zu Mann. Ganz normal. Nicht in diesem überheblichen Kasernenhofton, so wie Sie es für gewöhnlich im Gerichtssaal zu tun pflegen, um Ihre Opfer auf der Anklagebank einzuschüchtern. Im Übrigen: Geht Ihnen dabei einer ab, wenn Sie das tun? Macht Sie das geil? Kommen Sie dann abends heim zu Ihrer treu sorgenden Gattin, reißen ihr noch in der Küche, wo sie schon seit Stunden für Sie kocht, die Kleider vom Leib und nehmen sie auf dem Küchentisch, wenn Sie jemanden wie mich für zehn Jahre hinter Gitter gebracht haben?«

Er war ganz nahe an Matussek herangekommen und spuckte ihm den letzten Satz förmlich ins Gesicht. Matussek konnte den blanken Hass in Aigners Augen sehen.

»Was wollen Sie hören?«, presste er heraus.

Aigner drehte sich mit angewiderter Miene weg und setzte sich in den Lesesessel. Es dauerte eine geraume Weile, bis er sich abgeregt und wieder gänzlich unter Kontrolle hatte.

»Dieser kleine Höflichkeitsbesuch ist erst der Anfang«, bemerkte er. »Es sei denn ...«

»Es sei denn was?«, fragte Matussek schließlich, weil er merkte, dass Aigner auf diese Frage wartete.

»Es sei denn, Sie sorgen dafür, dass alles, was Sie damals getan haben und wofür ich teuer bezahlt habe, rückgängig gemacht wird.«

Ein höhnischer Lacher war Matusseks Antwort. »Das glauben Sie doch selbst nicht, was Sie da sagen. Abgesehen davon, dass nichts davon der Wahrheit entspricht. Geschehen ist geschehen. Es gibt Dinge, die sind unumkehrbar, die lassen sich niemals mehr rückgängig machen. Selbst wenn man wollte.«

»So spricht der wahre Philosoph«, sagte Aigner. »Und damit haben Sie leider recht. Wer kann mir die zehn Jahre zurückgeben, die ich Ihretwegen abgesessen habe? Können Sie das? Nein. Natürlich nicht. Wer kann der kleinen Sophie ihr Leben zurückgeben, das sie vielleicht noch führen könnte, wenn Sie Ihr Wort nicht gebrochen hätten?«

»Hören Sie –«

»Nein«, schnitt ihm Aigner das Wort ab. »*Sie* hören!«

Er stand auf. »Sie sind ein schlechter Mensch. Und dafür müssen Sie büßen. Halt, nein. Sie sind nicht schlecht. Sie sind innerlich verrottet. Ja, das sind Sie.«

Er musterte Matussek von oben bis unten mit einer Verachtung, die grenzenlos war. »Ich könnte jetzt ein Geständnis aus Ihnen herauspressen. Aber das ist sinnlos. Das Bekenntnis Ihrer übergroßen Schuld muss aus freien Stücken kommen. Das ist erst der Anfang. Ihre Familie mag unschuldig sein, aber sie wird für Ihre Missetaten den Kopf hinhalten müssen, so leid es mir tut.«

»Lass meine Familie in Ruhe! Du perverses Schwein! Was haben sie dir getan? Du bist doch nicht ganz richtig im Kopf!«, brach es aus Matussek heraus.

Aigner schüttelte betrübt wie ein Priester, der einem uneinsichtigen Sünder gegenüberstand, den Kopf. »Leider, leider sind Sie bei Gott nicht in der Lage, irgendwelche Forderungen zu stellen, Herr Oberstaatsanwalt! Und die Einschätzung meines Geisteszustands steht Ihnen ganz gewiss nicht zu!«

Aigner beugte sich erneut zu Matussek hinunter, so weit, dass er beinahe dessen Nasenspitze berührte, und flüsterte: »Ich weiß, was Sie getan haben, Herr Oberstaatsanwalt. Ich habe gesehen, wie Sie aus der Wohnung von Elfie Lammert gekommen sind. Einen Tag, bevor sie ermordet aufgefunden wurde. Aber da wusste ich noch nicht, wer Sie waren.«

Er wich zurück und zupfte an seinen Handschuhen herum, die Matussek erst jetzt bemerkte. Er drehte sich um und sah aus dem Fenster, während er weitersprach. »Glauben Sie mir, Herr Oberstaatsanwalt – inzwischen kenne ich Sie besser als Ihre eigene Frau. Sie haben Elfie getötet und damit das Leben ihrer Tochter Sophie zerstört und meines dazu. Und Sie haben nicht Wort gehalten. Sie haben versprochen, Sophie und ihre Adoptivmutter finanziell zu unterstützen. Warum haben Sie das nicht mehr getan?«

Er wandte sich mit verschränkten Armen Matussek zu. »Ich frage Sie: Warum haben Sie nicht Wort gehalten?«

»Weil Sophie tot war!«, schrie Matussek mit rot angelaufenem Gesicht, erhob sich, so weit es ging, und zerrte an seinen Fesseln. Im selben Augenblick wurde er sich der Sinnlosigkeit seines Gefühlsausbruchs bewusst, und er sank wieder zurück.

»Nun«, sagte Aigner unbeeindruckt, »ich kann mich noch erinnern, als ich mich mit Ihnen allein in Ihrem Büro befand. In Handschellen, versteht sich. Wir hatten zehn Minuten nur für uns, vor dem Prozess. Ich habe Ihnen gesagt, was ich gesehen hatte. Und das habe ich nur Ihnen gesagt, nicht der Polizei. Und Sie antworteten, dass mir niemand jemals glauben würde. Natürlich hatten Sie recht. Aber ich denke, es hätte doch einiges Aufsehen erregt, wenn ich es im Prozess ausposaunt hätte.«

»Dafür sind Sie bezahlt worden. Das Geld ist an Sophie gegangen, an ihre Adoptivmutter. Bis Sophie gestorben ist.«

»Ihre Mutter war darauf angewiesen.«

»Sie ist nur ihre Adoptivmutter gewesen.«

»Sie hat Sophie geliebt wie eine leibliche Mutter.«

»Sie sind sentimental, Herr Aigner. Es war ein Fehler, dass ich mich damals auf diese Vereinbarung eingelassen habe.«

»Weil Sie sich ins Hemd gemacht haben. Weil Ihre Karriere,

Ihre Reputation im Eimer gewesen wäre, wenn ich ausgepackt hätte.«

»Da täuschen Sie sich. Und zwar gewaltig. Es gibt keinerlei Beweise. Im schlimmsten Fall hätte ich Sie von einem Gutachter für geistesgestört erklären lassen. Was denken Sie, wem man mehr geglaubt hätte? Einem renommierten Staatsanwalt oder einem vorbestraften Kriminellen? Kein Mensch hätte Ihnen geglaubt. Und jetzt erst recht nicht.«

»Oh, der Herr Oberstaatsanwalt bekommt schon wieder Oberwasser. Aber freuen Sie sich nicht zu früh! Ich bin im Knast ein alter Mann geworden. Wissen Sie, warum alte Männer so gefährlich sind?«

Es war eine rhetorische Frage, darum beantwortete Aigner sie selbst.

»Weil wir nichts mehr zu verlieren haben. Man sieht sich.«

Er packte seine Pistole und machte Anstalten, die Wohnung zu verlassen. Matussek wand sich in seinen Fesseln. »He – Sie können mich doch nicht gefesselt zurücklassen!«

Aigner kehrte noch einmal um. »Nein, Sie haben recht.«

Er griff in seine Tasche und brachte eine kleine Zange mit isolierten Griffen zum Vorschein, die er auf dem Schreibtisch platzierte. »Ihr Schlüssel zur Freiheit. Nutzen Sie ihn.«

»He ...«, sagte Matussek, »he ...!« Er drehte sich mühsam mitsamt seinem Schreibtischstuhl herum. »Aigner ... warten Sie ... Aigner ...«

Aber da hörte er schon die Wohnungstür ins Schloss fallen. Ferdinand Aigner hatte das Apartment verlassen.

Erst jetzt bemerkte Dr. Matussek, dass er schweißgebadet war.

23

Matussek atmete tief ein und aus, bis er sich wieder einigermaßen unter Kontrolle hatte, dann sprach er laut und deutlich: »Haben Sie alles mitgehört? Folgen Sie dem Kerl. Ich komme hier schon klar.« Dann begann er, sich mühsam mitsamt dem Stuhl hochzustemmen. Es gelang ihm nach zwei Versuchen, die Zange zu packen und damit mit einigen Verrenkungen einen Kabelbinder durchzuschneiden. Der Rest war Formsache.

Jürgen Kurbjuweit saß in seinem schwarzen BMW mit der neuen Windschutzscheibe, den er ein Stück entfernt vom Eingang des Apartmenthauses geparkt hatte, und nickte zufrieden. Er nahm den winzigen Kopfhörer mit dem geringelten Kabel aus seinem Ohr, der an einem Aufnahmegerät angeschlossen war, mit dem er das Gespräch zwischen Matussek und Aigner komplett mitgeschnitten hatte. Nachdem er kurz überprüft hatte, ob auch alles laut und deutlich zu hören war, schaltete er es aus. Das kleine Hochleistungsmikro, das er schon am Nachmittag am Schreibtisch seines Chefs angebracht hatte, funktionierte tadellos. Ganz so, wie es ihm der Händler seines Vertrauens, von dem er seine Hightech-Gerätschaften bezog, versichert hatte.

Er wartete geduldig, bis Aigner aus dem Hauseingang gehuscht kam und zur Straßenecke ging, um in einer Seitenstraße in einen alten braunen Datsun zu steigen. Kurbjuweit hatte so geparkt, dass er ohne zu manövrieren sofort die Verfolgung aufnehmen konnte. Diesmal würde ihm Aigner nicht durch die Lappen gehen wie beim ersten Mal, als er ihm die Windschutzscheibe zerschmettert hatte. In solchen Angelegenheiten war er Profi.

Er ließ genügend Abstand zwischen seinem Wagen und dem Datsun, der in angepasstem Tempo durch die nächtlichen Straßen fuhr. Zusätzlich hatte Kurbjuweit noch einen Peilsender an Aigners Wagen angebracht. Nur für alle Fälle, falls er ihn durch einen unvorhersehbaren Zwischenfall aus den Augen verlieren sollte. Er stellte sich auf eine längere Fahrt ein, der Datsun hatte eine

Stuttgarter Nummer: den Namen, auf den der Wagen zugelassen war, kannte er nicht. Kurbjuweit hatte über seinen PC Zugang zu allen Daten der Zulassungsbehörden, das war eine der leichtesten Übungen für ihn, aber in diesem Fall brachte ihn das nicht weiter. Dass Aigner nicht bei seiner Nichte wohnen würde, wie er vor seiner Entlassung angegeben hatte, war Kurbjuweit von Anfang an klar gewesen. Seinen jetzigen Aufenthaltsort herauszubekommen erforderte nur ein wenig geschickte Observation.

Es war ihm in Fleisch und Blut übergegangen, für seinen Chef die Drecksarbeit zu machen. Außerdem wurde er dafür gut bezahlt, und er war loyal. Schließlich hatte er Dr. Matussek alles zu verdanken.

Aigner nahm die Straße nach Friedrichshafen. Kurbjuweit ließ noch mehr Platz zwischen seinem und Aigners Wagen, um nur ja nicht aufzufallen. Er wurde dabei von einem Verrückten in einem übermotorisierten Camaro überholt, der mit gut hundertachtzig Sachen die nächtliche Bundesstraße entlangbretterte und in einem Aufwasch auch gleich den Datsun vernaschte, obwohl die Straße an dieser Stelle kurvig und vollkommen unübersichtlich war.

Als sie die Ausläufer von Friedrichshafen erreichten, verlangsamte der Datsun sein Tempo auf exakte fünfzig Stundenkilometer. Sie gelangten in ein abseits gelegenes Gewerbegebiet mit Baugeschäften, Getränkemärkten und Autofirmen. Um diese Zeit waren die Parkplätze leer, kein Mensch war mehr unterwegs. Kurbjuweit hatte inzwischen seine Scheinwerfer ausgeschaltet.

Die sauber geteerte Strecke ging über in eine mit Schlaglöchern übersäte unbefestigte Straße, der Datsun ließ das Wasser in den zahlreichen Pfützen nur so aufspritzen. Sie kamen an Bauland mit Riesenschildern, auf denen »Zu verkaufen!« stand, an tristen Lagerhallen, Entsorgungsfirmen, Kiesgruben und Brachland vorbei.

Auf einmal war der Datsun weg. Er musste irgendwo abgebogen sein. Kurbjuweit fuhr langsamer, und dann sah er eine Toreinfahrt mit der Aufschrift »Autoersatzteile & Buntmetalle Gebr. Schwarz« in einer doppelt mannshohen Mauer. Er stoppte, hielt nach einer möglichen Videoüberwachung Ausschau, die es anscheinend nicht gab, stieg aus und spähte in das Gelände hinein. Ganz am Ende zwischen zwei Reihen mit aufeinandergetürmten Schrottautos sah er gerade noch die Rücklichter des Datsun verschwinden.

Er hatte den Fuchsbau gefunden, in den sich Aigner verkroch, wenn er nicht gerade Dr. Matussek auflauerte.

Kurbjuweit zog sein Smartphone heraus und meldete sich bei seinem Chef zum Rapport.

24

Frisch geduscht und ausgeschlafen holte Madlener Harriet pünktlich um acht Uhr früh vor dem Eingang zum Präsidium ab. An diesem Morgen hatte sie ihre Haare straff nach hinten gekämmt und zu einem Pferdeschwanz gebunden, was ihr ein strenges Aussehen verlieh. Außerdem trug sie ausnahmsweise Stiefeletten, die sie größer und weiblicher erscheinen ließen. Überhaupt kam sie ihm heute blass und schmal vor, aber seine Assistentin war nun mal vom Sternzeichen her Chamäleon, dachte er innerlich seufzend. Er wartete, bis sie eingestiegen war, und fuhr los.

»Noch immer keine vermisste Frau, die in unser Suchschema passt?«, sagte er vorsichtig in die Stille hinein, nachdem sie auf die Bundesstraße nach Meersburg abgebogen waren.

Harriet zog ihren Sicherheitsgurt so stramm, wie es nur irgend ging, und schüttelte den Kopf. »Nein. Keine.«

»Sonst irgendwas, das ich wissen müsste?«, fragte er so behutsam und diplomatisch er konnte. Jetzt, da sie eine längere Fahrt vor sich hatten und unter sich waren, würde Harriet vielleicht darüber reden können, wenn sie etwas bedrückte.

»No.«

Aha, dachte Madlener, der heutige Tag ist wohl zum Volksschweigetag deklariert worden, und ich bin der Einzige, der noch nichts davon weiß.

Harriet kramte sinnlos in ihrem Rucksack herum, und Madlener sagte auch kein Wort mehr, bis sie auf der Autofähre von Meersburg nach Konstanz eingecheckt hatten. Sie waren mitten im Schiffsbauch zwischen zwei Wohnmobilen eingeklemmt, dazu rechts ein Lastwagen und links ein Caravan. Madlener wollte sich während der knapp fünfzehnminütigen Überfahrt die Beine vertreten. Er wartete, bis alle Touristen ausgestiegen waren, um aufs Oberdeck zu gelangen, und bezahlte durchs offene Fenster das Ticket für das Auto und zwei Personen. Dann zwängte er sich mit Müh und Not aus dem Wagen, weil er die Fahrertür nur einen schmalen Spalt aufbekam, und arbeitete sich durch die eng stehenden Fahrzeugreihen bis zur rechten Bugseite der Fähre vor, wo kein Mensch war. Dort stellte er sich in den milden Fahrtwind. In der dunstigen Ferne konnte man die Insel Mainau und die Basilika Birnau am Nordufer des Überlinger Sees vorüberziehen sehen. Er merkte, dass jemand neben ihn trat, und stellte zu seiner Verwunderung fest, dass es Harriet war. Sie hatte ihr Haar gelöst, es wehte im Wind.

Harriet lehnte sich neben ihn an die Reling und sagte: »Was geht da ab zwischen dir und Dr. Herzog?«

Jetzt war Madlener wirklich überrascht, und das sah Harriet seinem Gesicht wohl auch an.

»Na ja«, sagte sie und tat so, als würde sie einer knapp kreuzenden Segelyacht nachblicken, die sicherheitshalber vom laut dröhnenden Schiffshorn der Autofähre angehupt wurde. »Ich will mich ja nicht einmischen, aber euer Umgangston ist nicht mehr so, wie er früher war.«

»Findest du?« Er versuchte, sich trotz des Fahrtwinds unter dem Schutz seiner Jacke eine Zigarette anzuzünden, was ihm schließlich nach mehreren Anläufen gelang. Er nahm einen tiefen Zug, blies den Rauch aus und sagte, ins Nirgendwo blickend: »Merkt man das?«

»Ja.«

Er nickte nur.

»Tut mir leid. Ich finde, ihr habt gut zusammengepasst«, stellte Harriet fest.

Madlener zuckte mit den Schultern. »Finde ich auch. Aber so was soll in den besten Familien vorkommen.«

»Ist das ... das mit euch endgültig?«

»Ich weiß es nicht.«

»Manchmal denke ich, Frauen und Männer passen überhaupt nicht zusammen.«

»Wie kommst du darauf?«

»Kennst du eine einzige funktionierende Ehe? Eine einzige? Und komm mir jetzt bitte nicht mit Frau und Herrn Haggenmiller-Matussek!«

»Was willst du denn? So wie's von außen aussieht, läuft es doch perfekt bei denen. Seit wann gleich noch mal?«

»Silberne Hochzeit vor zwei Jahren, macht insgesamt siebenundzwanzig Jahre«, stellte Harriet ohne Zögern fest, und wieder beneidete Madlener sie um ihr fabelhaftes Gedächtnis.

»Das ist eine lange Zeit.«

»Eine verdammt lange Zeit. So alt bin ich gerade mal.«

»Was ist mit deinen Eltern?«

»Was denkst du? Geschieden natürlich.«

»Was heißt natürlich?«

»Es war besser so. Seit ich denken kann, haben sie sich nur gestritten. Es war zum Davonlaufen.«

»Bist du das? Davongelaufen?«

»Mehrfach. Zum ersten Mal, als ich neun war. Ich habe mitangehört, wie mein Vater und meine Mutter sich angeschrien und geprügelt haben. Da habe ich alles in meine Schultasche gepackt, was man so braucht auf der Flucht. Schokolade, mein gespartes Taschengeld, neunzehn Mark achtzig in einer Zigarrenschachtel, sogar an frische Unterwäsche habe ich gedacht. Die Schulsachen habe ich auch mitgenommen. Weil ich dachte, die brauche ich ja noch in einer neuen Schule. Ich bin gerne in die Schule gegangen. Da war ich von zu Hause weg. Lernen war mir wichtig, es fiel mir leicht. Ich wollte weiterkommen, nur weg von daheim. Mitten in der Nacht bin ich dann aufgebrochen.«

»Hattest du einen Plan?«

»Den hatte ich. Ich wollte mit meinem Fahrrad zu meiner Tante. Wir wohnten damals in Calw. Und sie in Immenstaad am Bodensee. Das sind fast zweihundert Kilometer.« Sie seufzte und zog eine Grimasse, die Ellbogen hatte sie auf die Reling gestützt. »Ein wirklich guter Plan sieht anders aus …«

»Wie weit bist du gekommen?«

»So an die fünfzehn Kilometer. Es hat in Strömen geregnet. Ich bin in einer Scheune untergekrochen, da hat mich ein Bauer gefunden. Ich hatte Fieber und war ziemlich krank. Sie haben mich ins nächste Krankenhaus gebracht, und das war richtig schön. Alle haben sich um mich gekümmert, ich lag in frischen weißen Laken, es war warm, ruhig und friedlich, und ich wollte am liebsten gar nicht mehr aufstehen.«

»Und dann?«

»Dann kam mein Vater. Er hat mich abgeholt, war noch freundlich und nett vor Arzt und Schwestern, hat mich umarmt und alles. Aber kaum waren wir draußen, hat er mir eine Ohrfeige verpasst, dass ich in die Büsche beim Eingang geflogen bin. Er hat mich hochgezogen, mich an den Haaren gepackt, zum Auto geschleift und ist mit mir heimgefahren. Zu Hause gab's dann noch eine Zugabe. Genutzt hat es nichts. Ich hab's noch ein paarmal probiert. Auch wenn er mich jedes Mal dafür grün und blau geprügelt hat. Bis zu dem Tag, an dem ich zurückgeschlagen habe. Von da an hat er mich nicht mehr angerührt. Und kein Wort mehr mit mir gesprochen.«

»Wie alt warst du da?«

»Vierzehn. Kurz darauf hat er meine Mutter verlassen. Ich war so was von erleichtert, das kann man sich gar nicht vorstellen.«

Madlener schnippte seinen Zigarettenstummel ins Wasser. »Hast du Geschwister?«

Harriet schüttelte den Kopf. »Nein. Sag mal … hast du mir auch eine?«

»Eine was?«

»Na eine Kippe!«

Er zog die Schachtel heraus und hielt sie ihr hin. »Seit wann rauchst du?«

Sie nahm eine, drehte sich mit dem Rücken zum Wind und zündete sie mit Madleners Feuerzeug an. »Gelegentlich.«

Sie schauten zu, wie der Fährhafen von Konstanz-Staad allmählich näher kam.

»Was macht dein Leben jetzt aus?«, fragte er plötzlich.

»Was willst du hören?«

»Die Wahrheit.«

»Das hat mich noch keiner gefragt.«

»Dann wird es Zeit.«

»Du verlangst ein bisschen viel von mir.«

»Nein. Tue ich nicht. Du musst es von dir selbst verlangen. Es ist dein Leben.«

Sie drehte sich weg. »Ich bin froh, dass ich bei der Kripo arbeiten darf. Das ist es, was ich immer wollte.«

»Der Kampf gegen die Ungerechtigkeit auf der Welt? Die Täter einer gerechten Strafe zuführen?«

Er meinte es durchaus nicht ironisch, als er das sagte. Und Harriet verstand das auch. »Wenn du so willst.«

Sie inhalierte tief und stieß den Rauch heftig aus.

Madlener ließ nicht locker. »Und all die Hässlichkeiten, die Gewalt, die Lügen, das Betrügen, das Täuschen, das Grausame, das sich Menschen antun …« Er fasste sie am Arm und fing ihren Blick mit den Augen ein. »Wie kommst du damit klar?«

»Gehört dazu. Wie zum Leben. Da wird genauso gelogen und betrogen. Damit muss man klarkommen.«

Er sah die Trauer und Wut in ihren Augen und ließ sie los. »Ich versuch's jedenfalls«, sagte sie. »So gut ich kann.«

»Du bist eine hervorragende Polizistin, Harriet.«

»Das heißt noch nicht, dass ich ein guter Menschenkenner bin. Und das sollte man sein als gute Polizistin. Zuweilen habe ich die fatale Neigung, mich mit den falschen Menschen abzugeben.« Sie holte ein Metalldöschen aus ihrer Jackentasche, öffnete es und drückte darin ihre Kippe aus, schloss das Döschen und steckte es wieder weg.

»Mit den falschen Männern, meinst du das?«

Sie zuckte mit den Schultern. Dann wies sie mit dem Kinn auf den Fährhafen und schniefte, was sie immer tat, wenn ihr eine Situation peinlich oder zu persönlich wurde. »Wir sind gleich da. Wir sollten zum Wagen gehen.«

Damit kehrte sie ihm den Rücken zu und zwängte sich durch die Wagenreihen zurück zum Auto.

Madlener folgte ihr.

25

Der Blumenladen von Emma Lenz lag in einer engen Seitengasse in der Altstadt von Konstanz und hieß »Blumen-Lenz«. Vor
dem Geschäft mit zwei Schaufenstern waren, der Größe nach
angeordnet, mehrere Reihen mit bepflanzten Blumentöpfen,
links und rechts vom Eingang standen zwei hüfthohe, kunstvoll
angerostete Metallhohlzylinder mit Gestecken aus exotischen
Pflanzen. Das gesamte opulent wirkende Außenarrangement
bildete einen einladenden Gang, der zur offenen Eingangstür
führte. Emma Lenz, die eine grüne Schürze umhatte, trug einen
dicken Strauß Schnittblumen aus dem Laden und stellte ihn in
einen Eimer mit Wasser, als Madlener und Harriet dazukamen.
Sie warteten, bis sie sich umdrehte, ein nervöses Lächeln zeigte
und fragte: »Kann ich Ihnen helfen?«

»Ja, das können Sie«, sagte Madlener und zückte seinen Ausweis. »Ich bin Kommissar Madlener von der Kripo Friedrichshafen, und das ist meine Assistentin Frau Holtby. Sind Sie Frau
Emma Lenz?«

Sofort verdüsterte ein unverkennbares Misstrauen Emma Lenz'
Miene. Sie wischte sich die nassen Hände an ihrer Schürze ab und
fragte: »Was wollen Sie? Sind Sie wegen meines Onkels hier?«

»Ja«, sagte Madlener. »Wir hätten da ein paar Fragen.«

»Unterhalten wir uns drinnen«, sagte Emma Lenz und ging
ihnen voraus durch den geschmackvoll gestalteten Laden. Eine
Tür führte sie in einen kleinen Hinterhof, in dem weitere Pflanzen in Töpfen deponiert waren. Auf einem alten Gartentisch
aus Gusseisen mit zwei Stühlen stand ein Aschenbecher, in dem
schon einige ausgedrückte Kippen lagen. Emma Lenz holte eine
Schachtel Zigaretten aus ihrer Schürze, zündete sich eine an,
inhalierte tief und sah Madlener auffordernd an. Sie stieß den
Rauch aus und fragte: »Er ist doch nicht wieder in Schwierigkeiten, mein Onkel, oder?«

»Aus Ihrer Frage schließe ich, dass er nicht, wie er angegeben
hat, bei Ihnen wohnt?«

»Das ist richtig. Nein, er wohnt nicht hier.«

»Haben Sie noch Kontakt zu ihm?«, fragte Harriet.

»Gelegentlich«, antwortete sie ausweichend und mit viel Misstrauen in der Stimme.

»Können Sie das präzisieren?«, wollte Harriet wissen. »Telefonisch, per E-Mail, treffen Sie sich ab und zu?«

»Darf ich fragen, was Sie von ihm wollen? Er hat seine Strafe abgesessen bis zum letzten Tag. Hat er jetzt nicht ein Recht darauf, in Ruhe gelassen zu werden? Finden Sie nicht auch?«

»Sie wissen also, wo er steckt«, stellte Madlener fest.

Emma Lenz zuckte mit den Schultern und drückte ihre Zigarette im Aschenbecher aus. »Sie haben meine Frage nicht beantwortet«, sagte sie schmallippig. »Ich muss jetzt wieder an die Arbeit.«

Madlener ließ nicht locker. »Ihr Onkel, Frau Lenz, könnte sich auf einem gefährlichen Weg befinden.«

»Gefährlich für wen?«

»Für sich und andere. Dazu wollen wir ihm ein paar Fragen stellen. Das ist kein Verhör oder so etwas, einfach eine Befragung. Ich möchte mir ein Bild von ihm machen. Und dazu muss ich ihm gegenüberstehen und ihm in die Augen schauen können. Verstehen Sie das?«

Er hatte sie verunsichert, sie kämpfte mit sich, das sah man ihr an. »Er ... er wird ziemlich sauer sein, wenn ich ihm die Polizei auf den Hals hetze. Und das möchte ich nicht. Verstehen *Sie* das?«

»Sie sind die Einzige, die ihn während seiner Haftzeit besucht hat?«

»Ab und an, ja.«

»Ich kann Ihre Bedenken nachvollziehen, aber wenn Ihnen etwas an ihm liegt, dann sollten Sie über Ihren Schatten springen und uns weiterhelfen. Sehen Sie, wir finden ihn früher oder später sowieso. Je eher wir ihn sprechen können, desto besser für ihn.«

»Was ist denn auf einmal so wichtig? Sie hatten zehn Jahre Zeit, mit ihm zu reden, da hätte er nicht davonlaufen können.«

Vom Hinterhof aus konnte man sehen, dass eine Frau den Laden betrat und sich umsah. Emma Lenz nutzte die Gelegenheit. »Sie entschuldigen schon, aber ich muss mich jetzt um meine

Kundschaft kümmern.« Damit ließ sie Madlener und Harriet stehen.

Harriet sah Madlener leicht irritiert an, weil ihr Chef sich nicht im Geringsten durch diese Unterbrechung aus der Ruhe bringen ließ, sondern es sich auf einem der Stühle gemütlich machte, sich selbst eine Zigarette anzündete und dabei beobachtete, wie Emma Lenz die Kundin bediente. Sie stellte nach deren Wünschen einen Blumenstrauß zusammen, präsentierte ihn und hübschte ihn mit Geschick und Geschmack und mit Grünzeug auf, band ihn zusammen und schnitt die Stiele gleichmäßig ab. Madlener registrierte genau, dass sie zwischendurch immer wieder in den Hinterhof schielte, ob die beiden Quälgeister von der Kripo nicht endlich ein Einsehen hatten und sich vom Acker machten.

Aber das taten sie nicht.

Als die Kundin schließlich bezahlt hatte und gegangen war, kam Emma Lenz wieder in den Hinterhof und verschränkte demonstrativ die Arme. Sie schien einen Entschluss gefasst zu haben. »Ich habe Ihnen nichts mehr zu sagen. Wollen Sie mich jetzt verhaften?«

»Nein. Natürlich nicht.«

»Dann gehen Sie bitte. Wie lange wollen Sie mir denn noch bei der Arbeit zuschauen?«

»So lange«, Madlener lächelte verbindlich, »bis Sie uns den Aufenthaltsort von Herrn Aigner nennen.« Dabei sah er sie unmissverständlich so an, dass sie nicht an seinen Worten zweifeln konnte.

Nach kurzem Zögern griff Emma Lenz entschlossen in ihre Schürzentasche, holte einen kleinen Notizblock heraus, kritzelte mit einem Stift etwas darauf, riss das oberste Blatt ab und drückte es Madlener in die Hand. Der warf einen kurzen Blick darauf und reichte es an Harriet weiter, bevor er aufstand und zurück in den Laden ging.

An der Kasse blieb er stehen. »Noch eine Frage«, sagte er. »Haben Sie außer der Adresse auch seine Telefonnummer?«

»Er hat kein Handy. Jedenfalls nicht, dass ich wüsste.«

»Ich will Ihnen mal glauben. Nur eines noch: Ich möchte nicht, dass Sie ihn vorwarnen. Wenn Sie das tun, bringen Sie uns und letzten Endes sich selbst in große Schwierigkeiten. Das wollen wir doch beide nicht, oder?«

Dabei sah er ihr in die Augen, bis sie den Kopf schüttelte. Dann reichte er ihr die Hand, in die sie zögernd einschlug. »Danke für Ihr Verständnis. Glauben Sie mir – Sie haben das einzig Richtige getan.«

Er wollte schon gehen, als er etwas im Regal neben dem Kassentisch entdeckte, das mit Grußpostkarten und Nippes dekoriert war. Er griff danach und hielt es Emma Lenz vor die Nase: »Hat Ihr Onkel das gemacht?«

Harriet sah genauer hin und erkannte eine Giraffe, perfekt in ihren Proportionen aus gelbem Papier gefaltet, ein Origami.

Emma Lenz nahm es Madlener wieder aus der Hand und stellte es behutsam an seinen angestammten Platz zurück.

»Ja«, sagte sie nur.

»Er ist ein wahrer Künstler«, bemerkte Madlener. »Anscheinend kann er nicht nur Skorpione.«

»Skorpione? Wie meinen Sie das? Er hat noch nie einen Skorpion gemacht«, sagte Emma Lenz befremdet.

»Oh, ich bin sicher, bei seinem Talent kann er alle Tiere aus Papier falten, auch Skorpione. Es wäre für alle Beteiligten schön, wenn Herr Aigner sein Leben so gut im Griff hätte wie einen Bogen Papier. Warum scheint er das nicht hinzubekommen?«

»Fragen Sie ihn selbst.«

»Das werden wir, darauf können Sie sich verlassen«, sagte Madlener und war so schnell durch den Ladeneingang verschwunden, dass sogar Harriet davon überrascht wurde und Mühe hatte, ihn draußen wieder einzuholen.

26

»Warum machen wir das alles?«, fragte Harriet zweiflerisch.

Madlener zuckte mit den Schultern. »Um dem Chef einen Gefallen zu tun ...« Dabei feixte er so unverschämt, dass er seine eigene Antwort ad absurdum führte.

»Nein, mal ganz im Ernst«, sagte Harriet, die auf dem Rückweg am Steuer saß. Sie fuhr nach den Anweisungen des Navis durch die Randbezirke von Friedrichshafen an Einkaufscentern, Baustoffhandlungen und Speditionslagerhallen entlang, die genauso austauschbar und x-beliebig aussahen wie in jeder anderen Stadt auch. »Es ist nichts passiert, und wir laufen uns die Hacken ab für dieses eingebildete, reiche, arrogante A–«

Madlener unterbrach sie: »Vorsicht, Harriet, du begibst dich auf gefährliches Terrain!«

Harriet fuhr mit bissigem Unterton und spöttischem Blick auf Madlener fort: »... absolute Vorbild und Ideal unseres Vereins-, Staats- und Rechtswesens.«

»Ich sehe schon, du hast ein unterschwelliges Vorurteil unserem Oberstaatsanwalt gegenüber. Meinst du nicht, das trübt dein objektives Urteilsvermögen als Polizistin?«

»Nicht die Bohne. Ich frage mich nur im Sinne des Steuerzahlers, wofür wir uns so engagieren.«

»Seit wann machst du dir Sorgen um den Steuerzahler?«

»Es geht mir ums Prinzip. Bisher ist dieses ganze Ballyhoo doch nur heißer Wind. Wenn diese diffusen Drohungen nichts weiter als Schabernack eines senilen Knackis sind, dem sie in der JVA die Birne weichgekocht haben und der jetzt dem Staatsanwalt ein wenig Angst einjagen will – bitte, soll der Herr Dr. M. mit seiner Selbstgerechtigkeit doch ein paar schlaflose Nächte haben. Das schadet ihm gar nicht. Und wir kurven hier seinetwegen durch die Landschaft, obwohl wir einen Mordfall haben.«

»Der Tunnelfall läuft uns nicht davon. Aber was ist, wenn mit der Familie Matussek doch etwas passiert? Nur weil wir nicht genau hingeschaut haben? Den Vorwurf möchte ich mir nicht machen müssen. Matussek hat eine Frau und einen Sohn. Die Drohung betrifft auch sie. Was können die dafür? Nein, nein, wir bleiben vorläufig am Ball. Irgendwie habe ich den Eindruck, dass da mehr dahintersteckt.«

»Woher willst du das wissen?«

»Männliche Intuition?«

Der kurze Medusa-Seitenblick von Harriet war so giftig, dass er einen normalen Helden der griechischen Mythologie glatt aus den Sandalen hätte fegen können. Aber Madlener war inzwischen immun dagegen. Auch er hatte gelernt, wie er seine Assistentin binnen Kurzem auf die Palme bringen konnte.

Harriet ging vom Gas, weil aus der geteerten Straße übergangslos eine Schotter- und Rüttelstrecke wurde, die mit Schlaglöchern nur so gespickt war. Am Straßenrand parkte ein Lastwagengespann nach dem anderen.

Das Navi quäkte: »Wenn möglich, bitte wenden!«

Madlener schaltete es genervt aus.

»Wir müssten eigentlich gleich da sein«, sagte er mit einem suchenden Blick in die triste Umgebung.

Harriet war skeptisch. »Hoffentlich hat uns die Blumenlady keinen Bären aufgebunden. Hier wohnt doch kein Mensch.«

Unvermittelt sagte Madlener: »Halt mal!«

Harriet stoppte neben einer großen Toreinfahrt mit der Aufschrift »Autoersatzteile & Buntmetalle Gebr. Schwarz«.

»Das muss es sein«, sagte Madlener, nachdem er noch einmal auf den Zettel gesehen hatte, auf dem Emma Lenz die Adresse notiert hatte. Harriet fuhr wieder an und lenkte den Wagen im Schritttempo durch die Einfahrt und zwischen den Reihen der Schrottautos hindurch, bis sie an einen Wendeplatz kamen, an dem ein Container mit der Aufschrift »Büro« stand.

Harriet hielt an und sagte: »Also ich steige erst aus, wenn du mir versichern kannst, dass es hier keine Hunde gibt.«

»Wie kommst du darauf?«

»Weil es hier ganz so aussieht, als wäre das der ideale Platz, um Kampfhunde zu halten.«

»Das hoffe ich nicht«, sagte Madlener entschlossen und stieg aus. Beide hatten sie mit aggressiven Hunden auf abgelegenen

Plätzen schon hinreichend schlechte Erfahrungen gemacht, und Madlener konnte das Misstrauen seiner Assistentin nachvollziehen, aber er wollte mit gutem Beispiel vorangehen. »Dann hätten sie das Tor vorne nicht aufgelassen.«

Die Tür vom Bürocontainer schwang auf, und ein drahtiger Mann mit raspelkurz geschnittenen Haaren und Fünftagebart trat heraus. Mit dem Gestus eines Big John von der gleichnamigen Ranch, der seinem Nachbarn und Rivalen niemals gestatten würde, seine Rinder über sein Land zur Wasserstelle zu treiben, klemmte er die Daumen in die Träger seiner undefinierbar braungrün gefärbten Latzhose. Er stand da wie sein eigenes Denkmal und sah zu, wie Harriet aus dem Dienstwagen ausstieg.

»Was kann ich für euch Cops tun?«, fragte er schließlich, und sein Ton war genauso aufreizend wie sein Benehmen.

Madlener und Harriet zückten ihre Ausweise. »Sieht man uns das so deutlich an?«, fragte Madlener.

»Auf tausend Meilen gegen den Wind. Wenn man ein Näschen dafür hat. Und ich habe eins dafür.«

Madlener rechnete eigentlich damit, dass er jetzt noch eine Ladung Kautabak ausspucken und den Lauf einer abgesägten Schrotflinte auf sie richten würde. Stattdessen zog er ein Kaugummipäckchen aus der Brusttasche seiner Latzhose und wickelte in aller Seelenruhe einen Streifen aus dem Silberpapier.

»Sie haben recht. Wir kommen von der hiesigen Kripo«, stellte Madlener sich und Harriet vor.

»Was wollen Sie? Mich über meine verfassungsmäßigen Grundrechte aufklären? Sie können versichert sein: Die kenne ich aus dem Effeff.«

»Sie sind ein Spaßvogel, stimmt's?«, fragte Madlener.

»Nicht, wenn's sich um die Finanzbehörde oder die Bullen handelt. Geschäftlich verstehe ich keinen Spaß.«

»Geht uns auch so«, entgegnete Madlener. »Wir ebenfalls nicht. Dann haben wir wenigstens eines gemeinsam. Welcher Bruder sind Sie?«

»Kommt drauf an. Welchen Schwarz suchen Sie?«

»Den, der uns sagen kann, ob ein gewisser Ferdinand Aigner hier wohnt. Er wohnt doch hier, oder?«

Jetzt erst steckte sich Schwarz den Kaugummistreifen in den Mund, zerknüllte das Papier und warf es Madlener vor die Füße. »Warum wollen Sie das wissen?«

»Wir wollen ihn sprechen.«

»In welcher Angelegenheit?«

»Das sagen wir ihm, sobald wir ihn sehen.«

Schwarz schaute auf den Boden vor sich, als hätte er dort eine Riesenkakerlake ausfindig gemacht, die er gleich zertreten würde. Dazu nickte er bedächtig. »Ich frag ihn mal, ob er Sprechstunde hat. Wenn nicht, verschwinden Sie von hier. Sonst ist das unbefugtes Betreten eines Privatgrundstücks und Hausfriedensbruch. Ich kenne meine Rechte. Wenn er sich mit Ihnen unterhalten will: bitte. Des Menschen Wille ist sein Himmelreich. Sie rühren sich so lange besser nicht von der Stelle, meine Kettenhunde sind ziemlich nervös. Ich nenne sie Laurel und Hardy. Aber auch wenn sich das vielleicht so anhört: Sie haben nicht den geringsten Sinn für Humor, wenn es um Bullen geht. So wie ich. Das ist nicht persönlich gemeint.«

»Ist schon klar. Alles rein geschäftlich. Wie bei uns auch.«

Schwarz machte auf dem Absatz kehrt und verschwand in seinem Bürocontainer.

Harriet sah sich unsicher um. »Glaubst du das mit Laurel und Hardy?«

Sie hatte normalerweise vor nichts Respekt, außer vor Madlener und Hunden. Vor Madlener, weil sie gelernt hatte, ihm zu vertrauen, und vor Hunden, weil sie im Internatsfall beinahe von zwei der schlimmsten Sorte totgebissen worden wäre.

»Ich weiß es nicht. Vielleicht sind diese Gebrüder Schwarz auch nur gewaltige Aufschneider, aber es ist sicher besser, diesen Schwarz hier nicht unnötig zu provozieren.«

Madlener wies mit dem Kopf auf zwei Gestalten, die in der geöffneten Motorhaube eines Kleintransporters herumhantierten, Harriet sah sie erst jetzt. Sie hatten Latzhosen und Arbeitskittel mit der Aufschrift »Gebr. Schwarz« an und ließen Madlener und Harriet nicht aus den Augen, obwohl sie so taten, als seien sie mit einer Reparatur im Motorraum des Wagens beschäftigt. Der eine war tatsächlich wohlbeleibt und groß, der

andere dünn und schmächtig. Es fehlten nur noch die Bowler-
hüte.

Schwarz kam wieder aus dem Container. »Seine Lordschaft ist
bereit, Sie zu empfangen.« Er zeigte hinter sich. »Die Lagerhalle
entlang und dann der sechste oder siebte Wohnwagen. Er wartet
draußen auf Sie.«

Madlener und Harriet schlugen den Weg ein, den Schwarz ihnen
gewiesen hatte. Als sie an den beiden Latzhosenträgern vorbeikamen, tippte Madlener kurz grüßend mit zwei Fingern an seine
Schläfe und sagte: »Laurel, Hardy!«

Diese Geste war einer der Gründe, warum Harriet ihrem Chef
Respekt zollte, obwohl sie es ihm gegenüber nie zugegeben hätte:
weil er vor nichts und niemandem zurückwich. Außer, ein recht-
zeitiger Rückzug brachte mehr Vorteile als ein Frontalangriff.

Sie gingen eine Art Trampelpfad entlang, der sich eine schier
endlose Wellblechwand an hüfthohen Brennnesseln vorbei hinzog. Die linke Flanke begrenzte ein Maschendrahtzaun, dazwischen standen Gebrauchtwagen, die teilweise fahrbereit, teilweise
schrottreif aussahen, gefolgt von reihenweise aufgestellten Wohnwagen in mehr oder weniger gutem Erhaltungszustand.

Vor einem Modell namens »Joker« saß ein glatzköpfiger, gedrun-
gener Mann in einem Campingstuhl, der eine Dose Red Bull in
der Hand und ein spöttisches Grinsen im Gesicht hatte, das durch
seine herunterhängenden Augenlider seltsam schläfrig wirkte.

»Sie entschuldigen, dass ich nicht aufstehe«, sagte er, als Madlener und Harriet näher kamen. »Aber seit meinem Aufenthalt
in der Pension Sing-Sing hab ich's im Kreuz. Früher hätte man
gesagt: Kriegsleiden.« Er lachte gekünstelt. »Ich kann mit Fug
und Recht sagen: Haftleiden. Miserable Matratze.«

»Ist das Ihr Ernst, Herr Aigner?«, fragte Madlener und tat so,
als inspiziere er den Wohnwagen oberflächlich von außen.

»Was meinen Sie? Mein Kreuzleiden oder meine bescheidene
Bleibe?«

»Beides.« Madlener grinste unmissverständlich und zeigte ihm
seinen Ausweis. »Hauptkommissar Madlener, meine Kollegin
Frau Holtby.«

»Soll ich jetzt ›Angenehm!‹ sagen?«

»Nein, das wäre gelogen. Und wir wollen doch von Anfang an mit offenen Karten spielen, nicht wahr?«, meinte Madlener.

Aigner breitete die Arme aus wie ein stolzer Villenbesitzer. »Ja – hier lebe ich. Und nein – es geht Sie einen feuchten Dreck an, warum ich so lebe. Aber das können Sie sich ja an den Fingern Ihrer Hand abzählen, dass die Verdienstmöglichkeiten für den ehemaligen Insassen einer Haftanstalt ziemlich beschränkt sind. Und erst recht nein, wenn Sie wissen wollen, ob ich gestern, vorgestern oder überhaupt sonst wo war. Ich war hier und habe ausgeholfen. Es gibt viel zu tun, wie Sie sehen.«

»Mit Ihrem kaputten Kreuz?«, warf Harriet spöttisch ein.

Aigner tat so, als habe er Harriet erst in diesem Augenblick registriert, und sah sie aufmerksam an. »Mit meinem Kreuz ist es wie mit der Malaria: Die Anfälle kommen und gehen. Zeugen? Ja. Alle Mitarbeiter hier.«

»Laurel und Hardy?«, fragte Harriet.

»Zum Beispiel.«

»Darf ich?«, fragte Madlener und zeigte auf die offene Tür des Wohnwagens.

»Nur zu.« Aigner winkte. »Ich habe nichts zu verbergen.«

Harriet hatte das Theater satt. »Tatsächlich?«, fragte sie in scharfem Ton. »Was ist mit einem Skorpion? Oder einem kleinen schwarzen Sarg? Sie wissen schon – Ihre große Leidenschaft, Origami.«

Während Madlener einen Blick in den Wohnwagen warf, stemmte sich Aigner aus seinem Campingstuhl und machte zwei Schritte auf Harriet zu, die nicht zurückwich. »Sie sind sehr jung für diese Art von Polizeiarbeit. Wie war das … Holtby? Stimmt das? Haben Sie auch einen Vornamen, Fräulein Holtby?«

»Für ein Herrlein wie Sie reicht der Nachname.«

Aigner fixierte Harriets Augen, sie konnte seinen süßlichen Red-Bull-Atem riechen und erwiderte seinen bohrenden Blick. »Kompliment, Fräulein Holtby. Sie scheinen Mumm in den Knochen zu haben.«

Dann nahm er wieder Abstand. »Zurück zum Origami. Ich habe alle Tiere drauf. Egal, welche.«

Madlener zog seinen Kopf aus dem Wohnwagen. »Lassen Sie uns doch mal Tacheles reden, Herr Aigner. Ist Ihnen ein Dr. Matussek bekannt?«

Aigner gab vor, zu überlegen, und sagte schließlich: »Ja. Ja, der ist mir bekannt. War im Prozess der Staatsanwalt, als ich verknackt wurde. Ist lange her.«

»Ich bin sicher, Sie wissen auf den Tag genau, wie lange.«

Aigner zuckte mit den Achseln.

Madlener machte weiter. »Dr. Matussek behauptet, dass Sie ihn seit Ihrer Entlassung verfolgen und bedrohen. Was sagen Sie dazu?«

»Bullshit.«

»Ja was nun? Haben Sie ihn bedroht oder nicht?«

»Warum sollte ich?«

»Weil Sie ihn dafür verantwortlich machen, dass Sie zehn Jahre abgesessen haben.«

»Neun Jahre, zwei Monate und elf Tage, wenn Sie's genau wissen wollen.« Einen kurzen Moment lang war die Wut in Aigners Gesicht zu sehen. Madlener und Harriet war das nicht entgangen. »Aber ich mache mir doch nicht die Hände schmutzig. Was hinter der Maske des Biedermannes steckt, kommt früher oder später sowieso ans Tageslicht. Der Herr hat seine schmutzigen kleinen Geheimnisse. Bohren Sie da ein wenig nach, anstatt einen geläuterten kleinen Sünder, der gebüßt hat, zu piesacken.«

»Meinen Sie sich damit?«

»Sehen Sie hier sonst noch jemanden?«

»Das war jetzt ein bisschen viel auf einmal, Herr Aigner. Das möchte ich schon genauer wissen.«

»Sie werden für Ermittlungen bezahlt, nicht ich. Das ist Ihr Job. Aber der feine Herr Matussek ist ja dank seiner fabelhaften gesellschaftlichen Stellung sakrosankt. Jenseits von Gut und Böse. An den traut sich keiner ran. Sie schießen sich lieber auf die Kleinen ein, die sich nicht wehren können. Jemand wie ich ist doch in Ihren Augen von vornherein schuldig. Wären Sie beide sonst hier? Hab ich recht oder hab ich recht?«

»Nein, haben Sie nicht. Sie haben Ihre Strafe abgebüßt, das ist richtig. Das hat aber mit unseren Ermittlungen nichts zu tun.«

»Ob sie berechtigt war, ist eine andere Frage. Die Strafe, meine ich.«

»Das hat ein Gericht beurteilt, nicht ich. Noch einmal: Deswegen sind wir nicht hier.«

»Wollen wir jetzt eine Diskussion über Recht und Unrecht führen? Nur zu, ich bin bereit.«

»Dass Sie verbittert sind, kann ich verstehen, Herr Aigner. Ob zutreffend oder nicht, das wissen nur Sie. Aber das gibt Ihnen noch lange nicht das Recht, Ihren eigenen Rachefeldzug zu starten und andere Leute zu bedrohen.«

»Andere Leute bedrohe ich nicht.«

»Aber Dr. Matussek?«

»Wenn Sie mir das nachweisen können – bitte. Wenn nicht, dann verschwinden Sie jetzt von hier und lassen mich in Ruhe. Ich habe mir lange genug das Geschwätz von Vertretern des Rechtsstaats anhören müssen. Das langweilt mich.«

»Haben Sie den Origami-Skorpion und den Sarg an Matussek geschickt?«, fragte Harriet.

»Dr. Matussek hat bestimmt viele Feinde. Und es gibt eine ganze Menge Leute, die so ein schönes Hobby haben wie Origami.«

»Aber nicht viele, die es so perfekt ausüben wie Sie.«

»Wenn Sie das sagen ... Da fällt mir ein: Haben Sie meine Fingerabdrücke auf einem dieser ... Objekte?«

Harriet blieb stumm.

»Na kommen Sie – haben Sie welche oder nicht?«, insistierte Aigner.

»Nein.«

»Och – das tut mir aber leid für Sie. So ehrgeizig und dann das. Man kann ja mal einfach auf den Busch klopfen, nicht wahr? Aber das zieht bei mir nicht, Fräulein Holtby.«

»Besitzen Sie ein weißes Auto?«, wollte Madlener unvermittelt wissen.

Aigner lachte in sich hinein. »Ein weißes Auto ... ist das alles, was Sie auf der Pfanne haben? Sehen Sie hier eins?«

»Wir könnten hier so einiges auf den Kopf stellen lassen. Ich bezweifle, dass das den Gebrüdern Schwarz schmecken würde.«

»Bitte. Nur zu. Wer droht hier wem? Ich Ihnen oder Sie mir?«

»Was hat Dr. Matussek denn Ihrer Meinung nach auf dem Kerbholz? Helfen Sie uns beim Bohren. Kommen Sie, geben Sie uns einen Anhaltspunkt.«

»Dass ich von diesem Rechtsverdreher eine Verleumdungsklage an den Hals kriege? Ich werde mich hüten.«

»Warum hat sich Ihre Nichte so um Sie gekümmert?«

»Haben Sie das Emma nicht schon gefragt? Sie waren doch bei ihr. Sonst wären Sie nicht hier. Ich bin ihr einziger Verwandter. Sie hat eben ein weiches Herz für das schwarze Schaf in der Familie. Helfersyndrom, würde der Psychologe sagen.«

»Warum sind Sie nicht bei ihr eingezogen? So, wie das mit der Justiz vereinbart war?«

»Hab's mir anders überlegt. Wollte niemandem zur Last fallen. Wollen Sie mir jetzt einen Strick daraus drehen?«

Madlener sah Harriet an. »Kannst du mir sagen, warum dieser Mann so mauert?«

»Weil er etwas zu verbergen hat, nehme ich an.«

»Genau das ist auch meine Meinung.«

Er wandte sich an Aigner. »Wir lassen Sie jetzt in Ihrem Rentnerparadies in Ruhe. Aber sollte noch ein anonymer Drohbrief oder eines Ihrer gefalteten Kunstwerke auftauchen, kommen wir unter Garantie wieder. Und dann geht unser Wiedersehen nicht so glimpflich für Sie ab, das kann ich Ihnen versprechen. Ich rate Ihnen dringend, sich von Dr. Matussek und seiner Familie fernzuhalten.«

»Sonst? Wollen Sie mich dann verhaften? Oder gleich prophylaktisch erschießen, wenn ich im exquisiten Weingut seiner Frau auftauche und eine Flasche Grauburgunder Spätlese trocken kaufe?«

»Sie kennen das Weingut?«

»Warum nicht? Ich lese ab und zu die Lokalzeitung. Gab's auch im Knast. Steht fast jede Woche was über das Weingut Haggenmiller drin. Weinverkostung, Sonderaktionen, Prominentenpartys. Ein beliebter Treffpunkt für alle ... wie sagt man in München? Adabeis? Sehe ich aus wie ein Adabei?«

»Wären Sie gern einer?«, fragte Harriet.

Aigner lachte kurz auf. »Der ist gut! Werde ich mir merken.«

Madlener sagte in ernstem Ton: »Sollten Sie Dr. Matussek oder einem Mitglied seiner Familie zu nahe kommen, kann ich nichts mehr für Sie tun, dann wandern Sie unweigerlich wieder dahin, wo Sie gerade waren. Wenn Sie das wollen – bitte, das ist Ihre Entscheidung. Sie sind ja jetzt ein freier Mann und können tun und lassen, was Sie wollen. Falls Sie es sich aber doch noch überlegen und Ihnen etwas einfällt, was Hand und Fuß hat, dann rufen Sie mich an. Wenn da auch nur ein Hauch von Wahrheit in Ihren Anschuldigungen steckt, dann spucken Sie's rechtzeitig aus, bevor Sie sich noch daran verschlucken. Ich kann Ihnen versichern, wir werden der Sache nachgehen. Ohne Ansehen der Person. Sie haben mein Wort. Lassen Sie sich das einmal durch den Kopf gehen, falls da noch Platz sein sollte für halbwegs vernünftige Gedanken und nicht nur für Vergeltung von was auch immer.«

»Heute ist doch erst Donnerstag. Ist das nicht zu früh für das Wort zum Sonntag, Herr Kommissar?«

Madlener stieß einen resignierten Seufzer aus. »Frau Holtby, geben Sie dem Herrn Aigner bitte unsere Karte mit den Telefonnummern, damit wir gehen können.«

Er marschierte zurück zum Auto.

Harriet kramte in ihrem Rucksack nach der Karte.

Aigner rief Madlener hinterher: »Was ist denn? War das alles? Keine Drohungen mit einem Durchsuchungsbeschluss? Keine Spurensicherung im Wohnwagen? Keine Vorladung zu einem Verhör? Ich bin enttäuscht, Herr Kommissar!«

Madlener reagierte nicht und ging weiter.

Harriet reichte Aigner die Karte.

»Ich an Ihrer Stelle würde den Rat des Kommissars beherzigen, er meint es gut mit Ihnen«, sagte sie mit Nachdruck, dann folgte sie ihrem Chef.

27

Der tägliche Update-Termin bei Kriminaldirektor Thielen war wegen Madleners und Harriets Abwesenheit auf den frühen Abend verlegt worden. Thielen bat Madlener vorher zu sich in sein Büro und ließ sich in Sachen Aigner/Dr. Matussek auf den neuesten Stand bringen.

»Und?«, fragte Thielen. »Was ist Ihre Meinung in dieser Angelegenheit? Wie ist dieser Aigner einzustufen auf einer Skala zwischen harmlos und gefährlich?«

»Schwer zu sagen, ob er tatsächlich etwas Konkretes ausbrütet«, entgegnete Madlener. »Er hält sich bedeckt und macht das nicht ungeschickt. Aber ich werde das unbestimmte Gefühl nicht los, dass er uns einen gerade so tiefen Einblick in sein wahres Ich gegeben hat, wie er wollte. Er ist mit allen Wassern gewaschen und ziemlich raffiniert. Aigner scheint es geradezu zu genießen, mit uns Katz und Maus zu spielen. Vielleicht hat er das auch mit Dr. Matussek vor. Wenn wir nicht mehr gegen ihn in der Hand haben, kann er uns eine lange Nase drehen. Und das weiß er ganz genau.«

»Ich hoffe, Sie sind ihm ordentlich auf die Füße gestiegen?«

Madlener zuckte mit den Schultern. »Im Rahmen des Möglichen. Ich habe ihm die rote Linie aufgezeigt, die er nicht überschreiten darf. Mehr können wir nicht tun.«

»Sicher, sicher«, murmelte Thielen zerstreut und kramte in den Papieren auf seinem Schreibtisch herum, bis er schließlich fand, was er suchte, und aufstand. »Dann wollen wir mal hoffen, dass das alles nur ein Dings im Wasserglas war …«

»Ein Sturm«, half Madlener aus.

»Genau das«, seufzte Thielen. »Gute Arbeit, Madlener, bleiben Sie dran. Ich verlasse mich auf Sie!« Er sah ihm dabei in die Augen, wie ein Vorgesetzter es seiner Meinung nach tun musste, wenn er seinen besten Offizier in die Schlacht schickt, und dann tat er etwas, das er noch nie getan hatte – er tätschelte Madlener tatsächlich aufmunternd am Oberarm.

Madlener war über diese unerwartete Vertrauensgeste seines

Chefs so verblüfft, dass er noch dastand, als Thielen sein Büro schon verlassen hatte.

Er folgte ihm in den »Meeting-Room«, wie Thielen ihn nannte, wo Götze, Frau Gallmann und Harriet bereits ihre Plätze eingenommen hatten. Die Besprechung fiel kurz aus, denn es gab keinerlei Fortschritte im Tunnelfall. Götze hatte alle in Frage kommenden Lokführer abtelefoniert, und es war immer noch keine passende Frau als vermisst gemeldet worden, obwohl der Fall in sämtlichen, auch überregionalen Zeitungen verbreitet worden war. Er hatte inzwischen auch die zuständigen Stellen der Anrainerstaaten des Bodensees in Österreich und der Schweiz mit Anfrage-E-Mails überschwemmt – sogar an Liechtenstein hatte er gedacht –, ohne bisher auf Resonanz gestoßen zu sein.

Nach einer halben Stunde löste Thielen die Versammlung auf, und alle verschwanden in den Feierabend, nicht ohne dass Thielen noch schnell, als er sich für einen Augenblick unbeobachtet glaubte, in die Süßigkeitenschale langte und sich eine kleine Wegzehrung zusammenstellte. Diesmal war es besonders praktisch, weil Frau Gallmann Schoko- und Müsliriegel in der Verpackung kredenzt hatte, die man problemlos in die Jackentasche stecken konnte. Wahrscheinlich hatte sie das in ihrer Fürsorge für den Chef sogar einkalkuliert, vermutete Madlener, dem wie immer nichts dergleichen entging, auch wenn er noch so geistesabwesend wirkte.

Als er in seinem Dienstwagen auf dem Parkplatz des Präsidiums saß, überlegte er, was er mit dem Abend anfangen sollte. Automatisch griff er ins Handschuhfach und holte einen ganzen Packen CDs heraus, den er lustlos durchsah. Er wollte Musik hören, die zu seiner Stimmung passte, aber irgendwie war er an diesem Abend in gar keiner Stimmung. Seine Gedanken mäanderten vom bisher noch immer namenlosen Tunnelopfer über Dr. Matussek zu Aigner und mündeten unweigerlich bei Ellen, obwohl er diesen zwanghaften Gedankengang in seinem Kopf den ganzen Tag über erfolgreich hatte ausblenden können. Was sie jetzt wohl gerade machte? Nähte sie in der Pathologie eine ausgeweidete Leiche wieder zu, deren Eingeweide auf der Waage gewogen und dann wieder in die Leibeshöhle zurückgestopft worden waren? Dieser böse Gedanke war seiner Kränkung geschuldet, da stellte er sie sich schon lieber zu Hause vor, wie sie bei chilliger Musik auf ihrer Designercouch mit Carlo, ihrem Kater, schmuste. Oder vielleicht mit jemand ganz anderem, größerem, männlicherem?

Wütend über sich selbst wollte er den CD-Packen wieder zurück ins Handschuhfach schieben, als ihm die Hälfte davon prompt in den Fußraum des Beifahrersitzes fiel. Leise fluchend verrenkte er sich, um die Silberscheiben einzusammeln. Als er es endlich geschafft hatte und wieder aus der Versenkung auftauchte, erblickte er Harriet, die sich an ihrem Motorroller zu schaffen machte. Sie hatte ihm den Rücken zugekehrt, ihren schwarzen Helm mit der herausgestreckten Zunge bereits auf dem Kopf und schien etwas gefunden zu haben, das auf die Innenseite des Beinschildes geklebt war, wohl ein Briefumschlag. Nach einem kurzen Blick darauf zerriss sie ihn, ließ die zwei Hälften auf den Boden fallen und stampfte mit dem Fuß darauf. Dann besann sie sich eines Besseren, hob die Fetzen wieder auf, machte die paar Schritte zum Abfalleimer, warf sie dort hinein, schwang sich auf ihren Roller, gab heftig Gas und brauste davon. Sie hatte Madlener nicht gesehen, sonst hätte sie ihm zugewinkt.

Er kämpfte mit sich – sollte er nachschauen, was es war, das sie so in Rage gebracht hatte? Kurz schwankte er zwischen seiner Besorgnis um Harriets Zustand und seiner Aversion, sich in private Händel einzumischen. Doch dann gewann sein Verantwortungsgefühl die Oberhand. Er sagte sich, dass es keine Neugier war, sondern die pure Befürchtung, dass Harriet in etwas hineingeraten war, das ihr über den Kopf zu wachsen drohte.

Er stieg aus seinem Wagen und schaute sich um. Was würde sich jemand denken, der ihn dabei ertappte, wie er im Abfallkorb auf dem Parkplatz des Polizeipräsidiums herumwühlte? Dass Hauptkommissar Madlener wie ein Obdachloser nach Pfandflaschen suchte, um nebenher sein Gehalt aufzubessern? Aber es war niemand zu sehen, also fischte er die Fragmente des Briefes schnell heraus, steckte sie in seine Jackentasche und machte sich eine Zigarette an, um noch einmal die Umgebung zu sondieren. Nach drei Zügen drückte er die Kippe wieder aus, sie schmeckte nicht, warf sie in den Abfallkorb, setzte sich ins Auto und fuhr vom Hof.

In seinem Hotelzimmer säbelte er mit einem stumpfen Messer an einer Pizza Capricciosa herum, die ein wenig nach dem Pappkarton schmeckte, in dem sie steckte – er hatte sie auf der Heimfahrt selbst vom Lieferservice »Pizza Express« abgeholt, mit einer Extraportion Peperoni obendrauf. Dazu gönnte er sich zwei Gläser Spätburgunder aus der Gegend, aber nicht vom Weingut Haggenmiller, sondern vom Winzerverein Meersburg.

Wenn er allein essen musste, was oft vorkam, schaltete er manchmal den Fernseher an, damit er wenigstens das Gefühl hatte, in Gesellschaft zu sein. Die museumsreife Röhrenglotze war sogar vor einem halben Jahr von der Hoteldirektion durch einen Flachbildschirm ersetzt worden, aber das machte das Programm auch nicht besser. Die Talkshow, für deren Thema er sich interessierte – es ging um die zunehmende Politikverdrossenheit der Bundesbürger –, glänzte unter der Leitung der dauergrinsenden Moderatorin durch eine stereotype Worthülsenschlacht und Rechthaberei der eingeladenen Politiker, die sich ständig ins Wort fielen und stichhaltige Argumentationen durch Lautstärke ersetzten. Madlener wunderte sich angesichts des Kindergartens im TV-Studio nicht darüber, dass immer weniger Leute zur Wahl gingen. Als er den letzten Krümel der Pizza verdrückt hatte, schaltete er entnervt von der Sinnlosigkeit der Diskussion und dem ständigen Vibrato der Moderatorinnenstimme, das knapp an der Grenze zur Hysterie war, den Fernseher ab.

Er ging ins Bad, putzte sich ausgiebig die Zähne, machte sich bettfertig und legte sich hin, um nachzudenken. Neben ihm auf dem Nachtkästchen lag verführerisch sein Smartphone, das nur darauf wartete, dass er die eingespeicherte Nummer von Ellen drückte. Sollte er sich erneut eine Abfuhr holen? Nein, darauf hatte er keinen Bock. Da fiel ihm der Brief an Harriet ein, den er aus dem Abfall gezogen hatte.

Er nahm die zwei Hälften aus seiner Jackentasche und legte sie vor sich aufs Bett. Harriet hatte den Brief nicht gelesen, das Kuvert war in der Mitte auseinandergerissen, ein gefaltetes Blatt Papier im Inneren genauso. Er hielt die beiden Kuverthälften aneinander. Mit einer krakeligen, fast schülerhaft unausgegorenen Handschrift stand »Harriet« darauf, mit einem Herz umrandet. Wieder kämpfte Madlener mit sich, ob er ihn überhaupt lesen sollte. Aber es konnte schließlich nicht schaden, einen kurzen Blick darauf zu werfen. Sollte der Inhalt zu persönlich sein, konnte er den Brief immer noch in den Papierkorb werfen. Er zog die zwei Papierbogenhälften aus dem zerrissenen Umschlag und fügte sie zusammen.

Harriet!
Warum beantwortest Du meine 1001 SMS nicht?
Warum?
Was hab ich Dir getan?
Du weißt, dass ich Dich liebe!
Auf meine Art.
Lass es uns noch einmal versuchen!
Bitte!
Ich vermisse Dich so sehr!
Was ich getan habe, tut mir leid. Es wird nicht wieder vorkommen.
Ich wollte Dir nicht wehtun!
Gib mir noch eine Chance!
Denk an die schöne Zeit, die wir hatten!
Ich werde Dich nicht mehr enttäuschen, das kann ich Dir versprechen!
Niemals!
Menschen können sich ändern, Harriet!
Das musst Du mir zugestehen!
Ich habe mich verändert!
Was ich getan habe, tut mir leid.
Bitte: Ruf! Mich! An!
Wenn Du's nicht tust, kann ich für nichts garantieren!
Willst Du wissen, wie ich das meine?
Dann lass mich mit Dir reden!!

T.

Die unzähligen Ausrufezeichen irritierten Madlener ungemein. Der Stil und die Aussagen ebenfalls. Das war kein normaler Liebesbrief. Wobei es ihn schon wunderte, dass der Typ überhaupt das längst überholte Überbringen von schriftlichen Botschaften für angemessen hielt, um Harriet wieder für sich zu gewinnen. Wahrscheinlich hatte Harriet, die ganz offensichtlich von diesem T. nichts mehr wissen wollte, weder auf Anrufe noch auf SMS oder E-Mails reagiert. War dieser T. ein hartnäckiger Lover, ein aufdringlicher Exfreund, der den Tatsachen nicht ins Auge sehen konnte oder wollte? Oder eher ein gestörter Freak, der es mit seinem kranken Ego nicht vereinbaren konnte, dass er von Harriet eine Abfuhr erhalten hatte, die für sie endgültig war? Das wollte T. wohl nicht akzeptieren. Der Brief war nicht nur eine versteckte, sondern eine kaum verschlüsselte Kriegserklärung.

Madlener legte das Schreiben beiseite. Hatten sie es jetzt nur noch mit Drohungen aller Art zu tun? Subtilen und ganz direkten?

Er musste auf Harriet aufpassen. Morgen würde er unauffällig Erkundungen über diesen T. einziehen. Auf keinen Fall durfte Harriet erfahren, was er wusste. Sonst würde sie noch meinen, dass er ihr nachspionierte. So ein Verdacht würde die Basis ihres gegenseitigen Vertrauens irreparabel beschädigen.

Die ganze Angelegenheit hatte einen schlechten Beigeschmack. Madlener hatte in seiner Eigenschaft als Polizist zu oft mit Männern zu tun gehabt, für die ein »Nein!« nicht akzeptabel war. Und die nicht damit umgehen, sondern sogar richtig unangenehm werden konnten, wenn sie wiederholt eine Abfuhr bekamen. Er hatte in Stuttgart ein paarmal erlebt, wozu das führen konnte. »Häusliche Gewalt« nannte man das im Polizeibericht, wenn wieder einmal eine Frau von ihrem Partner oder einem Mann, der sich dafür hielt, halb totgeschlagen worden war ...

Die Hälften des Briefes waren auf dem Nachtkästchen. Madlener lag in seinem Bett, das Licht der Nachttischlampe hatte er gelöscht. Er hatte die Augen offen und dachte nach. Aber sosehr er sich auch konzentrierte, seine Gedanken schweiften immer wieder ab und landeten bei Ellen.

Die Kirchturmuhr, die nur manchmal bei passender Windrichtung zu hören war, schlug zwölf Uhr. Er drehte sich zur Seite und versuchte einzuschlafen. Morgen hatte er viel vor.

28

Aigner sah auf die Ziffern seiner billigen Armbanduhr, die aber immerhin bei Dunkelheit leuchteten: kurz nach Mitternacht, er vernahm die Schläge einer fernen Kirchturmuhr.

Zeit, um die zweite Phase seines Vorhabens einzuläuten.

Er sah sich um: Nirgendwo, außer auf der weit entfernten Bundesstraße, waren Autoscheinwerfer zu sehen. Dann schloss er die Augen und lauschte in die Finsternis – von irgendwoher kam der Ruf eines Käuzchens, sonst war nichts zu hören. Doch, ein Flugzeug, aber das war hier am Bodensee nichts Besonderes. Der See war ein Knotenpunkt im Flugverkehr, bei Tag und bei Nacht.

Das Wetter war für einen durchgreifenden und nachhaltigen Effekt seiner Zwecke geradezu ideal. Es waren keine Sterne zu sehen, der Himmel war wolkenbedeckt. Der Wind hatte mehr und mehr aufgefrischt, vom See her wehte eine starke, teils böige Brise, es war Neumond und damit stockdunkel. Genau so, wie es der Wetterbericht vorhergesagt hatte.

Aigner befand sich mitten in einem der zahlreichen Weinberge der Haggenmillers, den genauen Weg hatte er sich bei Tageslicht, als harmloser Tourist, verkleidet mit Rucksack, Kapuzenanorak, Kniebundhose, Walkingstöcken und dicker Sonnenbrille, erwandert und eingeprägt. Es war ein Feldweg für Traktoren und Anhänger, wie man sie bei der bald einsetzenden Weinernte brauchte. Aber Aigner war ihn jetzt mitten in der Nacht mit seinem braunen Datsun entlanggefahren, weil er die sechs Zehn-Liter-Kanister Benzin nicht so weit tragen konnte und nach vollbrachter Tat so schnell wie möglich das Weite suchen musste.

Die Luft war klar, er konnte in der Ferne die Lichter von Immenstaad auf der hiesigen und von Güttingen auf der jenseitigen Schweizer Uferseite sehen. Er prüfte noch einmal, woher der Wind kam, dann schlüpfte er in den Plastikoverall mit Kapuze. Gummistiefel hatte er schon angezogen, er durfte, um nicht im Nachhinein noch überführt zu werden, keinerlei Spuren hinterlassen, vor allem nicht an sich selbst. Er hatte im Knast einen geistig minderbemittelten Brandstifter kennengelernt, der das Chemiewerk abgefackelt hatte, bei dem er als Hilfsarbeiter angestellt gewesen und wegen wiederholter Unzuverlässigkeit entlassen worden war. Was hatte der Idiot gemacht, als die Feuerwehr schließlich gekommen und mit den Löscharbeiten begonnen hatte? Er hatte sich neugierig mitten unter die zahlreichen Schaulustigen geschlichen, obwohl er noch Ruß an den Händen und im Gesicht hatte und nach Benzin stank, das er sich beim Präparieren seines Rachewerks über die Hosen geschüttet hatte.

Das würde Aigner nicht passieren, er war bestens darauf vorbereitet, sein Werk durchzuführen und unbeschadet wieder davonzukommen. Für ein Alibi hatte er sowieso vorgesorgt, auch wenn die von ihm ordentlich geschmierten Zeugen nicht gerade eine Zierde der Gesellschaft waren – jedenfalls würden sie alle aussagen, dass er bis tief in die Nacht hinein mit ihnen Karten gespielt und sich betrunken hätte.

Die Kanister hatte er in einem weit entfernten BayWa-Baumarkt gefunden und natürlich bar bezahlt und das Benzin in einer überdimensionierten Tankstelle in Markdorf nebenbei abgezapft, und zwar so, dass es in der Überwachungskamera, die er vorher ausgespäht hatte, so aussehen musste, als hätte er normal seinen Wagen betankt. Auch hier hatte er cash bezahlt – und das alles war schon vor ein paar Tagen abgewickelt worden, sodass auch kein näherer zeitlicher Zusammenhang hergestellt werden konnte zu dem, was er jetzt vorhatte zu tun.

Er zog noch ein Paar Gummihandschuhe an und begann dann, systematisch die Reihen der in vollem Saft stehenden Weinstöcke entlangzulaufen und dabei das Benzin gleichmäßig und breitflächig auszuschütten. Beim sechsten Kanister war er in seinem Plastikoverall ganz schön ins Schwitzen gekommen, aber als er schließlich fertig war, hatte er genügend Benzin verspritzt, um die größtmögliche Wirkung zu erzielen. Die Kanister ließ er mit einer kleinen Restmenge Benzin an Ort und Stelle, außer ein paar verkohlten Plastikklumpen würde sowieso nichts davon übrig bleiben. In die Plastikplane, mit der er seinen Kofferraum für den

Transport der Kanister sicherheitshalber ausgelegt hatte, wickelte er seinen Overall, die Handschuhe und die Gummistiefel. Den ganzen Krempel würde er bei der nächsten günstigen Gelegenheit in irgendeinen öffentlichen Plastikcontainer werfen, von denen es genug gab, schließlich war Deutschland das Land der obsessiven Mülltrennung.

Jetzt war der große Augenblick gekommen. Das Auto stand mit laufendem Motor abfahrbereit außerhalb der Gefahrenzone – bis jemand etwas bemerkte, würde er längst die geteerte Landstraße erreicht haben und hinter dem nächsten Hügel verschwunden sein. Er hatte ein kleines Rinnsal Benzin bis zum Auto gegossen, das er jetzt in diesem fast feierlichen Moment mit seinem bewährten Zippo-Feuerzeug anzündete, welches all die Jahre hindurch sein treuer Begleiter in der JVA Singen gewesen war.

Als das Ende des Rinnsals anfing, bläulich zu brennen, sputete er sich, um in sein Auto zu kommen. Er wäre für sein Leben gern dageblieben und hätte sich angesehen, was das Flammenmeer im Weingarten des Herrn Matussek und seiner Frau Gemahlin anrichtete, aber auch hier befolgte er die Devise, die er sich schon lange zu eigen gemacht hatte: nicht nach seinen Gefühlen handeln, sondern nach dem Verstand. Also fuhr er los, sobald er sehen konnte, dass der Benzinteppich, den er gelegt hatte, explosionsartig in haushohen Flammen aufging und die Weinstöcke erbarmungslos in einer Feuerwalze verzehrte. Er war versucht, im Rückspiegel die verheerende Wirkung des Benzins auf die in Reih und Glied angeordneten, generationenlang gehegten, gepflegten und gegen alle denkbaren Schädlinge gespritzten Rebstöcke zu beobachten, aber er musste natürlich in erster Linie darauf achten, dass er nicht vom Weg abkam und im Graben stecken blieb – das hätte gerade noch gefehlt.

Als er sicheren Teerboden erreicht hatte, hielt er kurz an und gönnte sich triumphale fünf Sekunden dieses herrlichen Anblicks der apokalyptisch anmutenden Flammen im Weinberg vor dem schwarzen Hintergrund des Bodensees. Es war ein Szenario, wie es sich der mittelalterliche Großmeister des Grauens, Hieronymus Bosch, nicht endzeitmäßiger hätte ausdenken und auf einem Gemälde vom Jüngsten Tag hätte verewigen können. In Aigners glänzenden Augäpfeln spiegelte sich das vom Seewind immer weiter angefachte Flächenfeuer, das nun schon, wie erhofft, auf die nicht mit Benzin getränkten Anbauflächen übergriff.

Es fiel ihm unendlich schwer, sich von diesem surrealen Anblick zu lösen. Schließlich gab er sich einen Ruck und machte, dass er mit seinem Auto so schnell wie möglich aus dem taghellen Feuerschein in das Dunkel hinter dem nächsten Hügelkamm wegtauchte.

Hubertus Haggenmiller-Matussek – von denen, die ihn ärgern wollten, Hubsi genannt – war zu dieser späten Stunde noch auf und spielte in seinem Schlafzimmer, das eine riesige Fensterfläche nach Südwesten hatte, an seiner Playstation. Das durften seine Eltern natürlich nicht wissen; wenn sie ihn dabei ertappt hätten, würde er sich für mindestens zwei Monate eine Spiel- und Computersperre einhandeln – undenkbar! Aber sein bester Freund Pascal hatte ihm unter dem Siegel der Verschwiegenheit das neue »Grand Theft Auto 5« geliehen, und das war wirklich so affengeil, dass er nicht damit aufhören konnte, auch wenn er natürlich den Ton abgestellt hatte.

Gott sei Dank hatten seine Eltern ihre getrennten Schlafzimmer auf der anderen Seite des Gangs, sodass es genügte, wenn er den Bildschirm mit der Bettdecke gegen allzu viel Lichtabstrahlung abschottete. Trotzdem war es natürlich ein riskantes Unterfangen, aber der Reiz des Verbotenen und des Spiels überhaupt war stärker, er hatte ihm einfach nicht widerstehen können.

Gerade versuchte er, auf dem Bildschirm als Trevor bei einer verdammt realistischen Verfolgungsjagd durch die Straßen der Megacity den Bullen zu entwischen, als er auf einmal den Eindruck hatte, dass es hell in seinem Zimmer wurde, dabei hatte er alle Lichter ausgemacht. Er sah hoch und glaubte, seinen Augen nicht trauen zu können: Der südwestliche Horizont brannte lichterloh! Die gewaltige Flammenwand mit den Ausmaßen eines Buschfeuers musste mitten in den Weinbergen seiner Familie ausgebrochen sein. Jetzt hörte er auch Sirenengeheul und Martinshörner in weiter Ferne. Er kämpfte sich hoch, fand in der Aufregung nur eine Krücke und humpelte damit in Unterhemd und Schlafanzughose ans Panoramafenster, wo ihm vor Schreck der Mund offen stehen blieb. Das war ja noch viel aufregender als sein Playstation-Spiel!

Und heiliger St. Video: Es war Wirklichkeit!

In dem Moment wurde seine Schlafzimmertür aufgerissen, aber er konnte seinen Blick nicht vom brennenden Weinberg abwenden. Seine Mom und sein Dad kamen in Bademantel und Pyjama hereingestürmt und stellten sich fassungslos neben ihn. Der ferne Lichtschein flackerte unheilvoll über ihre Gesichter.

Hubertus bekam es in diesem Moment tatsächlich mit der Angst zu tun – echter Angst, die einen an der Gurgel packte, nicht der kitzelnde Thrill, den man beim Ballern auf außerirdische Monster verspürte. Und erst recht fiel ihm das Herz in die Hose, als ihm siedend heiß durch den Kopf schoss, dass seine Playstation noch an war und der Bildschirm mit dem Feuer von draußen um die Wette flackerte ...

29

»Eindeutig Brandstiftung, da gibt es nichts zu deuteln«, stellte Oberbrandmeister Watzke von der Feuerwehr Friedrichshafen im Polizeipräsidium lapidar fest, während er die Fotos, die er von dem abgefackelten Weinberg der Familie Haggenmiller aus allen möglichen Perspektiven gemacht hatte, auf einem Tablet durchklickte.

Sie standen alle um ihn herum: Thielen, Frau Gallmann, Madlener, Harriet und Götze sowie zwei Kollegen von der Kriminaltechnik. Kriminaldirektor Thielen hatte das Oberkommando in diesem aufsehenerregenden Fall an sich gerissen, der im gesamten Bodenseeraum einmalig war – einen Vandalenakt dieses Ausmaßes hatte es seit Menschengedenken nicht gegeben. Oberstaatsanwalt Matussek, der die Ermittlungen in so einem Fall normalerweise geleitet hätte, war persönlich involviert und hatte alle Hände voll zu tun, sich um seine Frau zu kümmern, die einen mittleren Nervenzusammenbruch erlitten hatte, außerdem musste er das Ausmaß der Schäden begutachten.

Es war in aller Herrgottsfrüh gewesen, als Frau Gallmann Madlener und die anderen vom Brand beim Weingut Haggenmiller in Kenntnis gesetzt hatte. Madlener hatte nur kurz geduscht und war sogleich zum Präsidium gefahren, um sich genauer ins Bild setzen zu lassen. Der Brand war schließlich von der zuständigen Feuerwehr gelöscht worden, hatte aber bis dahin beträchtlichen Schaden angerichtet – ganz abgesehen davon, dass die Umgebung von den zahllosen Polizei- und Feuerwehreinsatzfahrzeugen in erhebliche Mitleidenschaft gezogen worden war und eventuelle Spuren, falls es überhaupt welche gegeben hatte, vernichtet worden waren.

»Eine weggeworfene Zigarette kann so etwas nicht verursachen?«, wollte Götze zaghaft vom Chef der Feuerwehr wissen.

»Niemals«, antwortete Watzke. »Wir hatten weder sechs Wochen sommerliche Trockenheit noch sind wir da mitten im Wald, wo ein Funke genügt.«

»Aber womit dann?«, fragte Thielen. »Weiß man das schon? Womit ist der Brand ausgelöst worden?«

»Brandbeschleuniger war höchstwahrscheinlich stinknormales Benzin, und zwar nicht wenig. Wir haben die Überreste von Plastikkanistern gefunden.« Er zeigte das entsprechende Foto auf dem Tablet.

»Götze«, sagte Thielen. »Sie wissen, was da auf Sie zukommt!«

»Ja«, stöhnte Götze. »Sämtliche Tankstellen der Umgebung abklappern und die Überwachungskameras überprüfen.«

»Sie sagen es.«

Watzke fuhr fort: »Was wir von der Feuerwehr uns wirklich fragen, ist Folgendes: Wer in Gottes Namen kommt auf die verrückte Idee, einen Weinberg anzuzünden?«

Thielen nickte und meinte: »Das ist wohl die Dings… wie heißt sie gleich noch … die Dingsfrage …«

»Die Kardinalfrage«, sprang Frau Gallmann hilfreich bei.

»Genau«, bestätigte er grimmig und sah Madlener mit einem vielsagenden Blick an. »Die Kardinalfrage. Und die kann uns am ehesten Hauptkommissar Madlener beantworten. Bitte, Sie haben das Wort!«

»Es gibt zwei Möglichkeiten«, fing Madlener an. »Die erste kann wohl bereits jetzt mit Sicherheit ausgeschlossen werden: dass ein Pyromane durch Zufall ausgerechnet diesen Weinberg abfackelt. Meinem Dafürhalten nach kann es sich nur um einen gezielten Racheakt handeln, gerichtet gegen die Winzerfamilie Haggenmiller.«

»Und wen haben wir da als dringend Tatverdächtigen?«, fragte Thielen Madlener in einem Ton, als hätte er einen begriffsstutzigen Erstklässler vor sich, dem er mit Engelsgeduld in den Mund legen wollte, welcher Buchstabe im Alphabet nach dem A folgte. Als Thielens Stimme von leise plötzlich und unerwartet in laut umschlug, zuckten die Anwesenden – außer Harriet – förmlich zusammen und verstanden nur Bahnhof, weil sie nicht auf dem gleichen Wissensstand waren wie Thielen, Harriet und Madlener: »Herrgott, Madlener – warum in drei Teufels Namen fahren Sie nicht los, um sich den Kerl zu schnappen? Den Haftbefehl habe ich in Nullkommanichts auf dem Tisch! Und einen Durchsuchungsbeschluss für seine Blechbude ebenfalls! Sagen Sie mir – warum sind Sie noch hier?«

Alle Blicke waren auf Madlener gerichtet, der so tat, als habe er den scharfen Oberlehrerton seines Chefs überhört, und aus dem Fenster auf den Innenhof hinausspähte.

»Weil der von Ihnen angesprochene Tatverdächtige schon unterwegs ist und jeden Moment hier eintreffen muss«, sagte Madlener geduldig, als sei das die normalste Sache der Welt. »Zwei Minuten nachdem mich Frau Gallmann heute früh von dem Feuer unterrichtet hat, klingelt mein Handy, und Herr Aigner ist dran. Er hat sich bereit erklärt, hierherzukommen, als ich ihm angedroht habe, seinen Wohnwagen und seine gesamte Habe auseinanderzunehmen ...«

Er sah im Hof einen braunen Datsun vorfahren und Aigner aussteigen.

»Da ist er ja schon. Frau Holtby – seien Sie so gut und bringen Sie ihn gleich in den Verhörraum.«

Thielen lief puterrot an – da glaubte er einmal, Madlener auf dem falschen Fuß erwischt zu haben, und dann zog dieser Mann einfach mir nichts, dir nichts ein Ass aus dem Ärmel, mit dem er ihn auch noch vor versammelter Mannschaft bis auf die Knochen blamierte. Er schloss kurz die Augen und murmelte: »Herr, bitte schenk mir Geduld! Und zwar sofort!«

Frustriert nahm er die Brille ab und wischte sich mit seinem Taschentuch den Schweiß von der Stirn, dann hatte er sich wieder gesammelt. »Warum in Gottes Namen haben Sie das nicht gleich gesagt, Hauptkommissar Madlener?«

»Sie haben mich nicht danach gefragt«, sagte Madlener allen Ernstes und ging mit der Thermoskanne voller Kaffee und zwei Tassen hinaus zum Verhörraum, während Harriet mit ihrem klappernden Schuhwerk bereits die Treppe hinunterstiefelte.

Thielen war in der Eile nicht zum Frühstücken gekommen und schnappte sich schnell eine Wurstsemmel von mehreren, die Frau Gallmann in vorauseilendem Gehorsam bereits besorgt hatte, und folgte Madlener, nachdem er sich noch beim Oberbrandmeister für die prompte Unterrichtung in der Feuersache bedankt hatte.

30

Madlener richtete sich im Vernehmungsraum ein, als Thielen hereinstürmte, gefolgt von Götze, der ein ziemlich ratloses Gesicht machte, was gut zu seinem Oberhemd passte, welches ein rot-braunes abstraktes Muster hatte, mit dem man bei einiger Phantasie Fragezeichen assoziieren konnte. Der Kriminaldirektor fuchtelte mit seiner angebissenen Wurstsemmel herum.

»Ich führe das Verhör«, sagte er, setzte sich in Blickrichtung zur Tür und verschlang den Rest seiner Semmel.

»Ich halte das nicht für besonders sinnvoll, wenn ich das mal so sagen darf, Herr Kriminaldirektor«, bemerkte Madlener seelenruhig und schenkte sich Kaffee aus der Thermoskanne ein. Seit er einmal erlebt hatte, dass der Zucker in der Teeküche – für die Frau Gallmann nicht zuständig war – ausgegangen und auch kein Löffel zu finden war, hatte er immer ein paar Tütchen davon aus dem Frühstücksraum seines Hotels und dazu einige Plastikstäbchen aus dem nächsten McDonald's zum Umrühren einstecken, die nun zum Einsatz kamen.

Thielen rückte seine Brille zurecht und strich sich sorgfältig die wenigen Haarsträhnen über seine Glatze. »Wieso?«, fragte er lauernd. »Trauen Sie mir das vielleicht nicht zu?«

»Bei allem nötigen Respekt, Herr Kriminaldirektor – Frau Holtby und ich kennen diesen Aigner und wissen, wie er zu nehmen ist. Mit Aigner ist es wie mit einer Weinbergschnecke, wenn Sie mir den etwas gewagten Vergleich im Zusammenhang mit einem brennenden Weinberg erlauben: Sobald man das Tierchen verschreckt, zieht es sich in sein Schneckenhaus zurück. Sie verstehen?« Dabei schaute er Thielen treuherzig ins Gesicht.

Warum nur hatte Thielen in diesem Augenblick wieder dieses unangenehme Gefühl, von seinem ihm untergebenen Kommissar verschaukelt zu werden? Nahm ihn dieser Mann eigentlich überhaupt nicht ernst – nicht einmal jetzt, da die Autorität einer hochgestellten Amtsperson, wie er es war, allein schon dafür sorgen musste, dass der Tatverdächtige zusammenbrach und alles gestand, sobald er ihm, Thielen, gegenübersaß?

Ungerührt redete Madlener weiter: »Außerdem ist es für uns alle von größter Wichtigkeit, wenn Sie als erfahrener Menschenkenner hinterher die Eindrücke schildern und analysieren, die Sie bei der Beobachtung von Aigner und dessen Reaktionen durch das Einbahnglas machen können.«

Irgendwie schien Thielen diese windige Argumentation für schlüssig zu halten. Außerdem hoffte er wohl, dass Frau Gallmann das Tablett mit den Wurstsemmeln noch durch Käsesemmeln ergänzt hatte, wie das gemeinhin bei einer so frühen Zusammenkunft ihre besorgte Art war, und dieses verführerische Tablett schon nach nebenan gebracht hatte. Er stand wieder auf, gab Götze einen Wink und flüsterte Madlener im Hinausgehen zu: »Ich überlasse Ihnen ausnahmsweise das Feld. Aber nehmen Sie ihn richtig hart ran. Das ist ein Gewohnheitsverbrecher mit einem Dauerabo für den Knast. Und genau da bringen wir ihn wieder hin!«

Endlich war Madlener wieder allein, schlürfte an seinem heißen Kaffee, wischte die Krümel von Thielens Wurstsemmel vom Tisch und wartete, bis Harriet mit Aigner hereinkam.

Aigner trug einen Trainingsanzug und nagelneue Nike-Sportschuhe und sah aus, als wäre er schnurstracks von seiner morgendlichen Joggingrunde hergekommen. Er setzte sich Madlener gegenüber, ohne ein Wort zu sagen. Harriet stellte sich seitlich hinter ihm an die Wand und verschränkte die Arme.

Madlener sah Aigner zunächst nur an, regungslos, als könnte er in dessen Gesicht ablesen, was er in der Nacht getan hatte. So lange, bis es Aigner unangenehm wurde, er dem Blick auswich und ein Staubkorn von seiner Jacke wegschnippte, das gar nicht existierte.

»Kaffee?«, fragte Madlener in die drückende Stille hinein, und Aigner hielt ihm einfach die Tasse hin, die vor ihm stand. Madlener schenkte ein und bot ihm ein Zuckerpäckchen an, das Aigner mit einer knappen Handbewegung ablehnte. Er nippte und schielte über den Tassenrand zu Harriet.

»Danke, dass Sie so schnell gekommen sind«, sagte Madlener schließlich.

Aigner zuckte mit den Schultern. Madlener sprach die Namen und Daten in das Mikro des Aufnahmegeräts, bevor er anfing.

»Halten wir erst mal fest, dass Sie aus eigenem Willen hierhergekommen sind. Also, Herr Aigner – haben Sie uns etwas zu sagen bezüglich der Brandstiftung letzte Nacht auf dem Weinberg der Familie Haggenmiller?«

»Ja, habe ich.« Aigner räusperte sich, bevor er loslegte. »Ich bin hier, weil ich um sechs Uhr Nachrichten gehört habe. Bin Frühaufsteher, senile Bettflucht, ebenfalls ein altes Haftleiden.« Er grinste Madlener an, der nicht darauf reagierte, dann fuhr er fort: »Obwohl das ja auch normalen Leuten passieren soll. Leuten wie Ihnen, Herr Kommissar. Ehrbar, standhaft und unbestechlich. Untouchables eben. Apropos – kennen Sie den Film?«

Im Nebenraum mit dem Einbahnspiegelfenster raunte Frau Gallmann, die eben das Tablett mit den belegten Semmeln gebracht und mitgehört hatte, Kriminaldirektor Thielen leise zu: »Von Brian De Palma, USA 1987. Mit Kevin Costner, Sean Connery und Robert De Niro.«

Thielen nickte beeindruckt – was Filme und Daten anging, war seine Sekretärin wirklich ein wandelndes Lexikon – und entschied sich für eine Käsesemmel, die er aufklappte, um nachzusehen, ob sie auch mit diesen leckeren Spreewaldgürkchen belegt war, die ihm so gut schmeckten. Sie waren es. Er biss herzhaft hinein und warf Frau Gallmann einen dankbaren Blick zu, den sie richtig einzuordnen wusste und der ihr ein winziges Lächeln entlockte, das nur für Theophil Thielen bestimmt war, denn so hieß der Kriminaldirektor mit Vornamen. Aber das wusste außer Frau Gallmann eigentlich niemand.

Madlener stellte Aigner im Vernehmungsraum eine Gegenfrage: »Wenn Sie schon auf Filme anspielen – kennen Sie den Song von David Bowie aus ›Cat People‹?« Er zitierte: »›I've been putting out fire with gasoline‹? An den erinnern Sie mich nämlich momentan. Erzählen Sie weiter und bleiben Sie, wenn's irgendwie geht, beim Thema.«

Aigner seufzte und fuhr fort: »Wie dem auch sei – ich höre

also im Radio von dem Feuer, zähle eins und eins zusammen und weiß im selben Moment, dass ich Hauptverdächtiger Numero uno bei Ihnen bin. Da hab ich mir gedacht: Ferdinand, das musst du auf der Stelle geraderücken, also greife ich zur Karte mit Ihrer Telefonnummer. Sonst stehen Sie in dreißig Minuten mit einer Hundertschaft Bullen ...« Er grinste zum Spiegel hinüber, weil er genau wusste, dass dahinter der Rest der Kripo von Friedrichshafen versammelt war. »Verzeihung ... Polizisten natürlich, alle mit entsicherten Uzis, auf dem Gelände und verstehen keinen Spaß.«

»Die Polizei hat schon längst keine Uzis mehr«, warf Madlener trocken ein.

Aigner lachte auf. »Da sehen Sie mal, vor wie langer Zeit ich schon aus dem Verkehr gezogen worden bin! Na ja, jedenfalls wickeln die das volle Programm ab – auf den Boden werfen, Hände auf den Rücken, Handschellen, blaue Flecken und Stiefel im Nacken. Das wollte ich mir, meinem kaputten Kreuz und Ihnen ersparen.«

»Wie rücksichtsvoll.«

Aigner breitete die Arme aus. »So bin ich eben. Und deshalb sitze ich hier. Und: Nein, ich war es nicht.«

»Das haben Sie mir auch schon am Telefon gesagt.«

»Haben Sie's mir geglaubt?«

»Nein.«

»Sehen Sie? Aus diesem Grund bin ich persönlich hergekommen. Und ich habe Ihnen auch gleich was mitgebracht ...«

Er zog einen Zettel aus der Tasche und faltete ihn umständlich auf.

»Was ist das?«, fragte Madlener.

»Eine eidesstattliche Erklärung von mir, den Gebrüdern Schwarz und zwei weiteren Zeugen.«

»Laurel und Hardy?«, warf Harriet boshaft hinter seinem Rücken ein.

Aigner drehte seinen Kopf zu Harriet um und nickte grinsend. »Genau. Das sind zwar nur ihre Spitznamen, aber wir alle haben die ganze Nacht zusammengesessen und Karten gespielt.«

»Was denn – Schwarzer Peter?«, fragte Harriet hämisch, sie konnte es einfach nicht lassen.

Doch Aigner ließ sich durch nichts aus der Ruhe bringen und ätzte zurück. »Nein, Fräulein Holtby. Stud Poker. Ein Spiel für Männer.«

»Mit fünf Männern in einem Wohnwagen für zwei Personen? Muss ein wahres Raumwunder sein …«

»Nein. Im Bürocontainer. Bis vier Uhr früh.«

Er reichte den Zettel mit einer Geste an Madlener weiter, als wäre er das Original der amerikanischen Unabhängigkeitserklärung. »Sie entschuldigen, dass das handschriftlich ist, es musste schnell gehen. Ist aber rechtlich genauso wirksam.«

»Sagt der Herr Schwarz?«, fragte Madlener und nahm den Zettel entgegen.

»Richtig. Der Ältere von beiden. Er ist mit allen juristischen Wassern gewaschen. Sieht man ihm nicht an, ist aber so.«

»Ich weiß, er hat uns bereits eine kleine Kostprobe seiner Kenntnisse gegeben. Könnte fast fürs Erste Staatsexamen in Jura reichen.«

Er überflog das Schreiben und nickte. »Wir werden das behalten«, sagte er.

»Prima, dafür hab ich's mitgebracht.« Aigner lehnte sich zurück und grinste Harriet an, die keine Miene verzog.

Madlener legte nach. »Wenn sich diese ganze Nummer als Humbug herausstellt, dann haben wir es wenigstens gleich schriftlich. In diesem Fall ist das ein waschechter Meineid, da kann Ihr verhinderter Amateuranwalt seine juristischen Muskeln spielen lassen, wie er will. Es wird ihm herzlich wenig nützen.« Damit stand er auf.

»Dann kann ich jetzt ja wieder gehen«, sagte Aigner und erhob sich ebenfalls.

»Hätten Sie etwas dagegen, wenn ein Techniker Sie und Ihre Kleidung unter die Lupe nimmt?«, fragte Madlener.

»Keineswegs. Dürfte allerdings sinnlos sein. War 'ne lange Nacht. Riecht höchstens nach Tabak und Bier.«

Unvermittelt fragte Madlener: »Ach übrigens, was ist höher: ein Full House oder ein Farbenflush?«

»Warten Sie …« Aigner zögerte. »Der Farbenflush«, antwortete er schließlich.

Madlener lächelte maliziös. »Das hab ich mir gedacht. Sie haben so viel Ahnung vom Pokern wie ich von der Heisenberg'schen Unschärferelation.«

Er schaltete das Aufnahmegerät aus und beugte sich nach vorne. »Herr Aigner – ich warne Sie zum letzten Mal. Wenn Sie uns hier verarschen wollen, dann haben Sie sich den falschen Spielpartner ausgesucht. Ich habe Ihnen schon einmal gesagt, dass ich in der Hinsicht keinerlei Spaß vertrage.«

Aigner tat so, als zucke er schreckhaft zurück. »Huh – jetzt haben Sie mir aber richtig Angst gemacht, Herr Kommissar!«

Madlener wandte sich an Harriet. »Frau Holtby, Sie begleiten den Herrn Aigner zur KTU. Und sorgen Sie bitte dafür, dass ein Kollege noch einen Blick in das Auto von Herrn Aigner wirft.«

Aigner strich sich über seinen glänzenden Schädel, eine Geste, die er des Öfteren machte. »Glauben Sie wirklich, Herr Kommissar, ich bin so blöd und habe dort ein paar Grillanzünder und Brennspiritus vergessen?«

»Man weiß nie«, gab Madlener zurück. »Irgendwann macht ihr alle einen Fehler. Seltsamerweise sind unsere Haftanstalten voll mit Leuten, die keinen Fehler begangen haben.«

Harriet stand schon an der geöffneten Tür und wartete auf Aigner. Der winkte noch kurz in den Einbahnspiegel und folgte ihr.

Madlener setzte sich wieder und sah den Zettel an, dabei schüttelte er den Kopf.

Thielen kam herein. »Glauben Sie, die Untersuchung bringt was?«

»Nein«, antwortete Madlener. »Aber sie zeigt ihm, dass wir an ihm dranbleiben.«

»Hat er es getan? Den Weinberg abgefackelt?«

»Natürlich. Er kokettiert doch geradezu damit.«

Thielen nahm die eidesstattliche Erklärung in die Hand und überflog sie. »Wie gehen wir jetzt weiter vor?«

»Wie man so vorgeht, wenn einem die Kriegserklärung überreicht wird. Mobilmachung.«

»Bei unserem Personalengpass? Für eine lückenlose Überwachung brauche ich am Tag drei Teams. Wo soll ich die Leute hernehmen?«

»Ich weiß. Für den Anfang genügt es, wenn sich Frau Holtby und Götze an seine Fersen heften.«

Thielen sah überrascht hoch.

»Ich dachte, Sie meinen, wir geben Dr. Matussek Personenschutz ...«

»Können wir das?«

»Nein. Außer die Gefahrenlage für Leib und Leben des Oberstaatsanwalts ist so groß ... Ich müsste das in Stuttgart beantragen. Aber das kann dauern.«

»Tun Sie's.«

»Jetzt auf einmal?«

»Ja. Aigner ist gefährlicher, als er aussieht. Der meint es ernst. Vielleicht ist dieses Feuer erst der Auftakt. Und Matussek hat eine Frau und einen Sohn. Auch die sind unter Umständen in seinem Visier.«

»Und Sie? Was machen Sie?«

»Ich stochere ein wenig in Aigners Vergangenheit herum.«

»Und der Tunnelfall? Die Presse sitzt mir im Nacken.«

»Halten Sie sie hin. Das liegt vorerst auf Eis. Erzählen Sie irgendetwas von einer vielversprechenden Spur, der wir nachgehen, von der Sie jedoch aus ermittlungstaktischen Gründen noch nichts preisgeben dürfen. Oder haben wir schon was?«

Thielen schüttelte verneinend den Kopf und seufzte laut. »Das gefällt mir nicht ...«

»Mir auch nicht.«

»Na dann sind wir uns ausnahmsweise mal einig.«

Madlener nickte zustimmend. Man konnte seinem Chef einiges vorwerfen – aber seine Pflichten nahm er ernst.

Einem irrationalen Impuls folgend schüttelte Madlener Thielen die Hand, bevor er ging. Diesmal blieb der Kriminaldirektor überrascht zurück.

Dann erinnerte er sich, dass noch ein paar belegte Semmeln übrig geblieben waren. Eine kleine Stärkung konnte er jetzt wahrlich vertragen, bevor er mit Stuttgart telefonierte.

31

Madlener riss wie immer, weil er ganz in Gedanken war, ohne anzuklopfen die Tür von Frau Gallmanns Büro auf. Thielens Sekretärin war gerade mit höchster Konzentration und Kopfhörern auf den Ohren damit beschäftigt, die Aussagen von Aigner abzuhören und in den PC einzugeben. Sie saß mit dem Rücken zur Tür, weshalb sie Madleners Hereinstürmen nicht mitbekam.

Der wurde sich im selben Moment bewusst, dass er eben wieder seinen üblichen, von allen verwünschten Rowdyauftritt hingelegt hatte, von dem er glaubte, ihn sich schon längst abgewöhnt zu haben. Um den Fauxpas wiedergutzumachen, tippte er Frau Gallmann mit aller Vorsicht auf die Schulter, was die Angelegenheit aber nur noch verschlimmerte, denn jetzt erschrak Thielens Sekretärin dermaßen, dass sie wie von der Tarantel gestochen in die Höhe fuhr und sich die Hörer vom Kopf riss.

»Herr Madlener – Sie sind noch ein Nagel zu meinem Sarg!«, stöhnte sie vorwurfsvoll und presste die Hand auf die Brust.

»Ich habe geklopft«, schwindelte er schuldbewusst, »aber Sie haben mich wohl nicht gehört. Tut mir leid.«

»Schon gut«, seufzte sie. »Was kann ich für Sie tun?«

»Zweierlei«, fing er an. »Erstens brauche ich einen Namen. Sie kennen doch alle Kollegen von der Verkehrspolizei.«

»Sicher. Wenn's sein muss, auch die Mädchennamen ihrer Mütter.«

Gott sei Dank, dachte Madlener erleichtert, sie hat ihren Humor wiedergefunden!

Obwohl – wenn er so überlegte, war das wahrscheinlich gar kein Scherz. Vermutlich kannte Frau Gallmann sogar den Mädchennamen seiner eigenen Großmutter, bei dem er selbst lange nachdenken musste, bis er ihm wieder einfiel.

»Es ist vertraulich, also behalten Sie das bitte für sich, ja?«

Sie machte mit ihren perfekt manikürten und dezent rosa lackierten Fingernägeln eine Geste, als würde sie ihre Lippen mit einem Reißverschluss versiegeln.

»Gut«, fuhr er fort: »Es hat nichts mit einem der Fälle zu tun, mit denen wir uns gerade herumschlagen. Trotzdem brauche ich den Namen. Der Mann ist blond, etwa einen Meter achtzig groß, schlank, sportlich, Ende zwanzig und sein Vorname beginnt mit T.«

Frau Gallmann hob den Finger, ging zu ihrem Büroschrank und förderte ein Heft zutage, das sie schnell durchblätterte, bis sie auf die richtige Seite stieß und Madlener das Bild hinhielt, das dort abgedruckt war. Es war ein Gruppenfoto aller Verkehrspolizisten in Uniform, ein knappes Jahr alt und aufgenommen bei einem Tag der offenen Tür des Polizeipräsidiums. Sie zeigte auf einen Mann in der hinteren Reihe, der keck in die Kamera lachte. »Der da?«, fragte sie.

Madlener nickte. »Ja, den meine ich. Wer ist das?«

»Er heißt Thilo Dobler. Warum wollen Sie das wissen?«

Mit der Frage hatte Madlener gerechnet. Zum Glück hatte er sich schon eine Ausrede zurechtgelegt.

»Ich wollte mal mit ihm reden. Er ist mir aufgefallen. Wir brauchen kurzfristig jemanden, der uns gelegentlich aushilft. Wir haben einfach zu wenig Personal und dann zwei knifflige Fälle – da kommt jede Menge Laufarbeit auf uns zu. Und er hat einen aufgeweckten Eindruck auf mich gemacht.«

»Komisch, dass Harriet ihn nicht empfohlen hat ...«

»Wieso?«, fragte Madlener irritiert.

»Das wissen Sie nicht? Dobler ist der Freund von Harriet. Das weiß jeder im Präsidium. Und ausgerechnet Sie nicht?«

Er geriet ins Stottern. »Ich ... ich wusste nicht, dass sie überhaupt einen Freund hat ...«

»Reden Sie nicht mal über Privates?«

»Eigentlich nicht ...«

Frau Gallmann sah ihn mit einem merkwürdigen Blick an.

»Kann sein, dass sie ...«, fuhr er fort, um wieder in ein anderes Fahrwasser zu kommen, »... vielleicht hat sie nie was gesagt, um nicht in den Ruch der Protektion zu geraten ... Sie wissen schon ...«

»Vetterleswirtschaft, wie man bei uns sagt?«

»Genau.«

»Soll ich deswegen beim Chef mal ein gutes Wort für ihn einlegen?«

»Nein, um Gottes willen, bloß nicht! Der hat so schon genug Ärger. Ich werde das bei passender Gelegenheit selbst zur Sprache bringen. Also bitte ...« Er wiederholte ihre Reißverschlussgeste, sagte »Danke, Frau Gallmann« und wollte schon gehen.

»Sie sagten doch ›zweierlei‹, vorhin«, rief sie ihm hinterher.

Madlener blieb stehen, drehte sich wieder um und rieb sich die Stirn. »Wo bin ich bloß mit meinen Gedanken ... Ach so, ja, was ich eigentlich wollte: Können Sie mir bitte alles besorgen, was es in den Archiven über den Fall Aigner gibt? Der Mordfall vor ungefähr zehn Jahren? Ich meine Akten, Tatortfotos, Berichte, Verhöre, Gerichtsprotokolle – einfach alles.«

»Bis wann brauchen Sie's?«

Madlener verzog das Gesicht, als hätte er auf eine saure Zitrone gebissen: »Vorgestern?«

Frau Gallmann machte sich eine Notiz und sagte nur: »Wird erledigt.«

»Danke, Frau Gallmann. Was würde ich nur ohne Sie tun?«

»Das frage ich mich auch manchmal.«

Es entstand ein kurzer peinlicher Moment, bis Madlener sich umdrehte und das Büro verließ. Dabei schloss er die Tür so sanft wie nur irgend möglich hinter sich.

32

Madlener saß in seinem Büro und überflog auf seinem Computerbildschirm alles, was Harriet ihm über den Fall Aigner heruntergeladen hatte.

Geburtsdatum, Vorstrafen, Auffindung der Ermordeten, Verhaftung von Aigner, der zuerst auf »unschuldig« plädiert, auf einmal jede Aussage verweigert und schließlich wegen Totschlags verurteilt wird.

Die sechsunddreißigjährige Elfie Lammert war in Weingarten in ihrer Wohnung erstochen aufgefunden worden. Der Tat verdächtig war Aigner. Bei einer Durchsuchung seiner Wohnung fand man die Tatwaffe, ein Küchenmesser und an seiner Kleidung Blutflecken der gleichen Blutgruppe, wie sie die Tote hatte. Trotz der erdrückenden Beweise bestritt Aigner vehement die Tat. Für die Blutflecken und das in seinem Besteckkasten aufgefundene Messer – das aus dem Besitz der Toten stammte und an dem ebenfalls Blutanhaftungen der Toten gefunden werden konnten – hatte er keine Erklärung außer der üblichen, dass ihm das jemand untergeschoben haben musste. Und für die fragliche Tatzeit hatte er kein Alibi. Bei den Ermittlungen war herausgekommen, dass Aigner eine Beziehung mit der Toten gehabt hatte … aber sie sei schon beendet gewesen, als sie ermordet wurde, behauptete er.

Madlener lehnte sich zurück und dachte nach. Dann durchsuchte er die Datei nach dem Namen des Kollegen, der damals den Fall bearbeitet hatte. Kommissar Wohlfahrt – den kannte er noch aus den Recherchen beim Internatsfall, ein freundlicher, aufgeweckter Mann, der schon längst in Rente war.

Er stand auf und rief im Hinuntergehen zum Parkplatz Harriet an, um zu erfahren, wie die Observation von Aigner verlief. Seine Assistentin konnte nichts Aufregendes berichten, außer dass Aigner beim Einkaufen in einem Supermarkt war und sie an ihm dranblieb und ihn nicht aus den Augen ließ. Von ihrem Kollegen Götze wusste sie, dass der mit seiner Sisyphusaufgabe begonnen hatte und die Tankstellen der Gegend abklapperte, wobei sie lapidar anmerkte, dass sie ihn dann wohl erst in zwei Wochen wieder zurückerwarten könnten, außer er hatte unverschämtes Glück und würde durch Zufall bald an eine Tanke gelangen, deren Überwachungskamera Aigner direkt beim Befüllen mehrerer Kanister erwischt hatte. Diese Möglichkeit sah sie aber genauso wie Madlener eher im Bereich der Fabel – das wäre wirklich die berühmte Nadel im Heuhaufen.

Dann fragte sie Madlener, wie lange sie Aigner noch im Nacken sitzen solle, sie habe das Gefühl, dass er sie längst bemerkt habe und sie absichtlich sinnlos in der Gegend herumführe. Madlener hatte genau das erwartet und bat sie, trotzdem weiter an ihm dranzubleiben. Dabei konnte er sie ruhig sehen. Er sollte das Gefühl haben, dass er von nun an keinen Schritt mehr machen konnte, ohne beobachtet zu werden. Selbst wenn sie ihn aus den Augen verlieren sollte, konnte er sich nie ganz sicher sein, dass man ihn nicht doch beschattete und so unter Kontrolle hatte. Vielleicht beging er dann einen entscheidenden Fehler. Unter Druck gesetzt, reagierten die meisten Menschen nicht mehr rational, sondern intuitiv.

Madlener legte auf, setzte sich in seinen Dienstwagen und fuhr vom Hof der Verkehrspolizei.

Diesmal hörte er ausnahmsweise Autoradio, was er selten tat, weil ihm die grundsätzlich gute Laune der Moderatoren irrsinnig auf den Keks ging. Es gab auch keine normale Wetterprognose mehr, sondern nur noch Württembergs besten Wetterbericht. Dieser Gipfel des scheinheiligen Euphemismus war ganz weit oben auf seiner dritten (S)hit-Liste. Die erste war die von Dingen, die die Welt nicht brauchte, zum Beispiel die Duravit-Fernbedienung für Klospülungen oder den Masskrughalter fürs Fahrrad. Die zweite Liste war von Dingen, die alles nur komplizierter machten, anstatt die Welt zu verbessern und zu vereinfachen – Multifunktionsschalter zum Beispiel oder Pieptöne in Autos, die einen terrorisierten, wenn man den Gurt nicht anlegte, obwohl man nur hundert Meter in die Garage fahren wollte. Einen Spitzenwert auf Madleners Liste der hirnverbranntesten Ingenieurserfindungen belegten die Autos, die sich bei jedem noch so kleinen Halt von selber ausschalteten. Damit war der Fahrer zum Erfüllungsgehilfen seines eigenen Vehikels degradiert und entmündigt worden.

Aber am schlimmsten war die dritte Liste von Dingen und Menschen, die die Welt endgültig verblödeten – die hundertfünf-unddreißigste Containershow mit C-Promis, die kein Mensch kannte beziehungsweise auch nur im Geringsten kennenlernen wollte, oder präpotente Radiomoderatoren, die mit einer pene-tranten Aufdringlichkeit glaubten, dass sie witzig seien. Heute ging es in einem Radiobeitrag um die Frage, ob es außerirdisches Leben auf der Erde gab. Madlener beantwortete diese Frage un-eingeschränkt mit Ja. Er konnte spontan mindestens zehn Leute aufzählen, die eindeutig als Aliens einzustufen waren. Wenn er daran dachte, wer sich alles im Fernsehen und in der Politik tum-melte, würde sich die Zahl leicht noch um eine Zehnerpotenz steigern lassen. Manchmal wünschte er sich so ein Blitzdings wie bei »Men in Black«, mit dem man die Erinnerung einfach auslöschen konnte. Dann würde er nicht nur die Erinnerung der Aliens ausknipsen können, sondern auch seine eigene, um nicht ständig sofort an Ellen denken zu müssen, sobald er einmal nicht geistig von einem seiner Fälle in Anspruch genommen wurde.

Er parkte vor dem ihm von einem früheren Besuch schon be-kannten Reiheneckhaus mit Jägerzaun und gepflegtem kleinen Vorgarten. Ein älterer Mann mit schlohweißen Haaren und Strohhut war dort mit einer Heckenschere dabei, einen Busch zu stutzen, er hatte Gartenhandschuhe an und eine Schubkarre neben sich, auf die er die abgezwickten Zweige lud, und sah auf, als er Madlener aus seinem Dienstwagen aussteigen sah. Als er ihn erkannte, hellte sich sein Gesicht sofort auf, er legte seine Heckenschere in die Schubkarre, zog die Gartenhandschuhe aus und gab Madlener die Hand.

»Schön, Sie wiederzusehen. Was führt Sie denn zu mir? Es wird wohl nicht mein berühmter Rhabarberkuchen sein, nehme ich an?«

»Haben Sie denn welchen?«, fragte Madlener, und Wohlfahrt zog ihn sogleich am Ärmel mit sich. »Frisch gebacken, das lasse ich mir nicht nehmen. Ich wollte sowieso gerade eine Pause einlegen. Und Kaffee steht immer bereit. Falls Sie altmodisch gebrühten Kaffee mögen. Mit diesen neumodischen italienischen Maschinen hab ich's nicht so.«

»Da sage ich nicht Nein.«

»Freut mich, dass Sie hergefunden haben, freut mich wirklich. Wissen Sie, ich bekomme nicht mehr so oft Besuch. Und meine Tochter lebt in Berlin. Ich kann von Glück sagen, wenn sie an Weihnachten und an meinem Geburtstag mal vorbeischaut.«

Sie gingen über ein sorgfältig gemähtes, handtuchgroßes Rasenstück um die Ecke zur Terrasse, wo die Tür ins Wohnzimmer offen stand. Wohlfahrt schlüpfte aus seinen Gartenschuhen und betrat den Teppich auf Socken. »Kommen Sie, kommen Sie«, sagte er. »Und lassen Sie um Gottes willen Ihre Schuhe an. Bei mir ist es die Macht der Gewohnheit.«

Madlener trat seine Schuhe extra gründlich auf einem Fußabstreifer ab, auf dem »Einbrechen lohnt sich hier nicht!« stand, bevor er Wohlfahrt ins Wohnzimmer folgte. Es roch nach Bohnerwachs und Kuchen, Wohlfahrt war schon in der Küche verschwunden. Madlener sah sich um, er erinnerte sich daran, dass Wohlfahrt eine kranke Frau im Rollstuhl hatte, suchte sie aber vergebens. Alles war blitzblank sauber, altmodisch eingerichtet im Stil der 1970er-Jahre, aber gemütlich. Madlener hatte seinen pensionierten Kollegen, als er ihn das erste Mal getroffen hatte, auf Anhieb gemocht und bekam nun, als er so herzlich empfangen wurde, sofort ein schlechtes Gewissen, weil er damals hoch und heilig versprochen hatte, ihn bei Gelegenheit zu besuchen. Dazu war es aber nie gekommen. Er ging in die kleine Küche, wo Wohlfahrt den frischen Kuchen anschnitt und schon Teller, Tassen, Löffel, Zucker und Milch auf einem Tablett hergerichtet hatte.

»Kann ich helfen?«, fragte Madlener, und Wohlfahrt drückte ihm das Tablett in die Hand, das er zum Couchtisch im Wohnzimmer trug. Wohlfahrt folgte mit einer Thermoskanne, in die er den Kaffee abgefüllt hatte. Sie setzten sich, und Wohlfahrt schenkte ein.

»Wo ist Ihre Frau?«, fragte Madlener.

Wohlfahrt seufzte. »Im Pflegeheim. Ich habe sie, so lange es mir möglich war, selbst hier versorgt, Sie haben sie ja noch gesehen. Aber dann ging es einfach nicht mehr, kräftemäßig. Ich besuche sie jeden Tag.«

»Wie geht es ihr?«

»Unverändert. Es ist nicht leicht, aber ich komme zurecht.« Er rührte gedankenverloren in seinem Kaffee herum.

»Das tut mir leid«, sagte Madlener und ärgerte sich, dass ihm nur so eine banale Floskel einfiel, um sein ehrlich gemeintes Mitgefühl auszudrücken.

»Das Alter ist eben nichts für Feiglinge.« Wohlfahrt zuckte mit den Schultern. »Jetzt greifen Sie schon zu!«

Madlener probierte vom Rhabarberkuchen. »Er ist immer noch so gut wie beim letzten Mal«, lobte er.

»Freut mich, dass er Ihnen schmeckt«, sagte Wohlfahrt. »Wenn Sie das nächste Mal kommen, verrate ich Ihnen das Geheimnis dahinter. Das Rezept ist von meiner Frau. Sie hat phantastisch gekocht und gebacken, als sie noch klar im Kopf war.«

Dann sah er Madlener ernst an. »Was führt Sie zu mir? Ich nehme doch an, es ist dienstlich.«

»Sozusagen. Es geht um einen Fall, in dem Sie ermittelt haben. Ist lange her, über zehn Jahre. Aber Sie könnten mir sehr helfen, wenn Sie sich vielleicht noch an das eine oder andere erinnern. Ferdinand Aigner – sagt Ihnen der Name noch was?«

Wohlfahrt lehnte sich zurück. »Ja, allerdings. Wissen Sie, es ist komisch, ich könnte Ihnen nicht sagen, was ich vorgestern Abend im Fernsehen angeschaut habe, aber wenn's um meine Zeit bei der Kripo geht, kann ich mich an alles erinnern. Aigner ist damals wegen Totschlags zu zehn Jahren Knast verurteilt worden, wenn ich mich nicht irre.«

»So ist es. Jetzt ist er wieder auf freiem Fuß und macht uns das Leben schwer. Er bedroht den Oberstaatsanwalt, der ihn damals angeklagt hat. Gestern Nacht hat er am Weinberg von dessen Frau Feuer gelegt, aber wir können ihm nichts beweisen.«

»Ah, der war das. Ich habe davon im Radio gehört. Ein ganz schön extrovertierter Racheakt. Sichtbar gemacht für die Augen der Welt. Aigner hat sich immer schon mit allen angelegt. Aber er war ein kluger Bursche, mit allen Wassern gewaschen.«

»Warum hat er sich dann damals erwischen lassen?«

»Das habe ich mich auch gefragt. War eine eindeutige Angelegenheit, soweit ich mich erinnern kann. Vielleicht war er in einer emotionalen Ausnahmesituation, ich weiß es nicht.«

»Haben Sie ihn damals verhört?«

»Ja. Am Anfang war er vollkommen außer sich. Hat getobt und immer wieder geschrien, dass er es nicht war.«

»Hatten Sie den Eindruck, dass es ernst war oder gespielt?«

»Wenn das gespielt war, dann war es oscarreif. Aber ich brauche Ihnen ja nicht zu erzählen, dass es Täter gibt, die nach einem begangenen Tötungsdelikt wirklich glauben wollen, dass sie es nicht getan haben. Weil sie sonst selbst nicht damit klarkommen.«

»Hat er es getan?«

»Ich weiß es nicht. Entweder war er raffiniert oder eiskalt oder keins von beidem.«

»Also unschuldig?«

»Möglich.«

»Sie sagten: Anfangs verhielt er sich so. Was war später? Und was ist da passiert?«

»Eine Kehrtwende um hundertachtzig Grad. Er hat auf einmal jede weitere Aussage verweigert. Von heute auf morgen. Den Grund weiß ich nicht. Hätte er sich schuldig bekannt, wäre er mit weniger davongekommen. Wir haben ihm das erklärt, aber er hat dazu nur geschwiegen.«

»Warum? Ob sein Anwalt das noch weiß? Wer war das?«

»Den können Sie nicht mehr befragen. Der liegt auf dem Friedhof.«

»Gab es damals ein psychiatrisches Gutachten?«

»Ja, gab es. Von einem renommierten Psychiater. Eine Koryphäe. Dr. Auerbach.«

»Nein!«

»Doch, ich kann mich genau erinnern.« Wohlfahrt sah Madlener an, dass er wirklich überrascht war. »Kennen Sie ihn?«

»Und ob«, stöhnte Madlener. »Ich sollte mich bei ihm einer Behandlung unterziehen. Als ich meinen Dienst in Friedrichshafen angetreten habe. Wegen einer posttraumatischen Belastungsstörung.«

»Was heißt ›sollte‹?«

»Ich will's mal diplomatisch ausdrücken: Abgesehen davon, dass er mich mit seinem arroganten Gehabe von vornherein auf die Palme gebracht hat, gab es auch persönliche Gründe, warum ich ihn innerlich abgelehnt habe und alles dafür tat, dass er mich im Gegenzug genauso ablehnte. Um mich loszuwerden, hat er mich nach drei oder vier Sitzungen für vollkommen gesund und damit wieder diensttauglich erklärt.«

»Persönliche Gründe?«

»Na ja – ich hatte eine Beziehung mit seiner Tochter. Sie ist Pathologin am Klinikum. Ich hatte beruflich mit ihr zu tun ...«

»Oha. Sie sagen ›hatte‹?«

»Richtig. Sie haben sich nicht verhört. Vergangenheitsform.«

»Tut mir leid. Ich wollte nicht persönlich werden.«

»So ist das Leben. Nicht nur das Alter – auch die Liebe ist nichts für Feiglinge ...«

Wohlfahrt stand auf und ging zum wuchtigen Wandschrank, der die ganze Längsseite des Wohnzimmers einnahm, öffnete eine Tür, hinter der sich eine Art Bar befand, und holte eine Flasche heraus.

»Auch ein paar Oktan in den Kaffee?«, fragte er. »In Wien nennen sie das Gespritzter.«

Er zeigte ihm die Flasche, es war Cognac.

»Ein Rezept Ihrer Frau?«, fragte Madlener mit gespielter Skepsis.

»Nein. Aber in unserer Situation würde sie das billigen.«

»Wenn Sie das sagen ...«

Madlener schenkte sich und Wohlfahrt Kaffee aus der Thermoskanne nach, und Wohlfahrt goss in jede Tasse großzügig einen Schuss Cognac dazu. Sie stießen mit den Kaffeetassen an und nahmen einen Schluck. Madlener fragte: »Was hat Dr. Auerbach in seinem Gutachten zu Aigner gesagt?«

»Im Detail weiß ich das nicht mehr ...«

»Lassen Sie mich raten: Aigner war voll schuldfähig?«

»So war es.«

Madlener nahm noch einen Schluck aus der Tasse. »Da ist noch eine Sache, die mir merkwürdig vorkommt. Was ist das für eine Geschichte mit der kleinen Tochter der Ermordeten, Sophie?«

»Das war in der Tat merkwürdig. Sophie war zur Tatzeit und auch sonst größtenteils bei einer Tagesmutter. Und diese Tagesmutter war die Nichte von Aigner. Nach dem Tod von Elfie Lammert wurde Sophie von ihrer Tagesmutter und deren Mann adoptiert.«

»Wie war das möglich?«

»Ich weiß es nicht. Ich habe das nur nebenher mitbekommen. Der Fall war ja für uns von der Kripo abgeschlossen. Was ist aus dem Mädchen geworden? Es müsste jetzt um die vierzehn sein …«

»Es ist gestorben. An Krebs. Vor etwa einem Jahr.«

Wohlfahrt sah betroffen zu Boden. »Armes Mädchen. Ich habe es einmal gesehen. Es war ein hübsches Kind.«

Madlener stand auf. »Ich danke Ihnen für die Auskünfte. Und alles andere. Aber ich muss jetzt gehen.«

Wohlfahrt erhob sich ebenfalls und gab Madlener die Hand. »Sehen Sie bei mir rein, wenn Sie mal wieder hier in der Gegend sind. Sie bringen ein bisschen Stallgeruch in mein Leben. Das mag ich.«

»Vermissen Sie ihn? Den Stallgeruch?«

»Manchmal.«

Wohlfahrt ging voran und blieb in der geöffneten Haustür stehen. »Wissen Sie, warum ich mich über Sie geärgert habe?«

»Nein …«

»Weil Sie meinen Fall gelöst haben. An dem ich mir jahrelang die Zähne ausgebissen habe.«

»Der spurlos verschwundene Geschäftsmann?«

»Genau der. Markus Fritsch. Sie machen einen guten Job, Kommissar Madlener.«

»Ach was. Reiner Zufall.«

»Nein, nein. Ich war selbst fünfunddreißig Jahre in dem Geschäft. Das war einfach hervorragende Arbeit …«

Aber das konnte Madlener schon nicht mehr hören. Er war bereits in sein Auto eingestiegen. Wohlfahrt sah zu, wie er wegfuhr und noch einmal kurz den Arm zum Gruß hob.

33

Madlener hätte nie gedacht, dass er die Treppen zur Praxis von
Dr. Auerbach noch einmal hochgehen würde. Er erinnerte sich
daran, dass er im Treppenhaus nach der zweiten oder dritten
Sitzung kurz mit sich selbst gekämpft hatte, ob er ein wüstes
anonymes Graffito auf den jungfräulich blütenweißen Wänden
hinterlassen sollte, einfach so, weil er einem postpubertären Ra-
chegefühl Ausdruck verleihen wollte. So etwas wie »Fuck you,
Dr. Psycho« – weil Dr. Auerbach mit seinem hochtrabenden,
blasierten Psychogetue und Gesülze tief sitzende Aversionen
und Aggressionen seines Probanden Max Madlener geradezu
herausgefordert hatte. Wäre da nicht der Anruf von Dr. Ellen
Herzog genau in dem Augenblick gekommen, die ihn zu sich
in die Pathologie gebeten hatte, als er schon den dicken Filzstift
schreibbereit in der Hand gehabt hatte …

Er klingelte an der schweren zweiflügeligen Holztür zur Praxis.
Ob dieser Besuch etwas brachte? Wahrscheinlich eher nicht.
Aber wenn Madlener in seinem Ermittlermodus war, und er
hatte jetzt innerlich einen Gang höhergeschaltet, nutzte er jede
noch so geringe Möglichkeit, der Wahrheit auf die Schliche zu
kommen, und wenn sie auch noch so unwahrscheinlich war.

Endlich ertönte der Summton, und Madlener drückte die Tür
auf.

Das Gesicht der Empfangsdame erstarrte bei seinem Anblick
für den Bruchteil einer Sekunde – etwa so lange, wie der Urknall
gebraucht hatte, um das Universum entstehen zu lassen –, bevor
die Andeutung eines verkniffen-humorlosen Lächelns auf ihrem
Antlitz erschien wie bei Stalin, als er hörte, dass man ihm dereinst
nach seinem Ableben ein Mausoleum errichten und ihn für diesen
Zweck einbalsamieren würde.

»Ich nehme an, Sie haben keinen Termin, Herr Madlener«,
sagte sie mit einem leichten Tremolo in der Stimme und stellte
sich vorsichtshalber mit ihren diesmal mintgrünen Birkenstock-
Sandalen vor die Tür zum Sprechzimmer, weil sie völlig zu Recht

annahm, dass Madlener das Allerheiligste aufsuchen wollte. Offensichtlich traute sie ihm durchaus zu, dass er zu diesem Zweck auch Gewalt anzuwenden bereit war, denn sie verschränkte die Arme vor der Brust, um anzudeuten, dass dieser Vorsatz nur über ihre Leiche umzusetzen war. Passend zum Farbton ihrer Birkenstock-Sandalen, die auf Madleners Liste der ästhetischen Entgleisungen, die die Welt ein gutes Stück hässlicher machten, auf Platz drei angesiedelt waren – hinter dem begehbaren Darm einer Wanderausstellung der proktologischen Ärztevereinigung und den Anzügen von Florian Silbereisen –, trug Frau Zettler, an deren Namen er sich noch sehr gut entsinnen konnte, ein ebenfalls mintgrünes Kleid. Von Schnitt und Bonbonfarbton her erinnerte es ihn an die Uniform von Lieutenant Uhura vom »Raumschiff Enterprise«, aber an die alten Folgen aus der Steinzeit des Fernsehens. Er musste sich gewaltsam bremsen, um seiner ins Kraut schießenden Phantasie Zügel anzulegen, die sofort einsetzte, sobald er die Ordination von Dr. Auerbach betrat.

Vielleicht lag das aber auch an dem schwer in der Luft hängenden Parfüm der Empfangsdame, unverkennbar »Opium« von Yves Saint Laurent, das stets eine sofortige Atembeklemmung sowie eine LSD-ähnliche Reaktion seiner Sinne auslöste, vergleichbar nur mit der blitzartig einsetzenden Wirkungsweise von Agent Orange auf das Blattwerk des Dschungels im Mekong-Delta.

Madlener wurde schlagartig klar, dass sein Aggressivitätspegel und seine Angriffslust sofort astronomisch hohe Werte erklommen, sobald er hier war. Vielleicht konnte Dr. Auerbach ihm erklären, warum das so war. Was hieß da »vielleicht« – das war sein Job. Aber deshalb war er nicht hergekommen.

»Nein«, sagte Madlener zu Frau Zettler. »Das heißt: Ja, Sie nehmen richtig an. Ich habe keinen Termin. Aber ich brauche einen. Und zwar sofort.«

Er zückte seinen Dienstausweis und war zum ersten Mal in seinem Leben dankbar dafür, dass er einen hatte und sich damit Dinge erlauben und Rechte verschaffen konnte, die dem Normalbürger verschlossen waren.

»Ich bin dienstlich hier«, erklärte er, »und ich muss den Herrn Doktor dringend sprechen. Es geht um Ermittlungen in einem

Kriminalfall, Gefahr im Verzug, verstehen Sie? Mir reichen ein paar Minuten seiner überaus kostbaren Zeit«, fügte er mit dem ganzen öligen Charme hinzu, den er aufbieten konnte, weil er wusste, dass er bei Frau Zettler und ihrem Chef sowieso unten durch war und bis zum Jüngsten Tag nicht mehr punkten konnte, egal, was er tat, und egal, in welche Harfensaiten er griff.

Wenn dies jetzt die Lobby einer psychiatrischen Klinik gewesen wäre, hätte Frau Zettler bestimmt den roten Alarmknopf unter dem Tresen gedrückt, und aus allen Türen wären Wärter mit Ralf-Möller-Statur und einer reißfesten Zwangsjacke herbeigeeilt, aber so blieb ihr nichts anderes übrig, als beschwörend zu flöten: »Warten Sie hier! Ich bin gleich wieder da!«. Und schon verschwand sie nach kurzem Anklopfen im Sprechzimmer ihres Chefs.

Madlener sah sich zum ersten Mal genauer im Vorraum um. Bei seinen Sitzungen mit Dr. Auerbach war er regelmäßig zu spät gekommen und sofort ins Sprechzimmer geführt worden. Weiße Wände, zwei Grünpflanzen exotischer Herkunft, vier Barcelona-Loungesessel von Mies van der Rohe in Weiß, sicher echt und keine billigen Kopien, dazu ein weiß lackierter Dielenboden. Das war alles. Kein Tisch, keine Zeitschriften, nichts, was ablenken konnte von der Beschäftigung mit sich selbst. Dann natürlich die mattweiße Theke, hinter der sich normalerweise Frau Zettler verschanzte, der einzige Farbtupfen in dieser weißen Vorhölle.

An der Wand hingen abstrakte Bilder, die entweder von einem ihm unbekannten Künstler waren oder ins Riesige aufgeblasene Rorschachtests. Es waren zehn Tafeln, teils nur tintenklecksartig schwarz, teils bunt. Als er genauer hinschaute, war er sich sicher, dass es Rorschachtestbilder waren. Sie alle waren symmetrisch, wie einmal in der Mitte vertikal gefaltet. Seltsam, dass er es in letzter Zeit so oft mit Erzeugnissen zu tun hatte, die gefaltet waren, Origami zum Beispiel. Sie waren ohne erkennbare künstlerische Intention, eher wie zufällige Kleckse, die Kinder im Waldorfkindergarten beim Malen ihres Vornamens fabriziert hatten. Er begann sich zu wundern, weil ihm einfiel, dass er einmal gelesen hatte, dass Psychiater, die solche Bilder benutzten, sie unter Verschluss hielten, damit ein möglicher Proband, bei dem sie angewendet werden sollten, um seine Persönlichkeitsstruktur und sein Unbewusstes zu testen und zu interpretieren, nicht voreingenommen, sondern spontan reagieren konnte, wenn er sie zum ersten Mal zu Gesicht bekam.

Er betrachtete ein Bild, unter dem nur »Tafel 9« stand: drei Kleckse links und rechts übereinander, von oben nach unten orange, hellblau und rosa, und überlegte, was das Bild wohl bedeuten konnte. Er war so konzentriert, dass er das leichte Knarzen der Dielenbretter gar nicht hörte, als sich plötzlich jemand in seinem Rücken räusperte.

Madlener drehte sich um und sah Dr. Auerbach da stehen, der ihn durch seine dicken Brillengläser, die seine Augen fast schon grotesk vergrößerten, studierte. Madlener kam sich vor, als würde er wie ein Käfer durch eine Lupe examiniert. Hinter Dr. Auerbach ging Frau Zettler zum weiß gelackten Wandschrank, öffnete eine Tür und holte eine Tasche und einen Mantel heraus, den sie anzog.

Dr. Auerbach hatte sich nicht verändert: immer noch die gleiche in Fleisch und Blut übergegangene Herrenmenschenattitüde, der graue Anzug, die dazu passende Weste, eine gepunktete Fliege auf dem weißen Hemd mit gestärktem Kragen, die Taschenuhr an ihrer goldenen Kette in der Westentasche. Und ein undefinierbares Lächeln im Gesicht, als er Madlener ansprach. »Na – was sagt Ihnen dieses Bild?«

Für einen Psychiater, der sich für die Reinkarnation von Dr. Freud hielt, musste Madlener sich bei so einer Frage schon gehörig ins Zeug legen und ihm auch etwas Interpretierbares anbieten. Also antwortete er: »Ich sehe ein loderndes Feuer, über dem Rumpelstilzchen hin und her springt und singt: ›Heute back ich, morgen brau ich, übermorgen hol ich der Königin ihr Kind.‹ Ist das jetzt richtig oder falsch?«

Dr. Auerbach schüttelte indigniert den Kopf. »Es gibt kein Richtig oder Falsch, Herr Madlener. Es gibt nur Ihre individuelle Interpretation. Und die lässt gewisse Rückschlüsse zu. Zum Beispiel, dass Sie sich diesen Quatsch ausdenken, weil Sie nicht wollen, dass man zu tief in Sie hineinschaut.«

»Stimmt exakt. Das kann ich auf den Tod nicht ausstehen. Oder wollen Sie etwa, dass man tief in Ihr Inneres blickt?«

»Haben Sie etwas zu verbergen? Oder haben Sie Angst, dass man Ihr wahres Ich durchschaut?«

»Tz, tz, tz. Dass Leute aus Ihrer Branche einfach nicht von ihrer alten Masche lassen können, eine Frage mit einer Gegenfrage zu beantworten.«

»Stimmt. Dann stelle ich jetzt einfach mal die Behauptung auf, dass Sie Angst haben. Unbewusst. Und deshalb ständig so … so voller Aggression sind.«

»Berufskrankheit, Doktor. Das Einzige, vor dem ich wirklich Angst hätte, wäre die Honorarforderung, die Sie an mich stellen könnten.«

Dr. Auerbach lachte amüsiert. »Touché.«

Frau Zettler nutzte die kleine Pause, näherte sich mit aller gebotenen Zurückhaltung und sagte: »Ich mache dann Feierabend, Herr Doktor. Außer, Sie brauchen mich noch …«

Dabei war sie sich nicht zu schade, einen gezielten Blick in Richtung Madlener zu werfen, der unzweifelhaft signalisieren sollte, dass sie jederzeit bereit war, dabei mitzuhelfen, gegen Madlener handgreiflich zu werden. Wahrscheinlich hatte sie den Kurs »Gezielter körperlicher Einsatz gegen renitente Patienten« an der örtlichen Volkshochschule besucht und mit Auszeichnung abgeschlossen, indem sie den Kursleiter binnen zwei Sekunden mit dem tibetanischen Kreuzbrechergriff zu Boden geworfen hatte.

Dr. Auerbach sagte grenzwertig spaßig: »Danke, Frau Zettler, aber mit Herrn Madlener werde ich schon fertig. Schönen Abend noch.«

Frau Zettler nickte: »Danke, ebenfalls«, und verließ die Ordination, nicht ohne Madlener mit völliger Nichtbeachtung zu bestrafen.

Dr. Auerbach wandte sich wieder Madlener zu. »Also – was verschafft mir das zweifelhafte Vergnügen Ihres Besuchs?«

»Wollen wir nicht lieber in Ihr Sprechzimmer gehen?«

»Nicht nötig. Es dauert ja nicht lange, wie mir meine Sprechstundenhilfe versichert hat.« Er zog tatsächlich seine Taschenuhr heraus, um einen Blick darauf zu werfen, bevor er sie wieder zurücksteckte. »Sie haben fünf Minuten. Worum handelt es sich?«

Er nahm seine Brille ab und putzte sie gründlich mit einem gestärkten und gebügelten Taschentuch, das er aus seiner Brusttasche gezogen hatte und das farblich mit seiner Fliege korrespondierte.

»Na schön«, sagte Madlener, »es geht um jemanden, mit dem Sie sich anlässlich eines Gerichtsgutachtens auseinandergesetzt haben.«

Dr. Auerbach legte seine Stirn in Falten und setzte seine Brille umständlich wieder auf. »Herr Kommissar, in Ihrem Beruf dürften Sie sicher schon etwas von der ärztlichen Schweigepflicht gehört haben ...«

»Herr Dr. Auerbach, vielleicht können Sie in diesem Fall eine Ausnahme machen.«

Er schüttelte den Kopf. »Was diesen Punkt angeht, halte ich mich strikt an die Regeln. Keine Ausnahme.«

»Es handelt sich nicht um einen Ihrer Patienten, Doktor. Es geht mir um die Beurteilung des Zustands eines Angeklagten, dem Sie als erfahrener Psychiater Auge in Auge gegenübergesessen haben. Ich will von Ihnen nur hören, für wie gefährlich Sie ihn halten. Dieses Gespräch bleibt unter uns. Aber Sie könnten unter Umständen verhindern, dass noch mehr passiert.«

»Wollen Sie damit andeuten, dass schon etwas passiert ist?«

»Allerdings. Und so, wie die Sache aussieht, war das noch nicht alles. Sie könnten uns dabei helfen, dies rechtzeitig zu verhindern.«

»Sie wollen also Ihre Verantwortung auf mich abladen? Obwohl ich mit Ihren Angelegenheiten nicht das Geringste zu tun habe? Alle Achtung – ich muss schon sagen, Sie haben Nerven!«

»Alles, was ich will, ist Ihre persönliche Einschätzung.« Er sah Dr. Auerbach eindringlich an und fuhr fort: »Es dreht sich hier wahrlich nicht um persönliche Eitelkeiten oder billige Retourkutschen oder was auch immer aus der Psychokiste, Doktor. Oder dass ich mal eine Beziehung zu Ihrer Tochter hatte, die nicht Ihre Billigung fand, weil ich sie Ihrer Ansicht nach nicht verdient hatte. Geschenkt. Noch einmal – alles, was ich will, und alles, was ich brauche, ist eine Antwort auf die Frage: Wie tickt der Mann? Hat er wirklich jemanden umgebracht? Wenn ja: Ist er fähig, es wieder zu tun? Nur um sein Ego zu befriedigen?«

»Und Sie glauben, alle diese existenziellen Fragen soll ich aus dem Stegreif beantworten können?«

»Ja.«

»Obwohl Sie es geschafft haben, mich schamlos hinters Licht zu führen? Obwohl Sie es geschafft haben, mich mit ihren Lügengeschichten so weit zu treiben, dass ich mich bei meiner eigenen Tochter lächerlich gemacht habe?«

»Ja.«

»Warum sollte ich das tun?«

»Ganz einfach: weil Sie es können.«

Dr. Auerbach stellte sich lange vor das Bild, unter dem nur »Tafel 9« stand, und schien es zu betrachten, bevor er weitersprach: »Wissen Sie, was die meisten Probanden sagen, wenn sie dieses Testbild vorgelegt bekommen und benennen sollen, was es darstellt?«

»Sagen Sie's mir.«

»Es ist ein Mensch.«

Er betrachtete immer noch das Bild vor seiner Nase. »Aber das ist ohne Bedeutung. Darum hängen diese Bilder hier, für jeden zugänglich, obwohl das nicht üblich ist. Weil sie meiner Meinung nach für den Prozess der Persönlichkeitsfindung unerheblich sind. Eine törichte Erfindung Anfang des 20. Jahrhunderts, als die Psychiatrie noch in den Kinderschuhen steckte, gewissermaßen. Wissenschaftlich längst überholt.«

Dr. Auerbach drehte sich wieder zu Madlener um. »Um wen geht es?«

»Um Ferdinand Aigner.«

»Ferdinand Aigner ... ich erinnere mich. Starke Persönlichkeit. Hohe Intelligenz. Nicht ungebildet. Aber vom Hass förmlich zerfressen. Selbsthass und Hass auf andere. Er projiziert die Schuld an seinem eigenen Versagen, seiner eigenen Unfähigkeit, seinem eigenen verpfuschten Leben auf andere. Und diese Projektion kann sehr, sehr stark sein. So stark, dass er durchaus fähig ist zu töten. Ist er wieder ... draußen?«

»Ja.«

»Hat er schon was angestellt?«

»Ja. Aber so geschickt, dass wir ihm nichts nachweisen können. Brandstiftung. Er hat einen Weinberg abgefackelt.«

Dr. Auerbachs Blick sagte Madlener, dass sogar er, der aus beruflichen Gründen in manche menschlichen Abgründe geblickt hatte, die sich der normalen Ratio entzogen, mehr als erstaunt war. »Einen was? Einen Weinberg?«

»Ja.«

»Das ist in der Tat außergewöhnlich. Der Mann hat Sinn für dramatische Effekte. Womit?«

»Benzin.«

»Ich befürchte, das ist erst der Anfang.«

»Was meinen Sie – der Anfang wovon?«

»Behalten Sie ihn im Auge. Der Mann ist gefährlich. Er wird nicht aufhören, ohne Zweifel. Er hatte zehn Jahre Zeit, um darüber nachzudenken. Und er hat den Willen und die Persönlichkeitsstruktur, um seine Rachephantasien auch in die Tat umzusetzen. Es wird nicht bei einer Brandstiftung bleiben. Das muss er toppen, sich steigern. Er hat Geschmack daran gefunden. Um die Konsequenzen schert er sich nicht. Sie müssen ihn aufhalten. Sonst wird er sich an allen rächen.«

»An wem?«

»Projektion! Verstehen Sie denn nicht? Sein Anwalt, der Richter, der Staatsanwalt. Alle, die er für schuldig hält, ihm einen Großteil seines Lebens gestohlen zu haben. Er belässt es nicht bei einer Brandstiftung. Die war erst das Vorspiel. Die Ouvertüre zu einer ganz großen Oper.«

»Was ist mit Ihnen?«

»Für mich hat er sich nicht interessiert. Er hatte seinen Fokus auf andere gerichtet.«

»Warum hat er sich ausgerechnet Ihnen gegenüber offenbart?«

»Hat er nicht. Im Gegenteil. Er hat seine wahren Gefühle versteckt. Und sie damit umso offener präsentiert.«

»War er schuldig? Schuldig im Sinne der Anklage?«

»Des Totschlags? Oder des Mordes, wenn Sie so wollen?«

»Ja. War er es? Ist er dazu fähig gewesen?«

»Fähig durchaus. Doch höchstwahrscheinlich nicht schuldig. Aber das hatte ich nicht zu beurteilen. War ein reiner Indizienprozess. Es gab kein Geständnis. Seine Schuld festzustellen war eine Sache des Gerichts.«

Madleners Smartphone vibrierte. Er sah kurz nach, wer der Anrufer war – Harriet –, und stellte es aus. Dann fixierte er wieder Dr. Auerbachs blassgraue Augen, die ihn groß hinter ihren Brillengläsern anstarrten. »Ist das echte Besorgnis?«, fragte er. »Oder warum haben Sie mir das alles jetzt doch erzählt?«

Dr. Auerbach fasste Madlener sogar an den Oberarm, wenn auch nur kurz: »Madlener – Sie müssen diesen Aigner stoppen!« Dann ließ er wieder los. Bisher hatte er es um jeden Preis vermieden, dass es auch nur zu einer zufälligen Berührung zwischen ihnen gekommen war. Er machte einen Schritt zurück, nahm die Brille erneut ab und sah sie gegen das Licht an, als ob sie in der kurzen Zeit, in der er sie nach dem Putzen aufgesetzt hatte, wieder schmutzig geworden wäre. »Ich will Ihnen sagen, warum ich Ihnen das alles erzählt habe: weil Sie sich mir zum ersten Mal geöffnet haben. Weil Sie zum ersten Mal authentisch sind, gewissermaßen ohne Ihre sonstige Maske der Durchtriebenheit. Der Fall Aigner hat Sie unter Strom gesetzt, und das haben Sie mir gegenüber nicht verborgen. Und dann kommt noch etwas Persönliches hinzu …«

»Ich höre.«

»Meine Tochter hat ihre Beziehung zu Ihnen beendet.«

Er setzte seine Brille wieder auf.

»Hat sie Ihnen das gesagt?«, fragte Madlener.

»Angedeutet.«

»Und was geht Sie das an?«

»Gar nichts. Alles.«

Dr. Auerbach breitete die Arme aus. »Sie sind nicht der Richtige für sie. Waren es nie. Aber das musste sie selbst herausfinden.«

»Und Sie wollen das beurteilen?«

»Niemand kennt meine Tochter so gut wie ich. Niemand.«

»Nicht einmal sie selbst? Ellen ist erwachsen!«

»Sagen Sie es mir selbst, Kommissar: Hat sie nicht mehr verdient? Mehr als einen selbstmitleidigen, ehrpusseligen, durchtriebenen, hochneurotischen, zweiflerischen Mann wie Sie, der ständig auf der Suche nach der absoluten Wahrheit ist, die es nicht gibt, und der sich dabei selbst verloren hat, aber das nicht einmal merkt?«

»Sie reden über den Hass bei anderen, dabei hassen Sie sich selbst. Weil Sie nicht loslassen können. Sie haben Ihre Tochter domestiziert, und darunter leiden Sie. Und mich wollten Sie stückchenweise sezieren. Mit Ihrem schärfsten Skalpell, Ihrem Überheblichkeitswahn. Ich konnte nicht anders, ich musste Sie und Ihre Selbstherrlichkeit gegen die Wand fahren lassen.«

»Dazu haben Sie meine Tochter benutzt.«

»Nein. Das habe ich nicht. Ich habe erst später erfahren, dass die Frau, die ich kennen- und lieben gelernt habe, Ihre Tochter ist.«

»Das schließt nicht aus, dass Sie sie gegen mich benutzt haben.«

»Ich denke, das sollte sie selbst beurteilen. Sie ist alt und gescheit genug.«

»Lassen Sie in Zukunft Ihre Finger von ihr.«

»In welcher Welt leben Sie, dass Sie mir drohen?«

»Jedenfalls nicht in Ihrer.«

»Dass ich es gewagt habe, Ihren heiligen Bannkreis zu betreten – das können Sie mir natürlich nie verzeihen.«

»Nein. Niemals.«

Sie funkelten sich an wie zwei Duellanten im Morgengrauen, bevor sie sich beide Rücken an Rücken stellten, jeder zwanzig Schritte machten und dann, auf ein Kommando, aufeinander anlegten und schossen. Vielleicht hätten sie es in diesem Augenblick tatsächlich getan, wenn sie Waffen zur Hand gehabt hätten. Aber Dr. Auerbach besaß keine, und Madlener hatte die seine wie immer im Safe seines Hotelzimmers vergessen.

»Finden Sie nicht, dass wir uns jetzt genügend gegenseitig gekratzt, getreten, bespuckt und analysiert haben?«, fragte Madlener in die Stille hinein.

Dr. Auerbach öffnete die Tür zum Treppenhaus, zog sie demonstrativ weit auf und machte für Madlener einen Schritt zur Seite, bevor er mit der Hand auffordernd hinaus zum Treppenhaus wies. »Ja, es war mir auch ein wahres Vergnügen.«

»Ganz meinerseits«, entgegnete Madlener und trabte die Treppe im Schnellgang hinunter, obwohl er regelrecht erschöpft war. Doch das hätte er vor Dr. Auerbach nicht zugegeben. Wie viele Runden hatte ein Boxkampf in der Schwergewichtsklasse? Zwölf. Es kam ihm vor, als ob sie glatte zwanzig Runden aufeinander eingeschlagen hatten. Zwar nur verbal, aber es fühlte sich auch körperlich so an, als Madlener die schwere Außentür öffnete und sie hinter sich ins Schloss fallen ließ.

34

Kaum saß er in seinem Auto, schon suchte Madlener nach der David-Bowie-CD, die er am Morgen extra aus seiner großen Sammlung im Hotelzimmer mitgenommen hatte, weil er annahm, sie würde ihn irgendwie inspirieren. Er fand sie, schob sie in den Player und drehte auf. Wenn er diesen überbordend aggressiven Song »Putting Out Fire« mit Aigner gedanklich in Verbindung brachte und sich vorstellte, wie Aigners triumphierendes Gesicht am brennenden Weinberg vom Widerschein der lodernden Flammen erleuchtet worden war, dann musste er Dr. Auerbachs Einschätzung von Aigners Innenleben vollkommen recht geben. Dieser Mann war wirklich gefährlich. Aber was für eine rechtliche Handhabe hatten sie gegen ihn? Gar keine. In einem Rechtsstaat konnte man keinen Menschen mit dem Verdacht auf ein späteres Verbrechen einsperren, da brauchte man schon handfeste Beweise.

In Madlener kochte die Wut hoch, wenn er an Aigners selbstzufriedenen und spöttischen Gesichtsausdruck dachte, als er vor ihm im Vernehmungsraum saß. Aigner hatte ihn schön auflaufen lassen und es auch noch genossen. Wahrscheinlich, weil er in Gedanken schon bei seinem nächsten Streich war und wie er die Bullen dabei mit einer erneuten Finte ins Leere laufen lassen würde. Es war ein Fehler gewesen, Aigner nicht lückenlos von zwei Teams beschatten zu lassen. Harriet allein konnte das niemals bewerkstelligen, zumindest Götze hätte er an ihre Seite beordern sollen, anstatt ihn von Thielen mit dem sinnlosen Auftrag durch die Lande schicken zu lassen.

Madlener schlug wütend über sein Versäumnis aufs Lenkrad – Mist, Mist, Doppelmist! Dieser verfluchte Personalnotstand! Er hätte Thielen überreden müssen, die für eine Vierundzwanzig-Stunden-Überwachung nötigen Leute von außerhalb anzufordern. Jetzt war es bestimmt schon zu spät.

Der Song, der gar nicht mehr aufhören wollte – das »Putting out fire« setzte sich förmlich in Madleners Gehirn fest –, machte ihn noch aggressiver, als er sowieso schon war.

Sein Smartphone, das er im Treppenhaus von Dr. Auerbachs Ordination zurück auf Klingelton geschaltet hatte, läutete und ließ ihn wieder in die Realität zurückkommen. Er schaltete den Player aus und nahm den Anruf an.

»Ja, Harriet?«, meldete er sich und wusste gleichzeitig, was passiert war. Sie hatte Aigner aus den Augen verloren. Und genau das sagte sie ihm, nachdem sie kurz erwähnt hatte, wie oft sie schon versucht hatte, ihn zu erreichen.

Es war in Friedrichshafen passiert, wo Aigner nacheinander mehrere Geschäfte aufgesucht und Harriet auf Trab gehalten hatte. Vorher war er stundenlang kreuz und quer durch die Gegend gefahren und hatte sie an der Nase herumgeführt wie einen Tanzbären am Nasenring quer durch die Manege. In einem Laden für Bürobedarf hatte er mehrere DIN-A3-Bogen, schwarz, gekauft, in einem Getränkemarkt ein paar Sixpacks, in einem Supermarkt Lebensmittel, und in einem Kaufhaus hatte er mehrere Hosen anprobiert, aber keine mitgenommen. Dann hatte er es plötzlich eilig und war in einem Aufzug zum Parkhaus verschwunden. Harriet spurtete ihm vergeblich nach, aber während die Aufzugstür zuging, hatte er ihr sogar noch hämisch zugewinkt. Als sie die Treppenstufen zur dritten Parkebene hochgehetzt kam, raste er schon mit quietschenden Reifen vor ihren Augen die Abfahrtsrampe hinunter. Bis sie zu ihrem Auto und auf die Straße gelangt war, hatte sich der Datsun samt Fahrer bereits in Luft aufgelöst.

»Harriet«, sagte Madlener eindringlich in sein Smartphone, »fahr jetzt so schnell wie möglich zum Landgericht nach Ravensburg. Ich komme da auch hin. Es kann sein, dass Aigner dort etwas mit Matussek vorhat. Ich habe keinen Hinweis darauf, wir können deshalb keinen Alarm auslösen, es ist einfach nur ein Gefühl. Ich kann mich auch täuschen. Aber ich rufe ihn jetzt an, um ihn zu warnen.«

»Nicht nötig. Lass dir Zeit, ich bin schon in Ravensburg«, beruhigte sie ihn. »Ich komme gerade aus dem Gerichtssaal. Matussek hat sich vor zehn Minuten auf den Platz des Anklägers gesetzt. Er ist gesund und munter.«

Madlener atmete erleichtert auf, weil er sich auf Harriet wirklich verlassen konnte. »Gott sei Dank. Ich werde dich morgen dafür loben. Kauf dir in der Kantine, falls es so was gibt, eine Cola light auf meine Rechnung und warte dort auf mich.«

»Ich bin gerade auf dem Weg in die Tiefgarage, wo Matussek normalerweise parkt, vielleicht finde ich Aigners Wagen ...«

»Harriet, lass das! Aigner ist gefährlich. Ich möchte nicht, dass er dir noch irgendwo auflauert. Hast du verstanden?«

Madlener hörte über das Smartphone bei Harriet im Hintergrund Sirenen aufheulen und fragte: »Was ist da los bei dir?«

»Das möchte ich auch gern wissen. Sanka, Notarzt und Polizei. Sie fahren ins Parkhaus. Warte mal, ich geh da runter, bleib dran ...«

Madlener hörte, wie Harriet losspurtete und mit jemandem sprach. Dann sagte sie: »Es ist jemand im Parkhaus niedergeschlagen worden. Sie sind von der Rettungsleitstelle informiert worden, wissen noch nicht, wer es ist. Warte ... männlich, über sechzig, Glatze. Shit, das könnte Aigner sein ...«

»Harriet, hör mir zu ...«

Aber Harriet lief weiter, er konnte ihre klackernden Schritte und ihren keuchenden Atem deutlich hören, sie schien über das Mikro ihres Headsets mit ihm zu sprechen. »Ich bin hinter dem Notarzt ... warte ... da vorne ... bin gleich da ...«

Wieder hörte er nur Keuchen und Schritte. »Jetzt ... oh Shit ... da liegt einer ... alles voller Blut ... eine Menge Leute drumherum ... Lassen Sie mich durch ... Herrgott, ich bin von der Polizei! Hier, mein Ausweis, Kripo Friedrichshafen! ... Da liegt er, neben seinem Auto, der braune Datsun ... sieht schlimm aus. Die Sanis kümmern sich um ihn. Er bewegt sich nicht ...«

»Harriet – ist es Aigner?«

»Ja, er ist es. Aber ich erkenne ihn nur an seiner Jacke und an seiner Glatze, sein Gesicht ist völlig blutig und zermatscht ...«

»Lebt er, Harriet?«

»Sieht so aus, kann nicht viel erkennen, die Ärzte ... warte, warte, ich schick dir ein Bild ...«

Es dauerte ein paar Sekunden, dann hatte Madlener das Foto auf seinem Smartphone. Es war wirklich nur an der Glatze zu erahnen, dass es Aigner war. Sein Gesicht war blutiger Brei.

»Harriet«, sagte Madlener in sein Smartphone, »bleib, wo du bist. Ich fahre nach Ravensburg, warte auf mich.«

»Nein«, kam die Antwort, »ich frage mal …«

Hallende Stimmen, Geschrei, Madlener verstand kein Wort. Dann wieder Harriet. »Sie bringen ihn in die Klinik nach Friedrichshafen. Die haben da einen Spezialisten für Gesichtschirurgie. Wir treffen uns dort. Hast du mich verstanden?«

»Ja, Harriet. Klinikum Friedrichshafen. Bis gleich.«

Er drückte sie weg und fuhr los.

35

Madlener betrat das Klinikum Friedrichshafen mit gemischten Gefühlen. Einerseits schwirrten ihm natürlich die neuesten Entwicklungen im Fall Matussek/Aigner durch den Kopf und dazu allerlei mögliche Spekulationen, mit denen er sich aber erst auseinandersetzen wollte, sobald er alle Fakten auf dem Tisch hatte. Andererseits bestand die große Wahrscheinlichkeit, Dr. Ellen Herzog über den Weg zu laufen. Für den Fall dieser Begegnung hatte er sich zwar innerlich gewappnet, aber er wusste beim besten Willen nicht, wie er sich dann verhalten sollte: betont neutral, wie sie es tat – allerdings mit einem Hauch Herablassung, die sie wohl von ihrem Vater geerbt hatte? Oder projizierte er schon etwas in sie hinein, was objektiv gar nicht vorhanden war – außer in seiner Einbildung?

Oder wartete sie vielleicht nur darauf, dass er endlich über seinen Schatten springen würde und den ersten Schritt machte?

Oder, Möglichkeit Nummer drei, wenn man den Aussagen ihres Erzeugers Dr. Auerbach Glauben schenkte: Sie wollte überhaupt nichts mehr von ihm wissen, und für sie war die Affäre Madlener schon längst Geschichte? Hatte er das nur noch nicht kapiert?

Er sah sich um und ging an die Empfangstheke, hinter der ein vollbärtiger junger Mann Dienst schob und privat telefonierte – er kroch förmlich in den Hörer und lachte einschmeichelnd. Madlener hatte keine große Lust, zu warten, bis das Gesülze zu Ende war, sondern hielt ihm einfach seinen Ausweis unter die Nase. »Zur Chirurgie. Wohin?«

Im Gang vor der Chirurgie wartete Harriet bereits auf ihn.

»Aigner ist noch drin«, sagte sie zur Begrüßung. »Ich habe schon mit einem Arzt gesprochen. Er wird's überleben. Der Arzt sagte, es sieht nach mehreren Faustschlägen in Gesicht und Abdomen aus. Nase gebrochen, Platzwunden, Hämatome, rechtes Jochbein angebrochen, geplatzte Lippen, ein Zahn abgebrochen, keine inneren Verletzungen. Ich habe sogar kurz mit ihm gesprochen, bevor sie ihn in den OP geschoben haben.«

»Konnte er dir sagen, wer das war?«, fragte Madlener.

»Ja. Matussek.«

Madlener zog hörbar die Luft durch die Zähne ein. »Ach du lieber …«

»Genau das habe ich mir auch gedacht«, bestätigte Harriet.

»Wie soll das passiert sein? Ich dachte, du hast Matussek im Gerichtssaal gesehen …«

»Ja. Hab ich.«

»Wie sah er aus? Hast du ihm irgendwas angemerkt?«

»Nein. Nicht das Geringste. Er kam in seiner Robe herein und hat seine Unterlagen geordnet. Soweit ich mich erinnern kann, hat er nicht gezittert oder war sonst wie nervös oder fahrig.«

»Passt das zeitlich?«

Harriet zuckte mit den Schultern. »Zeitlich kann das hinhauen. Soll ich nach Ravensburg zurück und Matussek vernehmen?«

»Nein. Warten wir ab, bis Aigner vernehmungsfähig ist. Vielleicht hast du ihn falsch verstanden … Bei den Verletzungen, die er hat, kann er sich doch kaum artikulieren, vielleicht wollte er was anderes sagen …«

»Er konnte mich sehr wohl verstehen. Ich hab ihn nach der ersten Notversorgung gefragt, ob er erkennt, wer ich bin, und er hat genickt und etwas gemurmelt, das nach ›Fäuein Obi‹ klang. Es dauerte eine Weile, bis ich kapiert habe, dass er ›Fräulein Holtby‹ meint. Aber das ist seine charmante Art, mich zu ärgern.«

»Die er nicht einmal vergisst, wenn er niedergeschlagen wird. Bemerkenswert. Dann war er also klar bei Verstand und wusste genau, was er sagte.«

»Sieht so aus. Ich habe ihn gefragt, wer das war, der ihn so zugerichtet hat. Und weißt du, was er getan hat?«

»Was?«

»Mit der Hand gefuchtelt, so, als wolle er was aufschreiben.«

»Und?«

Sie zog ein Blatt Papier aus der Jacke und drückte es Madlener in die Hand. Darauf stand in ungelenker, aber deutlich lesbarer Schrift »Dr. M«.

Harriet schniefte und meinte: »Und jetzt sag bitte nicht, das könnte auch Dr. Mabuse heißen!«

»Weiß irgendjemand davon?«, fragte Madlener. »Wenn das an die Presse gerät, ist der Teufel los.«

»Nein. Bis jetzt nicht.«

»Na schön, wir brauchen eine Aussage von Dr. Matussek zu dieser Anschuldigung, aber vorher informierst du Kriminaldirektor Thielen. Ich bleibe hier, bis ich selbst mit Aigner reden kann.«

Harriet wollte schon weg, aber Madlener hielt sie am Ärmel fest. »Und, Harriet …«

Harriet blieb stehen und ließ ihn auf ihre unwiderstehlich trockene Art gar nicht zu Wort kommen: »Ich weiß schon – kein Wort zu niemandem und sofort die Kollegen in Ravensburg anrufen und sie bitten, dass sie die Überwachungsbilder von der Tiefgarage beschlagnahmen.«

»Ganz genau. Kannst du Gedanken lesen?«

»Nein. Ich bevorzuge es, selber zu denken.«

Madlener nickte zufrieden und machte die Telefongeste.

»Klar«, sagte sie. »Ich halte dich telefonisch auf dem Laufenden.«

Damit drehte sie sich um und klackerte mit ihren lauten Stiefeln auf dem blitzblank gescheuerten Boden davon, so schnell, dass der obligatorische Rucksack auf ihrem Rücken nur so wippte.

Madlener setzte sich auf die Besucherbank und sah sich nachdenklich den Zettel an, den ihm Harriet in die Hand gedrückt hatte, als ihn jemand ansprach.

»Kommissar Madlener?«

Er blickte hoch und einem schmalgesichtigen Anzugträger ins bebrillte Antlitz, der so harmlos aussah wie ein BWL-Student im vierten Semester und genauso jung. Er hatte eine gegelte Frisur, eine John-Lennon-Brille, die völlig aus der Mode war, und eine braune Ledertasche unter dem Arm. Irgendwie sah er jemandem ähnlich, aber Madlener kam im Moment nicht darauf, wer es war.

»Ja«, sagte er. »Und wer sind Sie?«

»Johannes Adelwarth, Rechtsanwalt«, entgegnete das Milchgesicht und streckte ihm seine Visitenkarte entgegen.

Madlener nahm sie und sah sie an. »Ja?«, sagte er kurz angebunden.

»Herr Madlener, ich vertrete Herrn Ferdinand Aigner. Mein Mandant darf ohne mein Beisein nicht vernommen werden. Wie geht es ihm?«

»Er ist noch im OP. Woher wissen Sie überhaupt, dass Herr Aigner hier ist?«

»Das muss ich Ihnen nicht auf die Nase binden, Herr Kommissar. Ein Anruf zur rechten Zeit. Man hat so seine Quellen. In meinem Beruf heißt es, immer gut informiert zu sein.«

»Seit wann ist Ferdinand Aigner Ihr Mandant?«

»Seit er diese Vollmacht unterschrieben hat. Datum steht unten links.« Er hatte gleichzeitig ein Schriftstück aus seiner braunen Ledertasche geholt und reichte es ihm.

Madlener überflog es und blickte erstaunt hoch. »Seit einer Woche?«

»Exakt. Darf ich?« Mit einer Bewegung, die so schnell war wie die einer zupackenden Giftviper, schnappte er Madlener die Vollmacht wieder aus der Hand und steckte sie sorgfältig weg.

»Herr Rechtsanwalt Adelwarth«, sagte Madlener, »helfen Sie mir mal auf die Sprünge. Sie sehen jemandem ähnlich, ich weiß aber im Augenblick nicht, wem.«

»Sie meinen sicher meine beiden Onkel«, antwortete Adelwarth und nahm die Brille ab, damit es Madlener mit dem Vergleich leichterfiel. »Hugo Schwarz. Oder Hagen Schwarz. Ganz wie Sie wollen.«

Jetzt endlich konnte Madlener ihn einordnen. »Richtig! Die Gebrüder Schwarz, Buntmetalle, Alteisen und Alt-Häftlinge.«

Adelwarth setzte die Brille wieder auf und reagierte pikiert. »Was wollen Sie? Die Gebrüder Schwarz leisten eben ihren Beitrag für die Gesellschaft, indem sie dafür sorgen, dass Exhäftlinge nicht auf der Straße landen.«

»Halleluja, Bruder!«, sagte Madlener mit gehörigem Spott. »Sind Hagen und Hugo Zwillinge? Ich kenne nur einen. Den Amateurjuristen.«

»Das ist der ältere. Hagen. Um zwölf Minuten, wie er mir mal erzählt hat. Doch genug der für diesen Anlass völlig irrelevanten verwandtschaftlichen Aspekte. Was sagen Sie denn dazu?«

Er zeigte mit dem Daumen auf den OP-Bereich, der hinter zwei mit einer entsprechenden Aufschrift geletterten Türen begann.

»Wozu?«, fragte Madlener, dem das Getue des Anwalts allmählich auf den Zeiger ging, und zwar gewaltig.

Adelwarth lächelte überheblich und holte eine kleine Kamera aus seiner Tasche. »Das wird ein gefundenes Fressen für die Presse. Sobald mein Mandant aufwacht, mache ich damit …«, er hob die Kamera in die Höhe wie ein Messdiener die Monstranz, »… ein hübsches kleines Porträt, und morgen wird in allen Zeitungen stehen, regional und überregional, dass Oberstaatsanwalt Dr. Matussek ein feiger, hinterhältiger Schläger ist, der einen armen, wehrlosen, alten Mann, den er ins Gefängnis gebracht hat, nach dessen Verbüßung einer zehnjährigen Haftstrafe – die er möglicherweise abgesessen hat, obwohl er unschuldig war! – überfallen und fast zu Tode geprügelt hat. Ich kann mir die fetten Schlagzeilen bereits vorstellen. Das kommt garantiert im Jahresrückblick bei Günther Jauch. Und zwar noch vor der Hochzeit von George Clooney.«

»Moment mal«, sagte Madlener. »Woher haben Sie das? Dass Matussek für die Verletzungen von Aigner verantwortlich ist?«

»Oh, mein Mandant ist sehr vorausschauend, müssen Sie wissen. Er hat mir gesagt: Sollte ihm jemals etwas zustoßen, dann kommt nur ein Mann dafür in Frage. Ein Mann, der meinen Mandanten beschimpft, mit übler Nachrede verfolgt, mit Verdächtigungen und Drohungen überschüttet und ihn angezeigt hat wegen Brandstiftung. Ohne einen einzigen hieb- und stichfesten Beweis. Nur um Herrn Aigner zu vernichten. Ich möchte gern wissen, warum. Mein Mandant ist so unschuldig wie ein Licht in der Nacht.«

»Womit wir beim Stichwort wären. Der Brand im Weinberg. Herr Aigner ist dringend tatverdächtig. Er hat alles, was man dazu braucht: das Motiv, den Schneid, die Zeit …«

»Dumm für Sie, dass er auch ein Alibi hat.«

»Das steht auf tönernen Füßen. Sehr tönernen.«

»Doch es zählt vor Gericht. Er ist unschuldig. Das hat er mir gesagt, und ich glaube ihm. Aber seine Aussage steht ja gegen das Wort eines Oberstaatsanwalts!« Er hob die Hände theatralisch in die Höhe. »Und Sie – Sie als Vertreter der Staatsmacht – machen nichts anderes, als die Verleumdungen des Dr. Matussek für bare Münze zu nehmen und ihnen nachzugehen. Übereifrig, um den Ausdruck ›über die Grenze des gesetzlich Zulässigen hinaus‹ nicht zu strapazieren. Denn so einem Subjekt wie meinem Mandanten ist ja alles zuzutrauen. Oder etwa nicht? Über eine Dienstaufsichtsbeschwerde denken wir übrigens noch nach, aber das nur ganz am Rande, das hat Zeit.«

»Schon gut, stopp! Es reicht! Was wollen Sie, Herr ... Rechtsanwalt?«

»Tja – jetzt hat sich der Wind gedreht. Jetzt steht nicht länger mein Mandant am Pranger, sondern sein Peiniger. Ich brauche nur noch ein Bild vom Gesicht des Herrn Aigner und die mündliche Bestätigung durch ihn, dass er nach allen Regeln der Kunst zusammengeschlagen wurde, dann hängen wir das an die ganz große Glocke. Und eines können Sie mir glauben: Wir werden diese Glocke läuten, dass gewissen Herrschaften Hören und Sehen vergeht!«

»Wissen Sie, mir ist es herzlich egal, ob Sie sich im Gegenzug eine Klage einhandeln, von mir aus können Sie sich bis zum Jüngsten Tag gegenseitig mit Klagen überziehen. Mir geht es einzig und allein um die Aufklärung eines Verbrechens.«

»Warum sitzen Sie dann hier und nehmen Matussek nicht fest?«

»Wollen Sie mir vorschreiben, wie ich meine Arbeit machen soll?« Madlener war aufgestanden und trat einen Schritt auf Adelwarth zu, der nicht zurückwich.

»Nein. Ich frage Sie nur, ob Sie Ihren Pflichten, bezahlt durch den Steuerzahler, also auch durch mich, im Sinne des baden-württembergischen Polizeiaufgabengesetzes und des allgemeinen Rechtsempfindens nachkommen, wenn Sie nicht willens oder in der Lage sind, unschuldige Bürger wie Herrn Aigner vor einem durchgeknallten Oberstaatsanwalt zu schützen, der glaubt, über dem Recht zu stehen. Das, Herr Kommissar, das frage ich Sie!«

Fast hätte Rechtsanwalt Adelwarth es geschafft, Madlener zu provozieren. Aber auch nur fast. Er tippte Adelwarth mit dem Finger gegen die Brust. »Sie bleiben hier! Wir sprechen uns noch!«

Damit ließ er Adelwarth einfach stehen und stürmte durch die Doppeltür in den OP-Bereich.

»Wo finde ich Ferdinand Aigner?«, brüllte er so laut, dass eine resolute OP-Schwester mit grüner Haube auf dem Kopf in einem verglasten Büro hochschrak und »He, Sie dürfen sich hier nicht aufhalten!« schimpfte, während sie gleichzeitig nach dem Telefonhörer griff, obwohl Madlener seinen Ausweis schwenkte. »Bleiben Sie, wo Sie sind!«, rief sie ihm hinterher, aber Madlener marschierte schon suchend den Gang entlang.

Er riss eine Tür auf, schaute hinein, schlug sie wieder zu und riss die nächste Tür auf. Dort gelangte er in ein Krankenzimmer, in dem Aigner in einem Bett lag, den Kopf dick in Verbandszeug eingewickelt. Eine Schwester justierte gerade einen Tropf, der an seinem Arm hing, ein Monitor zeigte die Kurven seiner Werte. Die Schwester stellte sich sofort vor Madlener. »Was machen Sie hier? Verschwinden Sie!«

Madlener hielt noch immer seinen Ausweis vor sich. »Kripo Friedrichshafen, Madlener. Ich muss ein Wort mit Ihrem Patienten sprechen, es ist dringend. Ein einziges Wort!«

Er schob die protestierende Schwester beiseite, die sofort das Zimmer verließ. Madlener ahnte, dass ihm höchstens eine Minute blieb, bis sich sämtliche Pfleger, Schwestern, Ärzte und Leute vom Sicherheitsdienst und wahrscheinlich auch noch der Hausmeister und die Putzkolonne auf ihn stürzen würden, aber das war ihm in diesem Moment egal.

Aigner blinzelte mit den Augenlidern, die, neben der Stirn und dem Mund, die einzigen Partien des Kopfes waren, die nicht von Verbandszeug oder einem Pflaster bedeckt wurden. Madlener beugte sich zu Aigner hinunter und sah in dessen Augen. Sie waren klar und blickten ihn an, ohne mit der Wimper zu zucken. Madlener hätte schwören können, dass sich darin eine gewisse Belustigung spiegelte.

»Herr Aigner – können Sie mich verstehen?«, fragte er.

Aigner deutete ein Nicken an und brummte, was wohl als Bejahung gelten konnte.

»War es tatsächlich Matussek, der Sie verprügelt hat?«

Wieder ein kaum merkliches Nicken und ein Brummen. Dann bewegten sich Aigners Lippen. »Er war es, der Sauhund. Dr. Matussek!«, sagte er schwerfällig, aber doch so deutlich, wie es ihm in seinem Zustand überhaupt möglich war, bevor die Tür erneut aufgerissen wurde und eine Horde von weiß gekleideten Menschen hereinquoll, um Madlener wegzuzerren, der die Hände zum Zeichen, dass er sich nicht zur Wehr setzen würde, erhoben hatte und sich in den Gang hinausführen ließ.

36

»Himmelherrgott noch mal, Madlener – was haben Sie sich jetzt wieder geleistet?«

Thielen war völlig aus dem Häuschen, er knallte seine Unterlagen nur so auf den Tisch und vergaß sogar, seine dünnen Haarsträhnen über seine Glatze zu legen, die ihm, weil sie zu lang waren, wirr in die Stirn hingen. Sein Gesicht war puterrot – Madlener, der seelenruhig auf seinem Platz im Meeting-Room saß, befürchtete schon, sein Chef könnte vor seinen Augen vor Wut platzen wie ein Luftballon, es fehlte nur noch ein falsches Wort oder, um im Bild zu bleiben, eine Nadel.

»Ich wollte es von Aigner selber hören«, antwortete er vorsichtig und rührte mit dem Löffel in seiner Kaffeetasse.

»Als ob wir nicht schon genügend Chaos hätten!«, sagte der verzweifelte Kriminaldirektor und fuchtelte in Richtung Madlener wild in der Luft herum. »Und Sie machen Ihrem Spitznamen wieder mal alle Ehre und führen sich auf wie der wilde Max!«

»Mad Max«, verbesserte Madlener.

Götze suchte pikiert an seiner geschmacklosen Krawatte nach mikrogroßen Flecken, die nur er sehen konnte, Frau Gallmann schloss die Augen in Erwartung einer vulkanischen Eruption bei Kriminaldirektor Thielen, gegen die der Ausbruch des Eyjafjallajökull auf Island ein müder Rülpser war, und murmelte innerlich ein stilles Stoßgebet, dass dieser Kelch von einer Manöverkritik an ihnen allen vorübergehen möge, und Harriet spitzte ihren Bleistift mit wahrer Inbrunst, obwohl sie ihn eigentlich nie, sondern stattdessen stets ihr Tablet benutzte.

Thielen verbarg das Gesicht in seinen Händen, sammelte sich drei Atemzüge lang und fragte dann so ruhig wie möglich, wobei der drohende Unterton in seiner Stimme nicht zu überhören war: »Wissen Sie, wer mich alles in der letzten Stunde angerufen, beschimpft und sich über Sie und Ihre Methoden beschwert hat?«

Diesmal hielt Madlener lieber seinen vorlauten Mund und zuckte nur mit den Schultern.

Thielen zählte die Antworten an den einzelnen Fingern ab. »Der ärztliche Direktor des Klinikums, der Chefarzt der chirurgischen Abteilung des Klinikums, der Aufsichtsratsvorsitzende Landrat Zollikofer, dummerweise auch noch ein Dr. jur.«, dabei warf er Madlener einen Laserstrahlblick zu, der regelrecht einen scharfen Ozongeruch im Meeting-Room hinterließ, »dann Dr. Matussek natürlich, eine hysterische Oberschwester, deren Name mir entfallen ist, der schrille Ton ihres Anrufs umso weniger, mein linkes Ohr klingelt immer noch, und schlussendlich ein Rechtsanwalt namens Adelwarth, der mir mit juristischen Konsequenzen und einer Dienstaufsichtsbeschwerde gedroht hat – der Chefarzt übrigens ebenfalls, obwohl wir beide im selben Golfclub sind! Da brauche ich mich die nächste Zeit nicht mehr blicken zu lassen. Und das alles habe ich Ihnen zu verdanken, Herr Madlener! Sagenhaft, wie Sie es immer wieder schaffen, binnen fünf Minuten die halbe Welt gegen mich aufzubringen!«

Er stach mit dem Zeigefinger in Richtung Madlener in die Luft, als würde er wieder und wieder einen Knopf drücken, der seinem Kriminalhauptkommissar jedes Mal einen elektrischen Schlag versetzte.

»Und, was haben Sie geantwortet?«, fragte Madlener in einem Ton, als würde er sich nebenbei nach dem Rezept für hausgemachte Kräuterbutter erkundigen.

»Ich warne Sie – treiben Sie es nicht zu weit, Madlener!«, rief ihn Thielen mit blitzenden Augen zur Ordnung, indem er den stechenden Zeigefinger zu einem drohenden umfunktionierte.

Madlener stand auf. »Wir haben noch eine Menge zu besprechen, und deshalb schlage ich vor, dass wir zur Sache kommen. Mein Eindringen in den Tabubereich des Klinikums war einer gewissen Dringlichkeit geschuldet. Ich habe mich deswegen entschuldigt, und morgen ist das Schnee von gestern.«

»Manchmal glaube ich wirklich«, warf Thielen süffisant ein, »Sie haben den Beruf verfehlt. Sie hätten Lyriker werden sollen, Ihre Ausdrucksweise ist gelegentlich etwas blumig. Nur Ihr Benehmen kann da bei Weitem nicht mithalten«, fügte er bissig hinzu.

»War's das dann? Kann ich weitermachen?«, fragte Madlener seufzend, und alle Augen richteten sich auf den Kriminaldirektor, ob dessen sichtbares Ärgernisanzeigeninstrument, nämlich sein Kopf, schon wieder ins Dunkelrote des gefährlichen Bereichs tendierte.

Thielen starrte Madlener eine kleine Ewigkeit an und sagte dann: »Ich bitte darum.«

»Na schön«, nahm Madlener ungerührt den Faden wieder auf und nickte seiner Assistentin auffordernd zu. »Frau Holtby, Sie sind an der Reihe.«

Harriet fing an. »Ich unterrichte also den Herrn Kriminaldirektor ordnungsgemäß …«, es folgte ein kurzer Augenkontakt mit Madlener, der seiner Assistentin bei dieser kreuzbraven Formulierung zufrieden und aufmunternd zunickte, »… telefonisch von den neuesten Entwicklungen, während ich wieder nach Ravensburg fahre. Ich suche Dr. Matussek in seinem Büro auf und konfrontiere ihn mit Aigners Aussage. Dabei sehe ich mir unauffällig seine Hände an, kann aber keine Verletzungen oder so etwas feststellen.«

»Er könnte Handschuhe getragen haben«, warf Götze ein.

»Möglich«, sagte Madlener. »Machen Sie weiter, Frau Holtby.«

»Dr. Matussek könnte theoretisch zum fraglichen Zeitpunkt in der Tiefgarage gewesen sein, reagierte aber vollkommen überrascht und geradezu empört auf den Vorwurf, Aigner niedergeschlagen zu haben.«

»Nun, das beweist gar nichts«, merkte Madlener an. »Dr. Matussek hat einen Security-Mann namens Jürgen Kurbjuweit, der offiziell in der Weinfirma seiner Frau angestellt ist, aber praktischerweise auch für seinen Chef die Drecksarbeit macht.«

»Seit wann?«, fragte Thielen überrascht.

»Seit Jahren«, fügte Madlener hinzu.

»Wurde er überprüft?«

»Das ist einer unserer nächsten Schritte«, sagte Madlener. »Ich schlage vor, wir schauen uns erst mal die Überwachungsbilder aus der Tiefgarage an.«

Harriet hatte schon ihr Tablet so gedreht, dass alle die Bildschirmoberfläche gut einsehen konnten, bevor sie das Schwarz-

Weiß-Video mit der eingeblendeten Uhrzeit oben rechts ablaufen ließ und dazu erklärte: »Hier fährt Dr. Matussek mit seinem Wagen in die Tiefgarage, parkt auf seinem fest reservierten Platz ein, steigt aus und verschwindet. Leider sind Blickwinkel und Lichtverhältnisse sehr ungünstig, man kann nicht viel sehen. Trotzdem …«, sie ließ das Bild schneller vorlaufen und stoppte dann, »… kann man hier den Datsun von Aigner erkennen, wie er im Hintergrund einparkt. Jetzt genau hinschauen …«

Sie ließ die folgende Sequenz in Zeitlupe ablaufen. Aigner stieg aus und ging, sich kurz umsehend, zielgerichtet auf den Wagen von Dr. Matussek zu.

»Was macht er da?«, fragte Götze.

»Vielleicht will er etwas anstellen, kommt aber nicht mehr dazu«, kommentierte Harriet.

Denn Aigner verschwand hinter einem SUV. Man erkannte, wenn man ganz genau hinsah, sich bewegende Schatten, schließlich einen fallenden Körper und ein Bein, das auf dem Boden im Sichtfeld der Kamera lag, dann wieder einen Schatten, der sich entfernte.

Harriet spulte wieder vor.

Ein VW Beetle kam herangefahren, hielt an, eine Frau stieg aus, ging vor dem liegenden Körper in die Knie und nestelte etwas aus ihrer Tasche, offensichtlich ein Smartphone.

»Ist das alles, was wir haben?«, fragte Thielen enttäuscht.

»Ja«, sagte Harriet. »Ich habe die Blickwinkel aller Überwachungskameras überprüft. Mehr als das haben wir nicht.«

»Was ist mit Zeugen? Diese Frau im VW Käfer?«

»Ich habe mit ihr gesprochen. Sie hat den Notruf gewählt. Ansonsten: negativ.«

»Was heißt das?«

»Sie hat niemanden gesehen. Außer Aigner, der in seinem Blut am Boden lag.«

»Glauben Sie Matussek, dass er nichts mit der Sache zu tun hat?«, wollte Madlener wissen.

»Ich bin mir nicht sicher. Seine Empörung auf die Nachricht, dass Aigner ihn bezichtigt, schien mir echt. Aber was heißt das schon … ein Motiv und die Gelegenheit hatte er zweifellos.«

Thielen lehnte sich in seinem Stuhl zurück. »Wie gehen wir jetzt weiter vor?«

Frau Gallmann meldete sich. »Sie müssen eine Pressekonferenz geben, Chef. Ich habe ungefähr zwanzig Anrufe deswegen bekommen. Und vier Anfragen von Fernsehsendern. Es hat sich wie ein Lauffeuer verbreitet, dass ein Exhäftling den Oberstaatsanwalt der schweren Körperverletzung beschuldigt.«

Thielen seufzte schwer. »Das hat dieser Rechtsanwalt Adelwarth in die Welt gesetzt.« Er zerrte am Knoten seiner Krawatte herum, der ihm zu eng geworden war. »Und was sage ich denen? Dass wir genauso wenig wissen wie sie?«

Madlener schüttelte den Kopf. »Nein, natürlich nicht. Sie sagen, dass wir noch die Überwachungskameras auswerten und hoffen, den Täter eindeutig feststellen zu können. Wo ist Matussek?«

Harriet antwortete: »In seiner Zweitwohnung in Ravensburg. Hat er mir jedenfalls gesagt. In sein Haus in den Weinbergen wollte er nicht, weil er trotz seines Dementis befürchtet, dass ihm dort Reporter auflauern.«

»Wir müssen mit diesem Jürgen Kurbjuweit reden«, meinte Madlener.

»Ich habe Matussek nach ihm befragt. Er behauptet, nicht zu wissen, wo er ist. Aber ich habe seine Nummer. Und seine Adresse.«

»Wo wohnt er?«

»In einem Haus auf dem Weingut Haggenmiller.«

Madlener erhob sich. »Frau Holtby und ich fahren jetzt dort hin und setzen ihn unter Druck. Sie, Herr Kriminaldirektor, geben Ihre Pressekonferenz und werfen die üblichen rhetorischen Nebelkerzen. Götze, Sie sehen sich noch einmal alle Überwachungsbilder aus der Tiefgarage an. Beim geringsten Hinweis auf die unbekannte Person, die Aigner überfällt, melden Sie sich. Frau Gallmann ...«

Frau Gallmann hob schon die Hand. »Ja – ich halte hier die Stellung.«

Madlener nickte. »Es kann eine lange Nacht werden ...«

Frau Gallmann zuckte mit den Schultern. »Ich habe genügend zu tun.«

»Na schön, das wär's vorerst«, sagte Madlener und winkte Harriet, die schon ihre Sachen in ihren Rucksack packte. »Haben Sie Ihre Waffe dabei?«

Harriet zog ein Holster mit ihrer Walther PPK heraus und zeigte die Waffe wortlos vor, bevor sie sie wieder in der Seitentasche verpackte.

»Wir machen noch einen kurzen Abstecher in mein Hotel. Ich habe meine SIG natürlich wieder im Safe«, brummte Madlener.

»Glauben Sie denn, dass Sie eine Schusswaffe einsetzen müssen?«, fragte Thielen besorgt.

Madlener zuckte mit den Schultern. »Eine reine Vorsichtsmaßnahme, kein Grund zur Besorgnis.«

»Bitte, Madlener – wir werden sowieso schon unschöne Schlagzeilen bekommen. Gehen Sie diplomatisch und mit Fingerspitzengefühl und Samthandschuhen vor!«

»Tun wir das nicht immer?« Madlener lächelte Thielen an, der sich wieder einmal nicht ernst genommen fühlte. Er war bereits in Gedanken bei seiner Pressekonferenz gewesen, und ihm wurde schlagartig zum wiederholten Mal klar, dass er, ohne es richtig mitbekommen zu haben, die Führung an Madlener abgegeben hatte. Diese Scharte musste er unbedingt im letzten Moment noch auswetzen und durch einen raffinierten Dreh ins Gegenteil verkehren. Er wusste nur nicht, wie er das anstellen sollte. Viel Zeit für eine Aktion, die ihn wieder ins rechte Licht setzte, blieb ihm nicht, es waren alle schon im Aufbruch begriffen.

Im letzten Moment stellte er sich an der Tür in Positur und sagte laut und deutlich: »Skorpion!«

Madlener, Harriet, Götze und Frau Gallmann sahen ihren Chef einigermaßen verständnislos an.

»Skorpion«, wiederholte Thielen. »So heißt ab jetzt diese Soko, die sich mit der Sache Matussek/Aigner befasst. Nach diesem japanischen Faltdings von Aigner …«

»Origami«, half Frau Gallmann aus.

»Genau, Origami«, pflichtete Thielen ihr bei. »Operation Skorpion – klingt doch nicht schlecht, oder?«, stellte er zufrieden fest, wobei Madlener es nicht lassen konnte, beim Hinausgehen an seine Adresse gewandt zu sagen: »Fragt sich wirklich, wer hier der Lyriker ist!«

Aber das tangierte Thielen nicht weiter, er war wieder ganz im Reinen mit sich selbst und seiner Position. Erstens, weil ihm dieser überzeugend martialische und sich auch noch reimende Slogan eingefallen war, der seiner Mannschaft Motivation und Ansporn zugleich sein musste. Zweitens, weil er endlich wusste, was er der Presse erzählen würde, und drittens, weil Frau Gallmann diesmal von einer Sonderaktion des Supermarkts ihres Vertrauens, der italienische Wochen hatte, Knabbereien von südlich der Alpen mitgebracht hatte, die ihm gänzlich unbekannt waren, aber alle sahen sie zum Anbeißen aus. Das war ihm in der ganzen anfänglichen Aufregung glatt entgangen. Doch jetzt war er für kurze Zeit allein mit diesen Köstlichkeiten namens Cantuccini, Amarettini, Ghiottini, Ricciarelli und Mostaccioli. Und er brauchte unbedingt etwas für seinen abgesackten Blutzuckerspiegel, bevor er der Pressemeute gegenübertreten konnte.

37

Es war bereits stockdunkel, als Madlener und Harriet endlich mit dem Dienstwagen vor dem Hotel »Zum silbernen Zeppelin« hielten und Madlener auf sein Zimmer eilte, um seine SIG Sauer zu holen. Harriet kramte währenddessen auf der Suche nach einer Zigarette im Handschuhfach herum, fand aber nur CDs. Sie lagen dort ungeordnet durcheinander, ohne Hüllen. Harriet zog eine Hand voll heraus und wunderte sich über den musikalischen Background ihres Kollegen. Da fand sie Interpreten mit seltsamen Namen und Titel, von denen sie selten oder noch nie gehört hatte, Creedence Clearwater Revival zum Beispiel oder Iron Butterfly, Frank Zappa mit einem kauzigen deutschen Titel, der »Du bist mein Sofa« hieß, Led Zeppelin, Procol Harum, Pink Floyd, The Doors, Deep Purple, Cream, Blondie, Jethro Tull oder Uriah Heep.

Was für ein seltsamer Musikgeschmack für einen gesetzteren Mann seines Alters und Aussehens, dachte Harriet. Madlener musste im Grunde seines Herzens ein verkappter Alt-Hippie sein.

Als sie ihn die Treppe vom Hoteleingang herunterkommen sah, stopfte sie den Stapel CDs schnellstens zurück und schloss die Klappe des Handschuhfachs, weil sie wusste, dass er in Hinsicht auf seine privaten Dinge sehr pingeliger Natur war.

Er hatte sich umgezogen, dunkelgrauer Blouson über schwarzem Rollkragenpullover, dunkle Hosen und dazu Camel-Boots. So hatte sie ihn noch nie gesehen, aber sie würde es vorläufig nicht kommentieren. Sie selbst war in ihrer Standardkleidung: schwarz. Dazu kamen eine schwarze Lederjacke und ebensolche Stiefel. Das Einzige, was an ihr nicht schwarz war, waren ihre glitzernden Fingernägel, ein paar rote Haarsträhnen und ihr mit silbernen Nieten besetzter Gürtel. Für Außenstehende musste es beinahe so wirken, als wäre Daddy samt Tochter zu einem Gothic-Wave-Event auf irgendeinem Friedhof unterwegs.

Madlener setzte sich wortlos ans Steuer und fuhr los.

Harriet merkte nach kurzer Zeit, dass Madlener nicht in Richtung des Weinguts Haggenmiller fuhr, aber sie schwieg lieber, bis er auf einen McDonald's-Parkplatz einbog, dort hielt und den Motor abstellte.

»Auch Lust auf einen Burger?«, fragte er. »Es ist besser, wenn wir nicht zu früh dran sind.«

Erst in diesem Moment merkte Harriet, wie hungrig sie war, und nickte zustimmend.

Das Restaurant war fast leer, es ging bald auf Mitternacht zu. Sie bestellten Pommes, Cheeseburger und Big Mac, alles zweifach, Harriet eine Cola light und Madlener einen Kaffee dazu, er bezahlte und ließ es nicht zu, dass Harriet ihren Anteil beisteuerte.

Sie verputzten alles bis auf die letzte Fritte, bevor Madlener die Katze aus dem Sack ließ.

»Harriet – das, was ich jetzt vorhabe, ist nicht ganz legitim im Sinne unseres Arbeitgebers, des Bundesstaates Baden-Württemberg.«

»Wir fahren also nicht zu Kurbjuweit.«

»Nein, fahren wir nicht. Ich stelle es dir natürlich frei, ob du mitmachen willst oder nicht. Falls nicht, bin ich kein kleines bisschen sauer auf dich, Pfadfinderehrenwort. Falls doch, muss dir klar sein, dass dies eine heikle Mission ist, die, sollten wir auffliegen, ziemlich unangenehme Folgen für uns haben wird. Ich habe keine Deckung von oben, ich tue das auf eigene Faust und Verantwortung.«

»Lass mich mal kurz überlegen … Ich glaube mich zu erinnern, dass du mir erst vor relativ kurzer Zeit eine Gardinenpredigt gehalten hast, oder täusche ich mich? War da nicht von ›Verletzung der Dienstvorschriften‹ die Rede und von ›bodenloser Dummheit‹, weil ich angeblich etwas ›Illegales‹ getan habe?«

Mit ihren Worten hatte Harriet exakt ins Schwarze getroffen – Madlener wand sich förmlich. »Ja, aber da ging es um etwas ganz anderes. Das, was ich vorhabe … na ja … Mist, Mist, Doppelmist! Ja, es ist illegal und verstößt gegen jede Dienstvorschrift. Aber es ist notwendig.«

»Sagt wer – deine männliche Intuition?«, fragte sie spöttisch.

»Wenn du so willst …«

»Okay, dann bin ich dabei.«

»Es könnte gefährlich werden.«

»Hättest du mich sonst nach meiner Waffe gefragt? Dann bin ich erst recht dabei.«

»Harriet, ich weiß, es ist eigentlich dir gegenüber unverantwortlich, aber es wäre schön, wenn mir jemand den Rücken dabei freihielte.«

»Du hast mich schon längst überredet. Also, worum geht's?«

Madlener sah sich um. Außer einem fleißigen Minijobber im McDonald's-Outfit, der die Tische säuberte, war niemand in ihrer Nähe. Madlener wartete, bis der dunkelhäutige junge Mann sich wieder verzogen hatte, dann wisperte er konspirativ: »Wir müssen einen Bruch machen.«

»Okay. Wo?«

»Bei jemandem, der jetzt garantiert nicht zu Hause ist.«

»Sondern in seinem Bett in der Klinik?«

»Ja. Das ist die einmalige Chance, unsere Nase in Aigners Sachen zu stecken, ohne dass er damit rechnet.«

»Meinst du nicht, wir würden einen Durchsuchungsbeschluss für seinen Wohnwagen bekommen?«

»Vielleicht. Aber dieser Hagen Schwarz würde uns so lange aufhalten, bis sein Bruder und Laurel und Hardy alles beiseitegeschafft haben, was für uns von Relevanz sein könnte, verstehst du? Und wenn wir nichts von Belang finden, sind wir die Gelackmeierten und können uns wieder einen Anschiss von Thielen anhören, weil er seinerseits vom zuständigen Richter einen auf den Deckel bekommt.«

Das sah Harriet ein. »Wonach suchen wir?«

»Nach irgendeinem Hinweis auf Aigners Beteiligung an der Brandstiftung. Nach irgendetwas, das ihn mit den Drohungen gegen Matussek in Verbindung bringt.«

»Und die Gebrüder Schwarz? Und die anderen Pokerfreunde?«

»Dürfen uns nicht dabei erwischen.«

»Und was ist mit Alarmanlagen? Oder wenn sie Patrouille laufen?«

»Das ist ein stinknormaler Schrottplatz und kein NATO-Lager

für Atombomben, Harriet. Die werden am Eingang oder am Büro ein paar Bewegungsmelder oder im Büro eine Überwachungskamera haben, mehr nicht. Ich habe mich bei unserem letzten Besuch auf ihrem Gelände genau umgesehen. Und für den Rest Unwägbarkeit habe ich ja dich. Du stehst Schmiere. Oder hattest du für heute Abend schon was anderes vor?«

»Ja. Eigentlich wollte ich in Ruhe ein Gläschen Eierlikör trinken und das ›Herbstfest der Volksmusik‹ in der Glotze anschauen. Wegen der Wildecker Herzbuben und Hansi Hinterseer.«

Harriet grinste bis über beide Ohren, in diesem Augenblick sah sie aus wie eine Mischung aus Amy Winehouse und Pippi Langstrumpf. Seltsam, dachte Madlener – er hatte sie schon lange nicht mehr so fröhlich gesehen. Aber auch er musste grinsen, wobei er gar nicht wissen wollte, wie er in diesem Moment auf Harriet wirkte.

Sie standen auf, und Madlener trug das Tablett mit dem Abfall brav in das Abstellregal, bevor sie in die kühle Nacht hinausgingen, noch eine Zigarette am Standaschenbecher rauchten und dann in die Regenwand hineinfuhren, die sich am nördlichen Bodensee ausbreitete.

38

Madlener und Harriet fuhren am Schrottplatz der Gebrüder Schwarz vorbei, dessen Zufahrtstor geschlossen und von einem großen Scheinwerfer beleuchtet war. Es regnete, was die Sicht verschlechterte, ihrem Vorhaben aber entgegenkam.

Madlener stellte den Wagen in einer nahe gelegenen Kiesgrube ab und öffnete die Kofferraumklappe. Während Harriet schon die Kapuze ihres schwarzen Sweatshirts über den Kopf gezogen hatte, machte Madlener im Kofferraum den Reißverschluss einer schweren Tasche auf. Die Tasche enthielt allerlei Werkzeug, er entnahm ihr eine Drahtschneidezange und eine schwarze Maglite-Taschenlampe sowie eine Wollmütze, die er über den Kopf zog, und ein Paar Lederhandschuhe. Harriet hatte aus den unergründlichen Tiefen ihres Rucksacks ebenfalls eine Taschenlampe und Handschuhe gefischt.

»Fertig«, sagte sie. »Wie kommen wir rein?«

»Nicht zur Vordertür, wenn du das meinst«, antwortete Madlener. »Ich sperre den Wagen nicht ab, der Schlüssel liegt auf dem linken Vorderreifen, falls was passiert und wir getrennt werden.«

Sie marschierten los durch den Regen. Es ging durch Brachland, unwegsames Gelände und Gestrüpp am Rand der Kiesgrube entlang, bis sie auf den doppelt mannshohen Maschendrahtzaun des Schrottplatzes stießen, dessen Verlauf sie folgten. Madlener hielt einmal an und horchte, aber um diese Zeit und bei diesem Wetter war hier keine Menschenseele unterwegs. Auf dem Schrottplatz zur Rechten blieb alles still, eine Lampe beleuchtete den Bürocontainer, ansonsten war kein Licht zu sehen. Sie schlichen weiter.

Endlich gelangten sie an die Stelle, wo auf der anderen Seite des Zauns die Wohnwagen aneinandergereiht waren. Auch hier war alles dunkel. Madlener ging noch ein gutes Stück weiter, bevor er anfing, unter dem abgeschirmten Lichtkegel von Harriets Taschenlampe den Maschendraht von unten nach oben mit seiner Zange durchzuknipsen, sodass eine hüfthohe Lücke entstand, durch die sie gerade durchschlüpfen konnten. Madlener zog dazu die Drahthälften auseinander, damit Harriet sich nicht verletzte, bevor sie von der anderen Seite das Gleiche für ihn tat.

Jetzt waren sie auf dem Gelände des Schrottplatzes, lauschten, und dann machte sich Madlener mit einem Schlüsselbesteck, dessen Handhabung er von einem Safeknacker im Ruhestand gelernt hatte, am Schloss von Aigners Wohnwagen zu schaffen. Auch hier leistete ihm Harriet mit abgeschirmtem Taschenlampenlicht Hilfestellung. Er brauchte nicht lange, dann ging die Tür auf.

Harriet blieb draußen und hielt nach allen Seiten Ausschau, während Madlener in den Wohnwagen schlüpfte und die Tür von innen schloss. Er konnte nun seine Taschenlampe zum Einsatz bringen, weil die Vorhänge alle zugezogen waren, und sah sich um. Auf dem Tisch in der Sitzecke lagen mehrere halb fertige grüne Origami, offensichtlich Probierstücke für ein Krokodil. Daneben eine faustgroße Buddhastatue aus Bronze, mit einem feinen Lächeln und auf Hochglanz poliert. Schmutziges Geschirr stand in der kleinen Spüle, daneben leere Pizzakartons. Madlener warf einen Blick in die Einbauschränke. Sie waren halb leer, Wäsche, Hemden, Hosen, einige Handtücher – er roch daran, um eventuellen Benzingeruch festzustellen, und betastete die Rückwände und Ecken, Madlener ließ nichts aus.

Er untersuchte die Sitzgruppe, kniete sich nieder, öffnete jede Klappe, nichts als alter Krempel, leuchtete in jeden Winkel, fühlte in jede Ritze. Das Bettzeug war in einen Hochschrank gestopft, auch den überprüfte er. Nichts. Alles roch ein wenig muffig, aber nicht nach Benzin oder Rauch. In der winzigen Küchenzeile hinter den Schranktüren einige Sixpacks Bier der billigsten Sorte, Essig und Öl, Spülmittel, Schwamm, Putzmittel, Geschirr, ein paar Töpfe und Pfannen, in den Schubladen wenig Besteck, Flaschenöffner, Korkenzieher. Das Notwendigste für einen bescheidenen Singlehaushalt. Er spähte und griff in jede Tasse, in jede Kanne. In der Nasszelle mit WC fand sich ebenfalls nichts, was nicht da hingehörte. Er tastete auch systematisch die Decken- und Seitenverkleidung und den Teppichboden ab, und zuletzt kam der Kühlschrank an die Reihe. Milch, Margarine, Bierflaschen, angebrochene Marmelade, ein Glas mit Gurken, Wurstscheiben in einer Plastikverpackung, sie war noch verschlossen, eine rechteckige undurchsichtige Tupperdose in der Größe einer Zigarrenkiste. Madlener nahm sie heraus und löste den Deckel ab.

Was war das?

Unter einer eingewickelten angebissenen Käsescheibe lag ein Küchenmesser diagonal in der Dose, etwa zwanzig Zentimeter lang, einschneidig, glatt. Und darunter ein Personalausweis. Die in Plastik eingeschweißte Kennkarte war noch gültig und ausgestellt auf den Namen Charlotte Elisabeth Prechtl, Geburtsdatum 19.12.1981. Das Passfoto zeigte eine junge, hübsche Frau mit halblangen dunklen Haaren. Madlener durchfuhr ein schrecklicher Verdacht. Er drehte den Ausweis um. Die Anschrift auf der Rückseite war eine Straße in Weingarten. Die Körpergröße war mit einhundertsechsundsechzig Zentimeter angegeben. Augenfarbe: Grün.

Aus dem Verdacht wurde nahezu Gewissheit – dies war die exakte Beschreibung der Toten im Überlinger Eisenbahntunnel. So, wie er sie von Ellen bekommen hatte. Und auch das Messer stimmte mit der wahrscheinlichen Tatwaffe überein. Er nahm es genauer in Augenschein und konnte kleine dunkle Anhaftungen an der Schneide und der Spitze erkennen. Möglicherweise Blutreste.

Seine Gedanken rasten.

Wenn das wirklich die Mordwaffe und der Ausweis von der Toten waren, dann steckte er in der Bredouille, weil er beides bei einem Einbruch gefunden hatte. Jeder Feld-Wald-und-Wiesenanwalt, insbesondere Johannes Adelwarth, würde diese Beweismittel und die Umstände ihres Auffindens in der Luft zerreißen und behaupten, sie seien Aigner untergeschoben worden.

Waren sie das vielleicht auch? Oder war Aigner wirklich so dumm und dreist, sie als eine Art Memorabilien oder Fetisch in seiner Bude mehr schlecht als recht versteckt zu haben, nachdem er die Frau umgebracht und auf einen fahrenden Zug geworfen hatte?

Das konnte er kaum glauben, so, wie er Aigner und dessen genau kalkulierte Vorgehensweise bisher kennengelernt hatte.

Nein, von jetzt an durfte er auch nicht den kleinsten Fehler machen.

Zuerst mussten die Wohnung in Weingarten durchsucht und die Identität der Toten aus dem Tunnel mit Charlotte Elisabeth Prechtl zweifelsfrei abgeglichen werden, bevor schlafende Hunde geweckt wurden. Vielleicht gab es für den Ausweis auch eine einfache, harmlose Erklärung. Aber das glaubte Madlener nicht. Er spürte, dass er auf eine ganz heiße Spur gestoßen war, die mit einem Mal Licht ins Dunkel des Tunnelfalls brachte. Wenn Aigner tatsächlich der Täter war ...

Er war so in Gedanken versunken, dass ihn ein heftiges Klopfzeichen von außen gegen die Wand des Wohnwagens vor Schreck zusammenzucken ließ. Blitzschnell fasste er einen Entschluss, legte Ausweis, Messer und das Käsestück wieder in die Tupperdose zurück und schob sie ins Kühlfach, so wie er sie vorgefunden hatte.

Wieder klopfte es.

Er machte die Taschenlampe aus und öffnete die Tür einen Spalt.

Harriet stand davor. »Was tust du denn so lange da drin?«, zischte sie. »Da ist ein Auto auf den Platz gefahren.«

Madlener kam heraus und sperrte die Wohnwagentür wieder ab.

»Los«, flüsterte er und zog Harriet mit sich zu ihrem Schlupfloch im Zaun.

»Hast du was gefunden?«, fragte sie.

»Allerdings«, antwortete Madlener. Er packte sie an beiden Oberarmen und redete eindringlich auf sie ein. »Du machst jetzt Folgendes: Du rennst zum Auto und schaust in der großen Tasche im Kofferraum nach. Dort ist ein altes Handy, das habe ich für Notfälle wie diesen, prepaid, es kann nicht zurückverfolgt werden. Mit diesem Handy wählst du den Notruf.«

»Was soll ich sagen?«

»Du meldest anonym ein Feuer auf dem Schrottplatz. Nach deinem Anruf zerstörst du das Handy und wirfst es in den Weiher in der Kiesgrube.«

»Aber warum ...?«

»Vertrau mir! Hör mir jetzt zu! Sag, dass es nach Brandstiftung aussieht und eventuell Menschen gefährdet sind, dann kommen sie schneller.«

»Aber da ist kein Feuer …«

»Dafür sorge ich schon. Es wird nicht nur die Feuerwehr anrücken, sondern auch Polizei. Wir brauchen eine rechtliche Handhabe, um offiziell in den Wohnwagen von Aigner zu gelangen. Wir behaupten, im Funk davon Wind bekommen zu haben. Und da wir die Adresse als die eines Verdächtigen kennen, sind wir schnellstens hierher. Wir müssen mit Zeugen in den Wohnwagen. Als Grund geben wir an, dass wir wissen, dass er bewohnt ist und vielleicht jemand dort übernachtet.«

»Sag schon – was hast du dort gefunden?«

»Eine mögliche Mordwaffe. Und einen Ausweis. Die Angaben darauf passen genau auf unsere Leiche im Eisenbahntunnel.«

Harriet machte große Augen. »Shit!«

»Du sagst es. Jetzt tu, was ich dir gesagt habe. Warte am Auto auf mich. Wir klemmen uns hinter die Einsatzfahrzeuge, sobald sie hier auftauchen. Halt, warte – hast du irgendein Stück Stoff in deinem Rucksack?«

»Einen Schal«, sagte sie verdutzt.

»Gib ihn mir, ich kauf dir einen neuen.«

Harriet nahm ihren Rucksack in einer einzigen fließenden Bewegung ab und angelte mit geradezu nachtwandlerischer Geschicklichkeit einen schwarzen Schal heraus, den sie Madlener reichte. Er schlang ihn sich um den Hals und spreizte dann die Lücke im Zaun mit beiden Armen auseinander, sodass Harriet hindurchschlüpfen konnte.

Er sah ihr kurz nach, wie sie in der Nacht verschwand, dann leuchtete er die Autos neben den Wohnwagen ab und fand, was er suchte: einen alten, aber anscheinend fahrbereiten Ford Kombi mit rotem Nummernschild, dessen Tankverschluss mit Gewalt aufzuknacken war. Er brach von einem Haselnussstrauch einen armlangen Ast ab, entfernte die Blätter, führte ihn in den Tankstutzen ein und zog ihn wieder heraus. Er roch daran – für das, was er vorhatte, schien noch genügend Restbenzin im Tank zu sein.

Mit Hilfe des Astes stopfte er Harriets Schal in den Tank, dabei hielt er das Ende fest, dann überprüfte er, ob sich der Schal auch genügend mit Benzin vollgesogen hatte. Er tastete nach seinem

Feuerzeug. Einen kurzen, schrecklichen Augenblick fürchtete er, dass er es verloren oder nicht dabeihatte, aber er fand es und zündete das Ende des benzingetränkten Schals an, der im Tankstutzen steckte. Er fing sofort Feuer, Madlener zog seine nach Benzin stinkenden Handschuhe aus und warf sie auf den Wagen. Dann sah er zu, dass er so schnell wie möglich durch das Loch im Zaun kam, und stolperte in Richtung Kiesgrube. Als er glaubte, weit genug weg zu sein, blieb er stehen und sah zurück.

Zuerst konnte er nur ein kleines gelbes Flackern am Heck des Wagens sehen, aber plötzlich schoss eine grellorange Flammenwolke empor, und eine heftige Explosion ließ das Auto förmlich einen Sprung in die Höhe machen und lichterloh brennen. Die Flammen waren so hoch, dass sie die Gegend im Umkreis von ein paar hundert Metern taghell erleuchteten.

Madlener rannte die restliche Strecke zu seinem Dienstwagen am Rand der Kiesgrube, wo Harriet neben der Fahrertür stand und auf ihn wartete, während eine zweite Explosion erfolgte – der Wagen neben dem Ford hatte auch Feuer gefangen.

Im Autolack und den Fenstern spiegelte sich das Licht der Explosion, in Harriets Augen konnte Madlener die Flammen sehen. Sie sagte: »Ich wusste nicht, dass du auch ein Talent zum Feuerteufel hast.«

»Das habe ich Dr. Auerbach wohlweislich verschwiegen«, antwortete Madlener und nahm seine Mütze ab, die er in seine Jackentasche stopfte. »Hast du dein Telefonat gemacht?«, fragte er, während sie zusahen, wie der dritte Wagen von den Flammen erfasst wurde.

»Die Feuerwehr müsste jeden Moment da sein«, sagte Harriet, setzte sich hinter das Steuer und startete den Motor. Madlener verstaute seine Zange und die Maglite in der Tasche im Kofferraum, schlug den Deckel zu und ließ sich auf den Beifahrersitz fallen.

Am Horizont tauchte das Flackern von Blaulichtern auf, und dann waren auch schon in der Ferne Sirenen zu hören.

Harriet schaltete das Blaulicht ein, das sie bereits am Wagendach befestigt hatte, und fuhr los.

39

Der Dienstwagen mit Madlener und Harriet raste bei Regen mit blinkendem Blaulicht und Höchsttempo durch die Nacht.

Madlener saß am Steuer, und Harriet hielt sich verkrampft am Sicherheitsgurt fest, weil Madlener in einem Tempo nach Weingarten fuhr, das den vorherrschenden Straßen- und Sichtverhältnissen alles andere als angemessen war. Harriet kam sich vor wie eine On-board-Kamera im Red-Bull-Boliden von Sebastian Vettel bei einem Regenqualifying in Spa – und das bei Nacht. Aber Madlener war so mit Wut und Adrenalin vollgepumpt, dass jeder Hinweis auf seine kamikazehafte Fahrweise nur dazu geführt hätte, dass er das Gaspedal noch weiter durchs Bodenblech trat, als es ohnehin schon der Fall war.

Wenn Madlener in diesem entscheidenden Stadium der Ermittlungen war, in dem in einem wirren Haufen von wild durcheinandergewürfelten Puzzleteilchen urplötzlich ein Muster erkennbar wurde, dann war er einfach nicht mehr aufzuhalten, schon gar nicht durch vernünftige Argumente oder durch eine Anordnung von oben, ganz ruhig zu bleiben und die Kollegen vor Ort machen zu lassen. Sobald er erst einmal sprichwörtlich seine Scheuklappen aufgesetzt hatte, gab es nur ein Ziel: den Täter zu fassen mit allen ihm zur Verfügung stehenden Mitteln und, wenn es sein musste, manchmal auch welchen, die darüber hinausgingen. Er hatte schließlich den Hinweis auf die Wohnung des Tunnelopfers entdeckt, und er wollte auch derjenige sein, der sie als Erster betrat. Für Madlener war es von immenser Wichtigkeit, einen Tatort – wenn es denn der Tatort war – mit all seinen Sinnen abzuscannen und in sich aufzunehmen, bevor Horden von Technikern und Spurensicherern herumwuselten und sich gegenseitig auf den Füßen standen.

Ab dem Moment, in dem Madlener den Personalausweis von Charlotte Elisabeth Prechtl in den Händen gehalten hatte, war er wie ein Projektil, das nicht mehr aufzuhalten war, bis es im Ziel eingeschlagen hatte. Madlener hatte geschworen, dem zerstückelten Opfer seinen Namen zurückzugeben, und nur das allein zählte für ihn in diesem Augenblick. Er überholte halsbrecherisch jeden Autofahrer, der es wagte, zu dieser nachtschlafenden Zeit die Landstraße zu blockieren, und Harriet schloss dabei jedes Mal die Augen.

Sie hatten es geschafft, gleichzeitig mit dem Eintreffen von einem halben Dutzend Löschzügen auf den Schrottplatz der Gebrüder Schwarz zu gelangen, dessen Eingangstor angesichts der das Firmament erleuchtenden Feuersbrunst von der anrückenden Feuerwehr gewaltsam geöffnet worden wäre, wenn nicht einer der Inhaber selbst kurz vor Ausbruch des Feuers auf sein Grundstück gefahren und dabei das Tor aufgelassen hätte.

Während die Männer der Feuerwehr zügig den Brand bekämpften, der inzwischen noch größere Ausmaße angenommen hatte und drohte, auf andere Bereiche des Schrottplatzes überzugreifen, waren Madlener und Harriet zwei Streifenwagen gefolgt. Einer der Schwarz-Brüder rannte wie ein kopfloser Hahn zwischen dem Feuer und den Männern umher und ruderte mit den Händen, während sein Begleiter in Ruhe eine Zigarette rauchte und dem Tohuwabohu zusah. Madlener ignorierte die beiden, wahrscheinlich waren sie irgendwelcher dunkler Geschäfte wegen mitten in der Nacht zum Bürocontainer gefahren. Das Einzige, was ihn interessierte und worauf er sich fokussierte: Er musste vor Zeugen die Tupperdose »finden« und endlich anhand dieser Beweise die Ermittlungsmaschinerie im Tunnelfall ankurbeln und auf Hochtouren laufen lassen.

Als er sie endlich in Händen hielt und den Inhalt zwei Polizisten vom Nachtdienst präsentierte, informierte Harriet Frau Gallmann über den Fund. Sie war tatsächlich nachts um drei Uhr vierzig im Präsidium und veranlasste sofort, dass Aigner, ohne ihm den Grund dafür zu verraten, vorerst einen Polizisten als Wache vor die Tür seines Krankenzimmers gestellt bekam. Sie rief auch Thielen an und setzte ihn von den neuesten Entwicklungen in Kenntnis, bevor sie eine Streife zu der Adresse in Weingarten schickte, die Madlener dem Personalausweis entnommen hatte. Sie sollte dort auf sein Eintreffen warten und gleich einen Durchsuchungsbeschluss für die Wohnung von Charlotte Elisabeth Prechtl mitbringen und einen Schlosser, der ihnen die Tür aufsperrte.

Alles war so gelaufen, wie sich Madlener das vorgestellt hatte. Wenn es im Nachhinein noch dazu kommen sollte, dass gewisse kleinere Unstimmigkeiten die Plausibilität des gesamten Ablaufs in Frage stellten, so war das für Madlener, der gerade einen im Schneckentempo kriechenden, überbreiten Schwertransporter samt Begleitfahrzeugen in einer Art und Weise überholte, die an Harakiri grenzte, offen gestanden von absolut nachrangiger Bedeutung. Das würde sich schon alles zurechtbiegen lassen. In diesem Fall war er sich sicher, dass der berühmte Zweck die Mittel heiligte, mit denen sie vorgingen.

Als sie endlich das Ortsschild von Weingarten passierten, atmete Harriet erleichtert durch, denn Madlener ging tatsächlich ein wenig vom Gas, ignorierte aber weiterhin sämtliche Vorschriften der Straßenverkehrsordnung und überfuhr alle roten Ampeln und Stoppschilder, die ihm, geleitet vom Navi, in den Weg kamen. Sie waren jetzt in einer typischen 1960er-Jahre-Vorortsiedlung unterwegs, ein Wohnblock reihte sich an den anderen.

Er bremste vor dem dritten Eingang eines lang gezogenen vierstöckigen Wohnblocks ab, vor dem schon ein Streifenwagen und der Kleintransporter eines Schlüsseldienstes standen. Der Schlosser, der mit den beiden Polizisten in Uniform mit einem Kaffeepappbecher in der Hand ein Schwätzchen hielt, sah verschlafen aus, als Madlener und Harriet aus ihrem Dienstwagen stiegen.

»Madlener und Holtby, Kripo Friedrichshafen«, sagte Madlener kurz angebunden. »Welcher Stock?«

40

»Bitte sehr«, sagte der müde Schlosser mit den Bartstoppeln im Gesicht, der keine zwei Minuten gebraucht hatte, um das Schloss des Prechtl-Apartments zu öffnen, als er die Tür aufstieß. Sie ging zunächst nur eine Handbreit auf und klemmte, die Tür hatte einen Briefschlitz, auf dem Boden dahinter hatte sich die Post von Tagen angesammelt.

Alle Wohnungen und Apartments des Wohnblocks waren von außen über eine Galerie zugänglich, die Prechtl-Wohnung lag im Hochparterre am Ende der Galerie. Sie hatten vorher geklingelt und geklopft und durch den Briefschlitz gespäht, aber niemand hatte reagiert, auch nicht auf den Telefonanruf unter Frau Prechtls Nummer, die Frau Gallmann herausgesucht und angewählt hatte.

Madlener stemmte sich mit der Schulter gegen die Eingangstür und konnte sie ganz aufdrücken. Er und Harriet hatten schon ihre Latexhandschuhe angezogen. Madlener bedankte sich beim Schlosser und wies die Polizisten an, auf der Galerie zu warten.

Dann betrat er den Gang, indem er über die Briefe, Zeitschriften und Prospekte auf dem Boden stieg. Harriet folgte ihm.

Sie rochen es sofort. Es stank durchdringend nach Blut, Gewalt und abgestandener Luft. Madlener hatte diesen ganz speziellen Geruch schon so oft in seinem Berufsleben wahrgenommen, dass er sofort wusste: Dies musste ein Tatort sein.

Er machte Licht. Der Gang war kurz, die Schubladen der dort stehenden Kommode waren herausgerissen, ihr Inhalt – Papierkram, Handschuhe, Schals – über den ganzen Boden verstreut. Geradeaus ging es ins Wohn-Schlafzimmer, die Tür stand offen. Sie warfen einen Blick hinein. Es sah aus, als hätte ein Tornado den Raum verwüstet: Das Bett war zerwühlt, das Nachtkästchen umgestoßen, am Boden Bücher, herausgerissen aus den Regalen, herausgezogene Schubladen, mehrere davon quer durcheinander auf dem Boden, der Schrank offen, Kleidungsstücke und Papiere überall auf dem Boden verstreut. Bei der kleinen Küchenzeile waren ebenfalls die Schubladen herausgerissen, Besteck lag auf dem Boden, daneben zerbrochenes Geschirr, die Türen des Hängeschranks standen offen. Eine Glastür führte auf den Balkon, alle Rollläden waren heruntergelassen.

Madlener wies Harriet mit einer Kopfbewegung an, ins Bad zu gehen, dessen Tür geschlossen war. Sie drückte vorsichtig die Klinke herunter und schob die Tür auf. Das Neonlicht brannte noch und ließ die Blutspritzer an den weiß gekachelten Wänden wie abstrakte Artefakte erscheinen. Es sah aus wie in einem Schlachthaus, die Badewanne war voll Blut, die Wände, der Boden, der Spiegel …

Das Blut war getrocknet, teils verwischt, blutige Fußabdrücke überall, Wäsche und ein zusammengeknülltes und ebenfalls blutverschmiertes Nachthemd lagen in der Wanne.

Sie betraten das Bad gar nicht erst, um keine Spuren zu zerstören. Madlener wählte schon die Nummer von Frau Gallmann. »Frau Gallmann? Madlener. Bitte schicken Sie die KTU sofort zur Adresse von Frau Prechtl in Weingarten. Sie ist mit neunundneunzigprozentiger Wahrscheinlichkeit die Tote im Eisenbahntunnel. Wir treffen uns später im Besprechungsraum.« Dann legte er auf und starrte ins Bad, während Harriet, die ihr Eindringen in die Wohnung per Video mit ihrem Smartphone aufgenommen hatte, dabei war, das Bad komplett abzufilmen, so gut es vom Gang aus möglich war.

Madlener hatte fürs Erste genug gesehen. Er stieg über die herumliegende Post im Gang und wies die beiden Polizisten vor der Tür an: »Dieses Apartment ist ein Tatort. Lassen Sie niemanden hinein außer die KTU.«

Dann ging er die Galerie zum Ausgang entlang und rauchte vor dem Eingang auf dem Gehsteig erst einmal eine Zigarette, während der Himmel im Osten sich allmählich rosarot einfärbte. Der Regen hatte aufgehört.

Harriet gesellte sich zu ihm. Das immer noch blinkende Blaulicht vom Dienstwagen pulsierte über ihre beiden Gesichter, aber sie nahmen es nicht wahr. Im gegenüberliegenden Block war hinter einigen Fenstern Lichter angegangen, und Neugierige schauten heraus, ein erster Mann kam zögernd in Morgenmantel und Hausschuhen aus der Haustür und machte ein paar Schritte auf die Straße, bevor er mit den Händen in den Manteltaschen stehen blieb und starrte.

Madlener bot Harriet wortlos seine Zigarettenschachtel an und sah, dass ihre Hände zitterten, während er ihr Feuer gab.

»Ich glaube, die Frau Doktor hat nicht ganz recht gehabt mit ihren drei Stichen in die Herzgegend als einzige Todesursache. Der Mörder muss die Halsschlagader zerfetzt haben, anders sind die Blutspritzer an der Wand und überhaupt die ganze Sauerei im Bad nicht zu erklären«, dachte er laut nach.

»Im Eisenbahntunnel wurde der Kopf vom Rumpf getrennt. Vielleicht war die Stichwunde genau an der Trennungsstelle«, wandte Harriet ein.

»Ja. So muss es wohl gewesen sein«, antwortete Madlener.

Sie rauchten ihre Zigaretten schweigsam zu Ende.

»Was machen wir jetzt?«, wollte Harriet schließlich wissen, als sie beide ihre Kippen in ihrem Aschenbecherdöschen ausgedrückt und entsorgt hatten. Madlener fiel auf, dass sie noch blasser aussah als sonst, ihr Kajalstrich war verschmiert, und sie schien zu frieren.

»Kannst du noch?«, fragte Madlener besorgt. »Du bist seit gestern Morgen auf den Beinen.«

»Geht schon«, antwortete Harriet, biss sich auf die Lippen und sah ihn auffordernd an.

»Na schön«, sagte Madlener, der selbst merkte, dass er diese Floskel in letzter Zeit immer öfter benutzte, und rieb sich nachdenklich die Stirn. Er spürte, dass er ziemlich erschöpft war. Aber es half nichts, er musste sich zusammenreißen, es gab zu viel zu tun, was keinerlei Verzögerung oder Vernachlässigung duldete.

»Harriet – du bleibst hier. Erstens: Fingerabdrücke, das ist jetzt das Allerwichtigste. Wenn die KTU welche findet, wovon wir ausgehen können, schickst du sie gleich ins Präsidium und an Dr. Herzog. Dann sorgst du dafür, dass so schnell wie möglich Blutproben an Dr. Herzog gehen für einen DNS-Abgleich, damit wir endgültige Gewissheit bekommen. Vielleicht ist ja auch die DNS des Täters dabei. Und ruf mich an, wenn ihr mit der Identität sicher seid. Zweitens: Die beiden Kollegen von der Streife sollen die Nachbarschaft abklappern und befragen. Aber pass auf, dass immer jemand die Wohnung absichert, bis die Techniker eintreffen. Und drittens: Du durchsuchst das Apartment noch einmal genauer. Halt nach einem Adressbuch Ausschau, einem Notizbuch, einem Fotoalbum, was auch immer, womöglich hat das Opfer ja sogar ein Tagebuch geführt. Wenn du ein Laptop findest, beschlagnahmst du es und nimmst es mit. Obwohl ich befürchte ... So, wie es in dem Apartment aussieht ...«

»Du glaubst, ihr Mörder hat bestimmt daran gedacht, alles, was auf ihn hinweisen könnte, verschwinden zu lassen?«

Er zuckte mit den Achseln. »Wenn wir Glück haben, hat er was übersehen.«

»Für mich wirkte das auf den ersten Blick so, als hätte er vor Wut wie ein Vandale gehaust und alles durcheinandergeschmissen.«

»Wahrscheinlich ist beides der Fall gewesen.«

»Und du? Was machst du jetzt?«

»Ich fahre ins Klinikum nach Friedrichshafen. Dort werde ich unserem Tatverdächtigen Nummer eins einen Besuch abstatten und sehen, ob er für diese Schweinerei ...«, er zeigte auf das Apartment, »... auch ein Alibi hat und irgendeinen seiner bescheuerten Zettel aus der Hosentasche zaubert.«

Er ging schon zum Wagen, da fiel ihm noch etwas ein. Er kehrte um und hielt Harriet auf. »Bis die Leute von der KTU hier sind, könntest du Frau Gallmann noch informieren. Sag ihr, wir wissen noch nicht, wann wir im Meeting-Room auftauchen. Und bevor du hier zusammenklappst, lässt du dich gefälligst nach Hause bringen und legst dich für ein paar Stunden aufs Ohr. Das ist eine dienstliche Anordnung deines Vorgesetzten, verstanden?«

Sie hob die Hand zu einem ironischen militärischen Gruß an die Stirn und sagte so zackig sie noch konnte: »Aye, aye, Sir!«, was aber ziemlich müde ausfiel.

Dann drehte sie sich um und eilte zum Eingang des Wohnblocks zurück, während Madlener sich ins Auto setzte und endlich das immer noch blinkende Blaulicht abnahm und es ausschaltete, bevor er losfuhr.

41

Auf der Rückfahrt nach Friedrichshafen hatte schon der früh-
morgendliche Berufsverkehr eingesetzt, und Madlener merkte
urplötzlich, wie eine bleierne Müdigkeit von ihm Besitz ergriff
und ihn beinahe am Steuer einnicken ließ. Er tastete nach seinen
CDs im Handschuhfach, weil er hoffte, sich mit lauter Musik
einigermaßen wach halten zu können. Außerdem brauchte er
dringend eine Tasse Kaffee. Besser noch zwei. Er schob blindlings
eine CD in den Player ein und hatte ausgerechnet Sade erwischt,
»Smooth Operator«. Kurz überlegte er, ob ihn das Stück nicht
endgültig in Morpheus' Arme treiben würde, doch dann drehte er
es voll auf und sang mit, das half. »Coast to coast, LA to Chicago,
western male. Across the north and south to Key Largo, love
for sale ...« Die meisten seiner Lieblingssongs konnte er relativ
textsicher mitsingen – natürlich nur, wenn er allein war und
niemand mithörte.

Als er an einer Bäckerei vorbeikam, sah er im letzten Augenblick, dass sie schon geöffnet hatte. Er bremste abrupt ab, zeigte
seinem wild hupenden Hintermann den Mittelfinger, lenkte auf
den kleinen Parkplatz und stieg aus. Die frische Luft tat gut. Er
stürmte geradezu in den Laden, bestellte Kaffee und zwei Croissants, die noch warm waren und hervorragend schmeckten – er
würde sich diese Bäckerei merken müssen –, und trank den Kaffee
an einem Stehtisch. Die zweite Tasse brachte seine Lebensgeister
endgültig wieder zurück, und mit neuem Elan gedopt fuhr er
wieder los.

Eine seltsame Euphorie hatte ihn gepackt, es war nicht nur das
Koffein, sondern auch das Gefühl, endlich im Fall des Tunnelopfers in und auf der richtigen Spur zu sein. Sein Jagdinstinkt
war also noch intakt ...

Im Klinikum stand er schon im Fahrstuhl, Aigners Zimmernummer hatte er am Empfang bekommen, als er einem Impuls
nachgab, sich kurzfristig umentschied und den Knopf nach unten

in die Pathologie drückte. Er strich sich mit der Hand über sein Kinn und spürte die Bartstoppeln. Als er an seinem Ärmel schnupperte, roch er Benzin und Rauch. Höchstwahrscheinlich hatte er auch noch Rußreste im Gesicht. Nach den diversen Unternehmungen in einer langen Nacht sah er wahrscheinlich aus wie ein aus der Geisterbahn entlaufener Unhold, aber er wollte es sich nicht nehmen lassen, Dr. Herzog mitzuteilen, dass er sein Versprechen eingehalten hatte: dem toten Opfer seinen Namen zurückzugeben.

Er riss die Tür zur Pathologie im Sturmschritt auf, wo Dr. Herzog mit ihrem Assistenten gerade bei der Morgenbesprechung und einer Tasse Kaffee saß. Die beiden zuckten bei seinem unerwarteten und polternden Auftritt zusammen, Madlener stellte sich hin, atmete einmal tief durch und sagte im rauen und ungeschminkten Stil eines Holzfällers aus dem Voralpengebiet: »Morgen. Die Unbekannte aus dem Überlinger Eisenbahntunnel heißt Charlotte Elisabeth Prechtl. Prechtl mit hartem P. Ellen, du wirst gleich einen Anruf von Harriet bekommen. Tu mir bitte den Gefallen: Vergleiche so schnell wie möglich die Fingerabdrücke und bereite alles für einen DNS-Abgleich der Blutspuren vor. Ich will absolut sichergehen, dass wir richtigliegen. Ich bin jetzt oben und verhöre einen Tatverdächtigen. Wir sprechen uns!«

Damit machte er kehrt und war auch schon wieder verschwunden.

Es dauerte eine Weile, bis Ellen und ihr Assistent kapiert hatten, was der überraschende Auftritt von Madlener eigentlich für einen Sinn gehabt hatte, aber dann beeilte sich Ellen, die Fingerabdrücke der Toten herauszusuchen und für einen sofortigen Abgleich bereitzustellen.

Sie überlegte noch kurz, dann tat sie etwas, was sie schon längst tun wollte: Sie strich die Worte »unbekannte weibl. Tote« auf der Akte des Tunnelopfers durch und schrieb stattdessen fein säuberlich »Charlotte Elisabeth Prechtl« darüber.

Madlener stürmte in der chirurgischen Abteilung auf der Suche nach der richtigen Zimmernummer die Gänge entlang. Zwei

Schwestern warfen ihm einen misstrauischen Blick zu und flüsterten miteinander, sie kannten ihn noch von seinem gewaltsamen Eindringen in den Aufwachraum, als er versucht hatte, Aigner eine Aussage zu entlocken, obwohl er gerade erst frisch aus dem OP gekommen war.

Madlener bog um eine Ecke und erspähte vor dem letzten Zimmer einen uniformierten Polizisten. Den musste Thielen dorthin abkommandiert haben, manchmal dachte der Kriminaldirektor wirklich mit. Der Polizist, ein gelangweilter Schnauzbartträger, war mit irgendeinem Spiel auf seinem Smartphone beschäftigt, das er schnell ausschaltete und wegsteckte, als er Madlener den Gang entlangstapfen sah. Er erhob sich von seinem Stuhl und wartete in Habachtstellung auf Madlener, den er zu kennen schien – Madlener fiel ein, dass er ihn beim Internatsfall als ziemlich begriffsstutzig erlebt hatte.

»Guten Morgen, Herr Kommissar«, sagte er schon von Weitem.

Madlener erwiderte den Gruß. »Morgen. Sie sind?«

»Polizeiobermeister Schmiedinger, Herr Kommissar.«

POM Schmiedinger war augenscheinlich vor dem Polizeidienst ein paar Jahre beim Militär gewesen – er verhielt sich wie ein Gefreiter vor seinem Feldwebel. Eigentlich hatte Madlener immer von sich gedacht, dass er mit seinem Auftreten alles andere als soldatische Reaktionen auslöste, aber so konnte man sich täuschen. Vielleicht wollte Schmiedinger mit seinem scheindynamischen Gebaren jedoch auch nur den schlechten Eindruck kompensieren, den er im Internatsfall hinterlassen hatte.

»Na schön«, sagte Madlener und nahm sich im selben Augenblick ganz fest vor, in aller Zukunft auf die ihm in Fleisch und Blut übergegangene Verlegenheitsfloskel zu verzichten. »Irgendwelche besonderen Vorkommnisse?«, fragte er wie ein altgedienter Oberst bei der Inspektion eines Außenpostens und schrieb diese heillos militärische Frage dem Umstand zu, dass er völlig übermüdet und gleichzeitig mit Koffein vollgepumpt war.

»Nein«, antwortete POM Schmiedinger. »Der Patient ist auf dem Weg der Besserung.«

»Sagt wer?«, wollte Madlener wissen.

»Die Krankenschwester, die ihm vor zwei Minuten das Frühstück gebracht hat. Darf ich Sie was fragen?«

»Ja?«

»Warum muss ich diesen Patienten bewachen?«

»Ich befürchte, da haben Sie etwas falsch verstanden«, sagte Madlener. »Ihre Aufgabe ist es nicht, ihn zu beschützen. Sie haben darauf zu achten, dass der Patient nicht die Fliege macht, verstehen Sie? Lassen Sie ihn nicht entwischen! Ihm wird eine schwere Straftat vorgeworfen. Und solange es sein Gesundheitszustand nicht zulässt, dass wir ihn in U-Haft bringen, sind Sie mir dafür verantwortlich, dass der Mann unter keinen Umständen sein Zimmer verlässt.«

»Besteht Fluchtgefahr?«

»Ja, durchaus.«

Madlener klopfte nicht an, sondern machte die Doppeltür dermaßen rigoros auf, als käme er in sein eigenes Büro und nicht in das Krankenzimmer eines zusammengeschlagenen Mannes, der Ruhe brauchte, um seine Verletzungen auszukurieren.

42

Aigner war allein im Zimmer, ein zweites Bett war leer.

Er sah nur kurz hoch, als Madlener hereinkam, dann widmete er sich wieder seinem Frühstück, das aus Joghurt und Tee bestand. Brot, Butter und ein einsames Marmeladedöschen waren unangerührt, er hatte wohl erhebliche Schwierigkeiten beim Kauen, aber das war kein Wunder, so wie sein Gesicht aussah. Das, was neben dem Verband und den Pflastern sichtbar war, war geschwollen und schwarz, blau und grün unterlaufen. Die Prellungen um die Augen »Veilchen« zu nennen wäre der Euphemismus des Monats gewesen. Er hing immer noch an Infusionen und bot ein Bild des Jammers.

Aber Madlener verspürte nicht das geringste Mitleid, als er einen Stuhl heranzog und sich ungefragt ans Bett setzte.

»Wie fühlen Sie sich?«, fragte er.

»Ungefähr so, wie Sie aussehen. Nämlich scheiße«, antwortete Aigner mühsam und verkniff sich wohlweislich ein Feixen, das er im Normalfall nicht ausgespart hätte. »Was wollen Sie? Zwischen uns ist alles gesagt. Sie beeinträchtigen meine Rekonvaleszenz.«

Madlener verstand ihn, obwohl nicht nur das letzte Wort ziemlich undeutlich und dahingenuschelt war. Er studierte Aigners Gesicht beziehungsweise das, was davon übrig geblieben war.

»Oder sind Sie hier, um mir mitzuteilen, dass Sie den Dreckskerl endlich festgenommen haben?«, wollte Aigner wissen.

»Darf ich unsere kleine Unterhaltung aufnehmen? Nur fürs Protokoll …«, fragte Madlener stattdessen und zog sein Smartphone heraus.

»Bitte«, antwortete Aigner und deutete mit einem leichten Achselzucken an, dass es ihm gleichgültig war. Madlener legte das Handy im Aufzeichnungsmodus auf das Tischchen neben Aigners Kopf und stellte seine nächste Frage: »Mit Dreckskerl meinen Sie nach wie vor Dr. Matussek?«

»Wen denn sonst?«

»Nein, wir haben ihn nicht festgenommen.«

»Und warum nicht? Ich habe Ihnen klipp und klar gesagt, wer mich überfallen hat. Oder zählt das Wort eines Exknackis vielleicht nichts? Oder das hier?« Er wies auf sein lädiertes Gesicht.

Madlener schlug die Beine übereinander und lehnte sich zurück. »Es steht nun mal Aussage gegen Aussage, und solange wir keine eindeutigen Beweise haben …«

Aigner packte den Haltegriff über seinem Kopf und zog sich ächzend daran hoch. »Was brauchen Sie denn noch für Beweise? Sehen Sie mich an: Muss ich mich erst totschlagen lassen, bevor Sie mir glauben?« Erschöpft sank er in seine Kissen zurück.

Madlener verschränkte die Arme. »Wenn Sie sich jetzt wieder beruhigt haben, möchte ich zu einer ganz anderen Baustelle kommen.«

Aigner schloss die Augen und stöhnte hingebungsvoll.

Madlener fuhr fort: »Haben Sie außer zu Ihrer Nichte noch Kontakte zu Frauen gehabt während Ihrer Haft? Den einen oder anderen Briefwechsel vielleicht?«

Madlener registrierte, dass Aigner sofort misstrauisch wurde. Wahrscheinlich ein nicht mehr abzugewöhnender Reflex aus dem Knast.

Lauernd fragte Aigner: »Wovon sprechen Sie?«

»Von Frauenbekanntschaften. Es gibt Frauen, die ein außerordentliches Mitgefühl entwickeln, eine Art extremes Helfersyndrom, wenn es um einsame und angeblich unschuldige Männer in Haft geht …«

»Das Thema Frauen hab ich mir abgewöhnt.«

»Gewaltsam?«

Jetzt wurde Aigners Gesicht zur Maske. »Was zum Teufel wollen Sie?«

»Eine Antwort auf meine Frage. Sie haben vor über zehn Jahren eine Frau erstochen, das hat jedenfalls damals das Gericht festgestellt. Haben Sie es wieder getan?«

»Was?«

»Sie wissen schon … Sie kommen aus dem Knast, und die liebe Brieffreundin will nicht, was Sie wollen. Ein Wort gibt das andere. Sie werden wütend. Die Frau schreit. Sie wollen, dass sie ruhig ist. Mit dem Schreien aufhört. Weil es die neugierigen

Nachbarn hören könnten. Sie nehmen ein Messer, stechen zu, einmal, zweimal, dreimal. Bis sie endlich Ruhe gibt ...«

Aigner hatte aufgehört, seinen Joghurt zu löffeln. »Ich weiß überhaupt nicht, wovon Sie sprechen.«

»Aber Charlotte Elisabeth Prechtl wusste es.«

»Bitte wer?«

»Die Frau, die geschrien hat. Und die Sie erstochen haben. In ihrem Apartment. In Weingarten. Sie haben sie erstochen, weil Sie plötzlich Angst bekommen haben. Angst davor, wieder in den Knast zu wandern. Und das für immer. Weil Sie zu alt sind. Noch mal zehn oder gar zwanzig Jahre ... Sie wissen genau, dass Sie das nicht überleben. Sie sterben im Knast, und das wollen Sie nicht. Unter gar keinen Umständen. Deshalb haben Sie zugestochen.«

Diesmal verlor Aigner seine gespielte oder wirkliche Souveränität, wer wusste das schon, und schmetterte den Joghurtbecher gegen die Wand, dass die weißliche Soße mit den roten Erdbeereinsprengseln am Bild herunterlief, das dort hing und religionsneutral irgendwelche Dünen in irgendeiner Wüste zeigte.

»Es reicht! Was für einen Scheißdreck erzählen Sie mir da?«

Wenn das Thema, um das es ging, nicht so todernst gewesen wäre, hätte der Mann mit dem Verband um den Kopf, der sich kaum artikulieren konnte und wie ein Irrer herumfuchtelte, aus einem absurden Vaudeville-Theaterstück stammen können.

»Ich kenne keine Charlotte Elisabeth Sowieso! Nie gekannt! Und jetzt hauen Sie ab! Da ist die Tür! Ohne meinen Anwalt spreche ich kein Wort mehr mit Ihnen!«

Madlener blieb ganz ruhig und erhob sich. »Sie sind mich gleich los. Aber lassen Sie mich vorher eines feststellen: Wir haben eine Tote, ermordet und auf grausame Weise zerstückelt. Wir haben des Weiteren eindeutige Indizien dafür, dass Sie sie gekannt haben. Und wir haben die Tatwaffe. Sie wird gerade auf Ihre Fingerabdrücke untersucht.«

Entgegen seiner Ankündigung zog sich Aigner wieder am Haltebügel hoch und wurde richtig laut. »Was haben Sie? Was sind das für Indizien?« Blut tropfte aus seiner Nase, er merkte es nicht.

Madlener antwortete unbarmherzig: »Ein Personalausweis des

Opfers. Versteckt in einer Tupperdose mit Ihren Fingerabdrücken darauf, da gehe ich jede Wette ein, ein angebissenes Käsestück war auch dabei, wenn der Bissabdruck zu Ihren Zähnen passt, dann sind Sie endgültig geliefert. Ach ja – die Tupperdose war in Ihrem Kühlschrank. Der sich in dem Wohnwagen befindet, der Ihr gegenwärtiger Wohnsitz ist. Auf dem Betriebsgelände der Gebrüder Schwarz.«

»Was? Ist denn die ganze Welt verrückt geworden? Ja kapieren Sie denn nicht, dass er mir noch mal was anhängen will? Dieses Schwein! Dieses elende Dreckschwein!«

»Von wem reden Sie?«

»Von wem wohl? Matussek! Matussek hat mir schon einmal einen Mord angehängt, und jetzt will er es wieder tun! Matussek – du Sau! Ich bring dich um!«

Aigners Ausbruch in einem hemmungslosen und völlig irrationalen Furor kam aus heiterem Himmel, obwohl Madlener es natürlich darauf angelegt hatte, ihn zu provozieren. Aber dass Aigner sich in seinem desolaten Zustand aus dem Bett plumpsen ließ, dabei alle Schläuche und die daran hängenden Apparaturen mit sich riss und in seinem hinten offenen Krankenhaushemd und auf allen vieren auf dem Boden kriechend versuchte, die Tür zu erreichen, wobei er unentwegt schrie »Matussek – ich bring dich um!« – davon wurde Madlener doch überrascht. Er drückte den Notknopf für die Schwester und versuchte, Aigner, der sich wie ein Tobsüchtiger gebärdete und wild um sich schlug, festzuhalten.

Endlich ging die Tür auf, und Polizeiobermeister Schmiedinger stürzte herein.

»Einen Arzt, schnell!«, rief Madlener ihm zu und versuchte weiterhin, Aigner irgendwie zu bändigen, der nur noch Unverständliches brüllte, hyperventilierte, sich gegen jede Umklammerung wehrte und mit den Füßen strampelte.

Es kam Madlener vor wie eine Ewigkeit, bis Schmiedinger endlich mit Schwestern und Pflegern und einem Arzt zurückkam, der Aigner eine Spritze verpasste, während sie ihn zu fünft am Boden festhielten. Allmählich verlor Aigner unter spastischen Zuckungen das Bewusstsein. Dann hievten sie ihn in sein Bett

zurück, wo er wieder versorgt und an seine Schläuche angeschlossen wurde. Die Pfleger fixierten ihn mit Bändern, damit
er sich nicht selbst verletzen konnte.

»Was um Gottes willen haben Sie mit dem Mann gemacht?«,
fragte der Arzt nach der ganzen anstrengenden Prozedur Madlener.

»Ihm die Wahrheit erzählt«, antwortete er, der nach der heftigen Reaktion von Aigner selbst körperlich ziemlich am Ende
war. Dass Aigner komplett durchdrehen könnte – damit hatte
Madlener niemals gerechnet, so abgeklärt und überlegen, wie er
sich bisher gegeben hatte. Aber so sehr konnte man sich in einem
Menschen täuschen, immer wieder aufs Neue. Man musste nur
den wunden Punkt finden. Madlener schien es, als habe er genau
das getan.

Der Fall Prechtl war noch nicht ausgestanden.

Er war ganz und gar noch nicht ausgestanden.

43

Madlener hatte seinen Dienstwagen direkt vor dem Haupteingang des Klinikums im absoluten Halteverbot abgestellt, das auch noch mit Schildern markiert war, die bei Zuwiderhandlung ein sofortiges Abschleppen androhten. Als er jetzt erschöpft und todmüde aus dem Haupteingang kam, sah er schon von Weitem, dass er von einer dieser übereifrigen und absolut humorlosen weiblichen Parküberwachungshyänen aufgeschrieben wurde, die mit ihren zirkusreifen Phantasieuniformen den geplagten Autofahrern das Leben schwer machten.

Mist, Mist, Doppelmist!

In der Eile hatte er natürlich vergessen, das selbst verfertigte Schild mit der Aufschrift »Polizei im Einsatz« aufs Armaturenbrett zu legen. Aber er bezweifelte, dass die Politesse, so streng, wie sie aussah, ihm das abgekauft hätte. Nach dem erneuten aufreibenden Theater mit Aigner war Madlener zumute wie einer lebenden Handgranate, der man schon den Sicherungsstift herausgezogen hatte – ein falsches Wort, und er würde in die Luft gehen, das wusste er selbst. Und jetzt fotografierte diese städtisch sanktionierte Bordsteinschwalbe auch noch seinen Wagen von allen Seiten, nur um für ihren Strafzettel zu dokumentieren, wie falsch und gesetzeswidrig Madlener geparkt hatte.

»Was treiben Sie da?«, fragte er barsch.

»Ist das Ihr Wagen?«, lautete die Gegenfrage.

»Ja. Was geht Sie das an?«

»Er steht im absoluten Halteverbot. Seit genau zweiundvierzig Minuten. Ich habe schon den Abschleppdienst informiert.«

»Hören Sie, ich bin ein Polizeibeamter im Einsatz ...« Er kramte nach seinem Ausweis und fand ihn nicht, egal, in welcher Tasche er auch suchte.

Die Politesse war unbeeindruckt und machte zur Sicherheit noch ein Foto von Madleners Wagen. Irgendwie ließ das Madlener noch wütender werden, als er es ohnehin schon war.

»Unterlassen Sie das!«, blaffte er. »Dies ist ein Dienstfahrzeug.«

»Und ich komme nur meinen Pflichten nach«, lautete die schnippische Antwort. Madlener wollte sie am Ärmel wegziehen, um an die Fahrertür zu kommen. Die Politesse sah ihn an, als hätte Madlener es gewagt, sie unsittlich zu berühren.

»Sie haben mich angefasst«, sagte sie empört. »Ich warne Sie – noch einmal, und ich lasse Sie auf der Stelle festnehmen!«

Madlener hob die Hände: »Gut. In Ordnung. Mein Fehler. Was bin ich schuldig? Damit wir diesen Unsinn kurz und schmerzlos hinter uns bringen? Zwanzig Euro? Fünfzig?« Er griff schon nach seiner Brieftasche, die Gott sei Dank noch da war.

Die Politesse lächelte geringschätzig. »Das wird bei Weitem nicht reichen. Da der Abschleppdienst schon informiert ist, fallen noch die Abschleppgebühren an.«

»Aber ich fahre doch weg. Sobald Sie mich lassen.«

»Das tun Sie nicht. Sie warten gefälligst, bis ich die ganze Anzeige aufgenommen habe.«

»Sie wollen mich im Ernst daran hindern, in meinen Wagen zu steigen und die Halteverbotszone frei zu machen? Das wollen wir doch mal sehen …«

Aber die Politesse stellte sich demonstrativ wieder vor die Fahrertür. »Sie warten, bis der Abschleppdienst kommt!«

»Den Teufel werde ich tun! Ich bin ein freier Bürger in einem freien Land und fahre los, wann ich will! Wir sind nicht mehr im Jahr 1933! Gehen Sie beiseite.« Er kam ihr bedrohlich nahe, ihre Nasen berührten sich fast. Sie zückte das Smartphone und drückte eine Kurzwahl. »Ich habe Sie gewarnt …«

Madlener wich zurück. »Kommen Sie – wir vergessen das Ganze und tun so, als sei nichts gewesen. Einverstanden?«

Aber dafür war es zu spät. Die Politesse sprach schon in ihr Handy. »Fändrich hier. Ich stehe vor dem Klinikum und werde körperlich bedroht. Von einem aggressiven Mann, der mich beleidigt und sich als Polizist ausgibt … Amtsanmaßung, jawohl.«

Jetzt reichte es Madlener. Er drängte die Politesse energisch beiseite, öffnete die Fahrertür, setzte sich hinter das Steuer und steckte den Schlüssel in das Zündschloss.

»Unterstehen Sie sich, den Motor anzulassen!«, fuhr ihn die Politesse an. »Steigen Sie sofort wieder aus!«

Madlener zog die Tür gegen ihren Widerstand zu, ließ den Motor an und das Fenster herunterfahren. »Hören Sie, Sie aufgeblasene Wichtigtuerin – ich bin seit ungefähr sechsundzwanzig Stunden auf den Beinen. Ich will nur noch ins Bett und mich aufs Ohr hauen.«

Sie beugte sich zu ihm ins Fenster herunter. »Motor aus und raus aus dem Wagen!«

Dabei versuchte sie, an den Zündschlüssel heranzukommen.

»Wie reden Sie mit mir?«, empörte sich Madlener. »Hände weg von meinem …«

Weiter kam er nicht, denn Frau Fändrich sprühte ihm durchs offene Fenster etwas aus einer schwarzen Spraydose direkt in die Augen, das entsetzlich brannte und ihn auf der Stelle blind und wehrlos werden ließ.

44

Dr. Matussek begutachtete das frisch entworfene Etikett des neuen Grauburgunder-Jahrgangs auf der Weinflasche und befand es für gelungen: Es war modern, aber nicht zu gewagt, um die ältere Kundschaft nicht abzuschrecken – ein stilisierter Weinberg. Mit Ingrimm dachte er daran, wie Aigner einen Teil des Weinbergs abgefackelt hatte. Ein Kollateralschaden, aber jetzt war das Kapitel Aigner so gut wie abgeschlossen. Die Beweislast im Fall Prechtl war erdrückend, er als Staatsanwalt konnte das bestens beurteilen. Thielen hatte ihn kurz informiert, auch davon, dass künftig von Aigner keine Bedrohung mehr ausgehen würde. Wenn Aigner wieder für einen Mord an einer Frau verurteilt wurde und in den Knast kam, würde er ihn in diesem Leben nicht mehr verlassen. Nur noch mit den Füßen voraus.

Matussek hatte sich gebührend dankbar gezeigt, speziell bei Thielen, und etwas von weiterer guter zukünftiger Zusammenarbeit zwischen Staatsanwaltschaft und Polizei gefaselt, er wusste es nicht mehr so genau.

Er drehte die Weinflasche mit dem Etikett in seiner Hand. Es war wirklich gelungen und sprach zugleich auch die junge Kundschaft an, die vom Weingut Haggenmiller verstärkt angepeilt wurde. Schließlich schenkte er ein, hielt das Glas gegen das Licht und begutachtete den blassgelben Farbton der Flüssigkeit. Dann nahm er einen Probeschluck und ließ den Wein in seinem Mund hin und her kreisen, kaute ihn und schluckte ihn schließlich hinunter, um zu überprüfen, wie der Abgang in seinem Gaumen war. Wahrlich ein erstklassiger Tropfen, weich, säurebetont, erdig und doch voller Frische – ein typischer edler Seewein mit speziellem Charakter. Wenn er es jetzt noch schaffte, diesen englischen Weinpapst einzuladen, und der eine entsprechend positive Kritik über den 2013er-Jahrgang des Weinguts Haggenmiller schrieb, wäre das ein Meilenstein in der zukünftigen Marketingstrategie des Weinguts Haggenmiller, dessen Erfolg ihm manchmal mehr am Herzen lag als seine immer noch steil nach oben zeigende Karriere als Oberstaatsanwalt.

Matussek war allein mit Jürgen Kurbjuweit im Gutsausschank, der wie ein richtiger Weinkeller stilecht mit alten Fässern und modernen Regalen und einer Theke, umgeben von rohem, unverputztem Mauerwerk, eingerichtet war. Matussek gab nach außen vor, ganz die Ruhe selbst zu sein, er nahm noch einen Schluck und kaute extralang darauf herum, doch in seinem Kopf war er fieberhaft damit beschäftigt, nach einer akzeptablen Lösung für das Dilemma zu suchen, in das ihn Kurbjuweit gebracht hatte, der allem Anschein nach nicht länger bereit war, den willfährigen Laufburschen für seinen Chef zu spielen, auch wenn er das seit Jahren getan, eine Menge Geld dafür kassiert und bisher keinerlei Skrupel an den Tag gelegt hatte, auch heikle Hindernisse aus dem Weg zu räumen. Jetzt auf einmal, kurz vor der endgültigen Lösung aller Probleme, fing er an, Sperenzchen zu machen und Matussek unter Druck zu setzen. Das gefiel Matussek nicht, das gefiel ihm ganz und gar nicht.

Kurbjuweit hatte eine Flasche von einem der Edelbrände des Weinguts – ein aromatisches holzfassgereiftes Kirschwasser – vor sich und goss sich einen Fingerbreit in ein kleines, bauchiges Schnapsglas, atmete dessen Aroma ein und nahm einen Schluck, dem er provozierend lange nachschmeckte, bevor er sagte: »Das, was ich für Sie getan habe, Herr Dr. Matussek, geht bei Weitem über das hinaus, was ein Angestellter für seinen Arbeitgeber zu tun bereit ist. Normalerweise.«

»Nun, ich würde behaupten, wir haben von Anfang an klargestellt, dass Sie weder ein normaler Angestellter sind noch ich ein normaler Arbeitgeber«, stellte Matussek fest.

Er wollte vor allem Zeit gewinnen, sein Gehirn arbeitete auf Hochtouren, was man ihm aber nicht ansah, er konnte das sehr wohl hinter seiner Maske aus Gelassenheit und Souveränität verstecken und tat deshalb so, als würde er sich ganz darauf konzentrieren, seinen Grauburgunder mit all seinen Geschmacksnerven auszukosten.

»Zugegeben, das haben wir«, konzedierte Kurbjuweit und sah sein Schnapsglas an, als wäre nicht nur destilliertes Kirschwasser darin, sondern auch die Antwort auf manche Frage, die er auf der Zunge hatte.

Matussek fuhr fort: »Ich habe auf diesen Augenblick gewartet, Kurbjuweit. Was sind Ihre Forderungen?«

»Sie haben mir damals eine Chance gegeben, Herr Oberstaatsanwalt. Dafür bin ich Ihnen dankbar, mehr als dankbar. Aber Dankbarkeit hat ihre Grenzen ...«

»Und die Ihre ist jetzt erreicht? Wollen Sie das damit sagen, Kurbjuweit?«

»Gewissermaßen ja, Herr Dr. Matussek. Ich habe jahrelang Ihre Probleme aus dem Weg geräumt – und das ist sowohl wörtlich als auch sprichwörtlich gemeint.«

»Und jetzt ist es vorbei damit? Meinen Sie das?«

»Wer bin ich, dass ich Ihnen widerspreche?«, sagte Kurbjuweit und trank den Rest Schnaps aus. Dann setzte er das leere Glas hart auf dem Tisch ab. »Ich möchte das Land verlassen und erwarte, dass Sie mir das ermöglichen. In jeder Hinsicht.«

»Daher weht der Wind. Und wenn ich das nicht tue? Weil Sie Unmögliches verlangen?«

»Ich verlange nur, was recht und billig ist. Ich bin über Ihre Möglichkeiten bestens informiert, das können Sie mir glauben. Sie können es sich leisten.«

»Und dann?«

»Dann wären Sie mich los. Für alle Zeiten.«

»Wer garantiert mir, dass Sie nicht Geschmack an ... sagen wir mal: an dieser Art von einträglicher Gehaltsaufbesserung finden und mich immer wieder deswegen belangen? Das haben Leute von Ihrem Schlag nun mal an sich.«

»Sie haben mein Wort.«

Matussek lachte trocken und kurz. »Ihr Wort. Kurbjuweit, Sie gefallen mir. Meinen Sie das im Ernst? Wir beide haben zu viel zusammen durchgemacht. Da kann man sich nicht mir nichts, dir nichts Lebewohl sagen und dann zur Tagesordnung übergehen. Das müsste Ihnen doch klar sein.«

»Ich habe mir schon vor Jahren eine Grenze gesetzt, Dr. Matussek. Und die habe ich nun erreicht. Zeit, zu anderen Ufern aufzubrechen. Ich bitte Sie, das zu respektieren.«

Matussek nickte, nahm noch einen kleinen Schluck und sagte: »Gut. Gesetzt den Fall, ich akzeptiere Ihre Kündigung – wo gehen Sie hin?«

»Ich sagte doch: Sie werden nie wieder etwas von mir hören. So viel will ich Ihnen verraten, weil Sie schließlich vom Fach sind: Es wird garantiert ein Land sein, das kein Auslieferungsabkommen mit Deutschland hat.«

»Trauen Sie mir nicht?«

»Denken Sie, ich würde Sie verraten?«

»Nein, das können Sie nicht riskieren.«

»Eben. Aber sicher ist sicher. Ich weiß zu viel über Sie. Und Sie zu viel über mich. Ist das nicht der beste Pakt? Sicherheit durch gegenseitige Abschreckung?«

»Ja, das ist wahr. Das ist sehr wohl wahr.«

Matussek nahm noch einen Schluck vom Grauburgunder, der schon nicht mehr so frisch schmeckte, weil er warm geworden war.

Dann sagte er: »Gut. Einverstanden. Ich denke, es war für beide Seiten eine gute Zusammenarbeit. Eine Win-win-Situation. Verderben wir nicht alles am Ende dadurch, dass wir es mit Misstrauen und Kleinmütigkeit im Nachhinein disqualifizieren.«

Er streckte Kurbjuweit die Hand hin. Kurbjuweit schlug ein. Matussek ließ noch nicht los. »Ich habe Ihr Wort auf ewiges Stillschweigen und Sie meines, dass ich auf Ihre Bedingungen eingehe.«

»Voll und ganz?«

»Voll und ganz. Die gesamte Summe wird morgen auf Ihr Konto auf Zypern angewiesen. Allerdings müssen Sie mir dafür noch einen letzten Gefallen tun …«

Er ließ immer noch nicht los.

Kurbjuweit sagte: »Und der wäre?«

Jetzt erst zog Matussek seine Hand zurück.

»Kommen Sie heute Abend gegen zehn in mein Bootshaus. Sie müssen noch einen Transport übernehmen. Wenn der abgewickelt ist, trennen sich unsere Wege.«

»Gut. Wir sehen uns.«

»Sie wollen nicht wissen, um was es geht?«

»Nein. Wollte ich das jemals?«

»Nein.«

»Sehen Sie, und damit sind wir doch immer ganz gut gefahren.«

»Ja, manchmal ist es wirklich besser, wenn man nicht weiß, worum es geht.« Kurbjuweit nickte ihm zu, drehte sich um und verließ den Gutsausschank.

Matussek sah ihm nach.

»Vor allem in diesem Fall«, murmelte er, bevor er noch einen Schluck Wein trank, der ihm nicht mehr schmeckte. Er leerte den Rest mit einem Gesichtsausdruck der Missbilligung in den Degustationseimer.

45

Madlener saß auf der Armesünderbank – so wurde sie im Polizeijargon genannt – im Eingangsbereich des Polizeipräsidiums, hielt den Kopf nach hinten und goss sich aus einer Flasche immer wieder Wasser in die schmerzenden Augen, das er sich mit einem Papiertaschentuch abwischte. Neben sich hatte er einen Papierspenderkarton Kleenex, den ihm freundlicherweise ein Kollege aus der Herrentoilette geholt hatte. Ganz allmählich kehrte seine Sehkraft zurück, aber es brannte immer noch fürchterlich, und seine Augen hörten nicht auf zu tränen.

Er kniff die Augen zusammen, als er Thielen, zwei uniformierte Beamte von der Verkehrspolizei und die Politesse verschwommen herankommen sah. Der eine von den zwei Polizisten, die ihn hierhergebracht hatten, schien der blonde Typ zu sein, mit dem Harriet im Clinch lag, er erkannte ihn trotz seiner Sehbehinderung. Wie hieß der Kerl noch gleich? Genau – Thilo Dobler.

Madlener war nach der Pfeffersprayattacke vollkommen wehrlos gewesen, als sie ihn zu dritt auf den Rücksitz des Streifenwagens bugsiert und ins Polizeipräsidium gebracht hatten, um dort seine Identität zu klären. So wie er aussah – Aigner hatte ihm den Blouson zerfetzt und mit Blut beschmiert, und bei dem Gerangel musste er auch noch seinen Ausweis verloren haben – glaubte keiner seinen Beteuerungen, Kommissar bei der Kripo zu sein.

Thielen setzte sich ächzend neben Madlener und putzte seine Brille mit einem Papiertuch aus Madleners Kleenexspender, während die zwei Polizisten und die Politesse ein paar Meter Abstand hielten und so taten, als würden sie eine Zierpflanze begutachten, die etwas Grün in die nüchterne Atmosphäre des Eingangsbereichs bringen sollte.

»Sie haben Ihrem Namen wieder einmal alle Ehre gemacht ...«, sagte der Kriminaldirektor seufzend und setzte seine Brille wieder auf.

»Madlener – wieso?«, knurrte Madlener.

Thielen seufzte noch einmal. »Mad Max, meine ich.«

Madlener winkte nur ab.

Thielen drückte ihm ein paar frische Papiertaschentücher in die Hand und sagte leise: »Jetzt entschuldigen Sie sich bei Frau Fändrich und den beiden Kollegen von der Verkehrspolizei, dann können wir wieder business as usual machen.«

Madlener regte sich gleich wieder auf. »Wofür bitte soll ich mich entschuldigen?«

»Herrgott, Madlener – Sie haben alle drei ziemlich unflätig mit Verbalinjurien bedacht, milde ausgedrückt. Aber da Sie – wie sich durch meine Intervention jetzt herausgestellt hat –, da *ihr* alle vier mehr oder weniger demselben Verein angehört ...«

»Was für einem Verein? Ich gehöre keinem Verein an.«

»Sie wissen schon, wie ich das meine. Die zwei Kollegen und die freundliche Frau Fändrich vom städtischen Ordnungsamt sehen von einer Anzeige wegen Widerstands gegen die Staatsgewalt und Beleidigung ab, wenn Sie ... nun: wenn Sie ein wenig Einsicht zeigen und zugeben, dass Sie unverhältnismäßig reagiert haben.«

»Wir sind mitten in einem Mordfall, Herr Kriminaldirektor! Da kann man nicht jedes Wort auf die Goldwaage legen. Außerdem haben sie mich in meiner Ermittlungsarbeit massiv behindert.«

»Das weiß ich, Madlener, das weiß ich. Und ich weiß auch ohne jeden Zweifel zu schätzen, wie Sie unsere stockenden Ermittlungen vorangebracht haben. Ohne Sie und Ihren Einsatzwillen würden wir immer noch auf der Stelle treten. Ich will nur verhindern, dass Sie in dieser wichtigen Phase ein unnötiges und nerviges Verfahren am Hals haben, das Sie bei der weiteren Arbeit im Tunnelfall erheblich einschränken könnte. Was ist, wenn ich gezwungen bin, Sie vom Dienst zu suspendieren? Ich brauche Sie dringend an der Front, gerade jetzt. Herrgott, Madlener – was wollen Sie noch von mir hören? Dass Sie unersetzlich sind? Bitte, das sind Sie. Andererseits gehen Sie wirklich keinem Fettnäpfchen aus dem Weg, und sei es noch so groß. Jetzt geben Sie's schon zu!«

»Na ja …«, murmelte Madlener.

»Geben Sie's endlich zu. Nur einmal!«

»So kann man's auch sehen.«

Thielen lehnte sich erleichtert zurück. »Fein, sehr fein. Und jetzt gehen Sie zu den drei Herrschaften hinüber, sagen, dass es Ihnen leidtut, und der Dings ist geflickt.«

»Der Kittel.«

»Genau der. Hat mein Vater immer gesagt.«

»Meiner auch.«

»Na dann können wir ja endlich wieder zur Tagesordnung übergehen und weitermachen.«

Madlener sah seinen Chef an – soweit man bei seinen zusammengekniffenen Augenschlitzen von »sehen« sprechen konnte – und fand, dass er es tatsächlich ehrlich meinte. Er erhob sich, machte die paar Schritte auf die Herrschaften an der Grünpflanze zu und sagte: »Es tut mir wirklich leid, dass ich mich so danebenbenommen habe. Ich wollte niemanden beleidigen. Wenn ich das getan habe, dann möchte ich mich dafür aufrichtig entschuldigen. Ich hoffe, Sie nehmen meine Entschuldigung an.«

Er merkte nicht, dass Kriminaldirektor Thielen hinter ihm ebenfalls aufgestanden war und den dreien auffordernd zunickte.

Der Kollege des blonden Polizisten war es, der antwortete: »Wir haben die Sache schon vergessen.«

Damit drehten sich die beiden Polizisten um und verließen die Eingangshalle. Die Politesse sah Madlener prüfend an, der ihren Blick – wenn auch stark blinzelnd – erwiderte, dann nickte auch sie schließlich, machte auf dem Absatz kehrt und ging.

Madlener tupfte seine noch immer schmerzende Augenpartie ab, als Thielen ihm auf die Schulter klopfte. »Gut gemacht. Und jetzt lasse ich Sie nach Hause bringen. Keine Widerrede – mit den Augen können Sie nicht fahren. Sie horchen ein paar Stunden an der Matratze, und dann sehen wir uns in alter Frische wieder. Same time, same place. Update Punkt siebzehn Uhr im Meeting-Room.«

»Was ist mit Frau Holtby?«, fragte Madlener.

»Sie ist unterwegs nach Hause. Ich habe ihr ebenfalls Bettruhe verordnet. Aigner kann uns nicht davonlaufen. Ach ja, übrigens:

Die Identität der Leiche im Tunnel ist endgültig geklärt. Die Fingerabdrücke des Leichnams sind die von Charlotte Elisabeth Prechtl.«

Thielen winkte einer jungen Polizistin, die die ganze Zeit schon im Hintergrund gewartet hatte, und Madlener folgte ihr zum Fuhrpark, ohne Thielen noch einmal zu widersprechen.

46

Kaum hatte Madlener sein Hotelzimmer betreten und war auf sein Bett gesunken, schlief er auch schon wie ein Toter. Er wachte auf, weil er Durst hatte, und zwar unbändigen Durst, der ihn dazu zwang, ins Bad zu stürmen und aus dem Wasserhahn zu trinken, bis er nicht mehr konnte. Mit Müh und Not brachte er es fertig, sich seine schweren Schnürstiefel aufzubinden und abzustreifen, dann ließ er sich wieder auf sein Bett fallen und schlief weiter.

Er war in New York, er wusste genau, dass es New York war, obwohl die Straßenschluchten aussahen wie Londons schmutzige Viertel zur Zeit von Jack the Ripper. Er musste dringend zum Flughafen, aber kein Mensch konnte ihm sagen, wie er da hinkommen sollte, und der Abflug seiner Maschine würde in einer halben Stunde erfolgen. Dabei hatte er noch nicht einmal gepackt. Seine zwei Exfrauen redeten gleichzeitig auf ihn ein und beschworen ihn, endlich seine Sachen in den Koffer zu quetschen und ein Taxi zu suchen, weil er sonst seinen Flug verpassen würde.

Thielen, Aigner, Harriet und ihr blonder Typ scheuchten ihn eine Straße zwischen himmelhohen Wolkenkratzern entlang, dabei war ihm klar, dass er auf jeden Fall zu spät dran war, denn sein Flugzeug war schon über seinen Kopf hinweg gestartet. Ein Telefon klingelte. War es Gott oder Dr. Auerbach? Beide hatten schon so oft bei ihm angerufen, dass sie ihm allmählich gewaltig auf den Keks gingen, weil sie immer nur Fragen hatten und keine Antworten. Stets wollten sie wissen, warum er Ellen nicht endlich kontaktieren und um Vergebung bitten wollte, für etwas, das er gar nicht getan hatte.

Plötzlich stand er ohne Ellen, ohne seine Exfrauen und ohne Koffer vor dem Waldorf Astoria in New York, aber es kam kein Taxi, sosehr er auch Ausschau hielt. Schon wieder klingelte das Telefon. Das Klingeln wurde immer lauter, bis Madlener merkte, dass es von seinem Smartphone kam, das auf dem Nachtkästchen lag. Es musste Ellen, Dr. Auerbach oder Gott sein, da war sich

Madlener in diesem Augenblick sicher, obwohl er vollständig verwirrt war. Sie wollten bestimmt wissen, wer Charlotte Elisabeth Prechtl umgebracht hatte. Dabei wusste er es selbst noch nicht. Er tastete nach dem Handy und drückte auf Empfang.

»Ja?«, krächzte er heiser und war darauf gefasst, Gottes donnerndes Organ zu vernehmen, aber eine weibliche Stimme säuselte angenehm in sein Ohr: »Herr Madlener, es isch gleich so weit. Harriet wird in einer Viertelschtunde bei Ihnen vorbeikommen und Sie abholen. Ich wollt Sie nur vorwarnen, dass Sie noch Zeit haben, sich frisch zu machen.«

Das musste ein Engel sein!

Oder vielleicht Frau Gallmann?

Engel hatten, soweit ihm bekannt war, nicht diesen schwäbischen Dialekt und Singsang, also, schloss er messerscharf, konnte es nur Thielens Perle sein, die ihn geweckt hatte.

»Herr Madlener, sind Sie noch da?«

»Ja, Frau Gallmann, ja, ich bin wieder da. Danke für die Vorwarnung.«

Er legte auf, blinzelte, und der brennende Schmerz, als ob er Sand auf den Augäpfeln hätte, machte ihn endgültig wach. Zwar war er immer noch benommen von seinem seltsam intensiven und wirren Traum, aber er quälte sich in eine sitzende Position und stellte erst jetzt fest, dass er in seinem stinkenden, blutigen und zerfetzten Blouson eingeschlafen war, am helllichten Tag! Erst mal musste er wieder einen klaren Kopf bekommen und unzweifelhaft feststellen, wo er war, wer er war und wie spät es war. Die letzte Frage war am leichtesten zu beantworten. Sechzehn Uhr fünfunddreißig. Okay. Eine knappe halbe Stunde vor der angesetzten Kripo-Vollversammlung.

Er hatte einen Brummschädel, als ob er den Friedrichshafener Kneipenrundweg hin und zurück absolviert hätte, und zwar den großen. Seine Augenlider waren innen wie Schleifpapier, und jetzt fiel es ihm wieder ein: Er hatte keinen Kater, das waren die Nachwirkungen dieses verfluchten Pfeffersprays. Er riss sich die Klamotten vom Leib, der Blouson kam gleich in den Abfall, schleppte sich unter die Dusche und stellte auf kalt. Das wirkte, er hielt zwei Minuten durch, bis er hellwach war.

Als er aus dem Bad kam, spürte er zwar jeden einzelnen Knochen im Leib, sein Körper war noch malträtiert vom Zweikampf mit Aigner, aber es musste irgendwie gehen, der Tunnelfall wartete auf ihn. Er warf zwei Aspirin ein, zog sich frische Sachen an und fühlte sich schon besser. Schnell steckte er seine SIG Sauer, die im Schulterholster bei den abgelegten Klamotten war, noch in den Hotelsafe und verließ sein Zimmer, um nach draußen zu eilen, wo Harriet schon auf dem Beifahrersitz eines Polizeiwagens saß, der von derselben Polizistin gefahren wurde, die ihn auch hergebracht hatte. Er nickte ihr zu – Harriet sah zwar auch übermüdet aus, aber sie konnte ihre Augenringe wenigstens unter einer dicken Schicht Schminke verstecken –, und dann wurden sie ins Präsidium gefahren.

Unterwegs tauschten sie sich kurz aus, damit sie auf dem gleichen Wissensstand waren. Harriet hatte nichts von Belang in dem Apartment der Toten entdeckt, es sah ganz so aus, als habe der Täter alles verschwinden lassen, was auf ihn hindeuten konnte. Nicht einmal ein Fotoalbum hatte sie gefunden, und sogar der Computer war weg – die Anschlüsse waren noch da, aber kein Rechner, berichtete Harriet.

Madlener bat die Fahrerin, kurz an einer Apotheke zu halten, wo er Augentropfen kaufte, die er sich noch im Auto von Harriet einträufeln ließ. Dabei war er außerordentlich dankbar, dass seine Assistentin keinerlei Kommentar zum Zwischenfall mit der Politesse abgab, den er ihr – wenn auch in abgeschwächter Form – knapp und ziemlich einseitig schilderte.

Harriet musste sich trotz Übernächtigung und einer damit einhergehenden nervlichen Überreiztheit und ihrer grundsätzlichen privaten Malaise schier übermenschlich beherrschen, um ihm mit dem nötigen Ernst beizupflichten, dass er vollkommen im Recht gewesen und zu Unrecht so behandelt worden war.

47

Die Besprechung im Meeting-Room zog sich endlos, Madlener konnte kaum noch die Augen offen halten. Er schielte zu Harriet, ihr schien es genauso zu gehen. Die paar Stunden Schlaf am Mittag hatten nicht viel gebracht, er konnte nur hoffen, in dieser Nacht einmal ohne Störung durchschlafen zu können, ohne wirre Träume oder Anrufe, dass wieder etwas völlig Unerwartetes passiert war. So eine hohe Frequenz von ständigen Überraschungen und Wendungen in einem einzigen Fall hatte er seit seiner Stuttgarter Zeit nicht mehr erlebt.

Sie hatten sich alle gegenseitig auf den neuesten Stand gebracht. Die Identität der Toten war zweifelsfrei geklärt, Thielen hatte berichtet, dass er Oberstaatsanwalt Matussek darüber informiert hatte, dass er aus Aigners Schusslinie war und Aigner wegen Mordverdacht in U-Haft kommen würde, und alle waren sich ausnahmslos darin einig, dass ab jetzt die Mühsal der Kleinarbeit beginnen würde. Das Vorleben des Opfers musste genau unter die Lupe genommen werden, die Nachbarn und eventuelle Bekannte und Freunde mussten befragt, eine Verbindung zu Aigner gefunden werden.

Götze war der Aufgeweckteste von allen. Glatt rasiert und frisch vom Friseur, hatte er diesmal ausnahmsweise nichts Extravagantes an, stellte Madlener fest, ein einfaches Jeanshemd zu normalen Jeanshosen und schwarzen Schuhen – was in seinem besonderen Fall auch schon wieder außergewöhnlich war, weil er nicht einmal eine seiner geschmacklosen Krawatten trug. Er sollte die Nachbarn von Charlotte Elisabeth Prechtl abklappern, eine Arbeitsstelle hatte sie nicht gehabt und weder Arbeitslosengeld noch Hartz IV bezogen. Das hatte Frau Gallmann eruiert, die im Übrigen ebenfalls frisch und hellwach aussah, obwohl sie doch auch die ganze Nacht auf den Beinen gewesen sein musste. Madlener war es ein Rätsel, wie sie das anstellte, vielleicht ließ sie sich ab und zu durch ihre eineiige Zwillingsschwester vertreten, von der niemand wusste, dass sie existierte. Er stellte sich vor, wie zwei identische Gallmann-Frauen mit Gallmann-Kostümen und Gallmann-Frisuren zu Hause Schnick, Schnack, Schnuck spielten, um zu entscheiden, wer diesmal Dienst bei der Kripo hatte.

Madlener merkte, wie seine Gedanken schon wieder ins Irrationale abdrifteten, ein sicheres Zeichen dafür, dass er wenigstens einmal acht Stunden am Stück ungestört durchschlafen musste. Außerdem brannten seine Augen immer noch, obwohl er sie im Viertelstundentakt mit den Augentropfen aus der Apotheke beträufelte. Er hatte kurz vor der Besprechung in der Toilette einen Blick in den Spiegel geworfen und war selbst erschrocken – er sah aus, als habe er zwei Tage und zwei Nächte ununterbrochen in einem verruchten und verräucherten Club durchgemacht und anschließend noch eine Tracht Prügel vom Türsteher bezogen.

Wovon Charlotte Elisabeth Prechtl ihren Lebensunterhalt bestritten hatte, das musste ebenfalls Götze herausbekommen, er würde sich zusammen mit Harriet ihre Bankkonten vornehmen. Sie vermuteten, dass der Computer und das Handy der Toten wohl für immer verschwunden bleiben würden, außer sie fanden beides bei Aigner, aber dass er so dumm sein könnte, glaubte keiner.

Madlener würde sich Aigner noch einmal gründlich vorknöpfen, sobald er wieder vernehmungsfähig war. Wenn er mauerte und schwieg, lag noch ein beschwerlicher Weg vor ihnen, weil sie ihm dann Punkt für Punkt nur durch Indizien und Beweise seine Urheberschaft für den Mord nachweisen mussten. Der Wohnwagen war inzwischen von den Spezialisten der Kriminaltechnik bis auf die letzte Schraube gefilzt worden, aber zusätzliches Belastungsmaterial – wie etwa Briefe – war nicht aufgetaucht.

Eines behielt Madlener vorläufig für sich: Für ihn waren die Beweise aus dem Wohnwagen ein wenig zu perfekt. Auf dem plastiküberzogenen Personalausweis waren keine Fingerabdrücke. Auf dem Messer, der laut Pathologin Dr. Ellen Herzog mit neunundneunzigprozentiger Sicherheit wahrscheinlichen Tatwaffe, ebenfalls nicht. Er hatte ein ungutes Gefühl bei der ganzen Angelegenheit, obwohl er es gewesen war, der die entscheidenden Hinweise entdeckt hatte. Irgendetwas bereitete ihm Unbehagen, er wusste nur noch nicht, was es war. Aigners Verhalten im Krankenhaus war ihm suspekt vorgekommen. Sein völliger Ausraster, als er erfahren hatte, dass man ihn wieder eines Mordes an einer Frau verdächtigte ... das war echt gewesen, das war nicht gespielt. Noch konnte sich Madlener keinen Reim darauf machen. Aber was er sich unbedingt vornahm, sobald er Zeit dazu hatte: Er wollte den alten Fall von vor zehn Jahren noch einmal durchchecken. Vielleicht war doch irgendetwas dran an Aigners Unschuldsbeteuerungen. Frau Gallmann hatte ihm auf seine Nachfrage hin erklärt, dass sie alle diesbezüglichen Akten bereits besorgt hatte, sie warteten schon in seinem Büro auf ihn.

Madlener seufzte innerlich: Da lag noch eine Menge Arbeit vor ihm und Harriet. Aber er hatte ja abends und nachts Zeit – wenn er seine vertrackte private Situation mit sehr viel grimmiger Selbstironie betrachtete, konnte er sogar sagen: mehr als genügend Zeit. An Ellen wollte er gar nicht denken, obwohl er befürchtete, dass sie sich zumindest in seine Träume schleichen würde, wenn es ihm schon gelang, sie tagsüber aus seinen Gedanken fernzuhalten. Ihr Vater, Dr. Auerbach, hätte dazu gesagt: sie zu verdrängen.

Apropos Träume – er fühlte sich bettreif und stand auf. »Für heute habe ich genug. Es ist gleich zehn Uhr abends. Ich denke, wir legen morgen früh wieder los und sollten es für heute gut sein lassen.«

Auch Thielen machte einen ermatteten Eindruck, obwohl er ständig damit beschäftigt war, seinen Blutzuckerspiegel mit entsprechender Süßigkeitennachfuhr nicht in gefährliche Untiefen absacken zu lassen.

»Sie haben recht, Madlener«, sagte er undeutlich, weil er gleichzeitig an einem Hanuta knabberte. »Hiermit erkläre ich die heutige Sitzung für beendet. Ich wünsche allseits eine gute Nacht.«

Madlener wunderte sich, dass Thielen diesmal sogar darauf zu verzichten schien, irgendetwas Englisches oder, noch schlimmer, etwas vermeintlich Aufmunterndes oder gar Witziges zum Besten zu geben, aber er hatte sich zu früh gefreut. Im letzten Moment packte Thielen noch einen seiner Sparwitze aus, Frau Gallmann griff schon vorsorglich zur Chauvi-Kasse.

»Und merken Sie sich bitte eins, Herrschaften: Der Engländer Ian Fleming, Sie wissen schon, der den Dings erfunden hat …«

Frau Gallmann half ihm aus und hielt den hässlich grünen Sparelefanten hinter ihrem Rücken bereit. »Bond. James Bond.«

»Richtig. James Bond 007. Also Ian Fleming sagt über die Frauen …«

Den Rest hörte Madlener nicht mehr, weil er schon die Flucht ergriffen hatte und die Treppe zum Ausgang hinunterstürmte, als wären sämtliche Doppel-Null-Agenten Ihrer Majestät hinter ihm her.

Er hörte es laut klackern. Harriet war ihm knapp auf den Fersen.

48

Dr. Matussek stand um kurz vor zweiundzwanzig Uhr auf dem Steg vor seinem Bootshaus und betrachtete geistesabwesend den Dreiviertelmond, der im Südosten aufgegangen war und sehr erdnah sein musste, weil er so groß war. Es war eine sternklare Nacht und ziemlich kühl. Aber Matussek schwitzte.

Er war vom Weingut aus bis zu seinem Bootshaus am See mit seinem Ghost-HTX-Lector-Mountainbike gefahren, das waren gute neun Kilometer, aber er war sportlich und trainiert und schaffte die Strecke in fünfzehn Minuten, ohne sich groß anzustrengen, meistens ging es sowieso bergab. Er trug seine dunklen Trainingsklamotten mit Reflektorstreifen, Handschuhe und Nike-Sportschuhe. Er überprüfte seinen Puls, nahm den Fahrradhelm, die Schutzbrille und seinen Rucksack ab und machte auf dem Steg, der vom Bootshaus aufs Wasser hinaus-führte, ein paar Dehnübungen.

Das Wasser gluckste friedlich an den Stegpfosten, einige En-ten, die im nahen Schilf nächtigten, veranstalteten ihr übliches Geschnatter. Der See lag in seiner majestätischen Breite vor ihm, gegenüber glitzerten die Lichter von Romanshorn am Schweizer Ufer, und eben flog die ISS, die internationale Raumstation, von rechts nach links über den See, gut erkennbar an den aus-gebreiteten reflektierenden Sonnensegeln und daran, dass sie im Gegensatz zu den normalen Verkehrsflugzeugen, die ständig den Bodensee als Kreuzungspunkt überquerten, nicht blinkte.

Genau die richtige Stimmung, um mit seiner Liebsten auf dem Steg zu sitzen und bei einer Flasche Wein über das Leben nachzudenken. Aber wenn einer keinen Sinn für Romantik hatte, dann war es Matussek. Sie hinderte einen nur daran, am wahren Geschehen teilzunehmen, Herr über Leben und Tod zu sein und so geschickt, klug und vorausschauend zu handeln, dass niemand auf die Idee kommen konnte, einem ins dunkle Handwerk zu pfuschen.

Niemand – weder Aigner noch Kurbjuweit noch dieser ko-

mische Vogel von der Polizei, den man in seinen Kreisen »Mad«
Max Madlener nannte. Matussek hatte auch seine Hausaufgaben
gemacht und kraft seines Amtes und seiner Beziehungen Er-
kundigungen über alle eingezogen, die ihm gefährlich werden
konnten.

Er führte ein Doppelleben, schon seit der Zeit seines Studiums,
das er zwar mit Bravour und Auszeichnung durchgezogen hatte,
aber er hatte sich nur mit Hilfe von Stipendien und Knochenjobs
über Wasser halten können. Seine Eltern waren früh verstorben,
und sein ganzer Ehrgeiz war darauf gerichtet, aus dem Morast
kleinbürgerlicher Herkunft emporzusteigen – um jeden Preis.
Niemals wieder wollte er gezwungen sein, sich wochenlang von
Haferflocken zu ernähren, weil er pleite war, während seine Kom-
militonen, die meisten waren aus wohlhabendem Elternhaus, in
seinen Augen in Saus und Braus lebten – so empfand er das damals
jedenfalls, in den Zeiten, die für ihn so weit zurücklagen, dass er
sich kaum noch daran erinnern konnte. Oder besser: wollte.

Dieses dunkle Anfangskapitel seines Lebens hatte er aus eigener
Kraft und später mit seiner Einheirat in die Familie Haggenmiller
ein für alle Mal hinter sich gelassen. Manchmal kam es ihm vor,
als wäre er wiedergeboren worden und hätte nach dem Dr. jur.
ein Leben auf einer höheren Stufe geführt: ohne Geldsorgen,
einflussreich, gesellschaftlich respektiert und beruflich gefürchtet.
Nicht, dass er an diesen religiösen Unsinn von der Reinkarnation glaubte – das Einzige, woran er wirklich glaubte, war an
sich selbst. Und an sein zweites Ich, das er nie verleugnet und
perfekt verinnerlicht hatte. Sein zweites Ich war sein Mr. Hyde,
und nichts war aufregender und intensiver, als es auch heimlich
auszuleben, ohne dass irgendjemand davon wusste. Eigentlich
war das ein ständiger Ritt auf der Rasierklinge, aber: No risk, no
fun! Und für die schmutzigen Aufräumarbeiten hatte er seinen
Kurbjuweit, gut bezahlt, nützlich und loyal. Bis vor Kurzem
jedenfalls.

Dr. Matussek hatte ein Defizit, ein dunkles Geheimnis: Er
empfand keine Emotion. Wenn es darum ging, konsequent zu
handeln, wo es angesagt war, dann war er eiskalt, berechnend
und ohne jeden Skrupel. Ein moralisches Nachbeben, schlechtes

Gewissen oder Schuldgefühl genannt – so etwas kannte er nicht. Sentimentalität, Mitleid, Menschlichkeit, Sympathie, Empathie – lauter Fremdwörter für ihn, die nicht in seinem geistigen Vokabular vorhanden waren. Er konnte diese Eigenschaften bis zu einem gewissen Grad vortäuschen, aber das fiel ihm schwer, und er empfand es als außerordentlich anstrengend.

Ein aufgescheuchtes Schwanenpaar startete lautstark flügelschlagend und wassertretend vor dem Steg, und bis es mit heftig pfeifenden Schwingen endlich an Höhe gewann, war Matussek mit seinen Gedanken wieder in der Gegenwart. Er fühlte kein Bedauern angesichts dessen, was ihm bevorstand. Er hatte alles durchdacht. Es war die einzige Möglichkeit, und auch wenn er sich bei der Durchführung seines Plans erhebliche Anstrengungen aufbürdete: Es gab keine Alternative. Würde er nicht umsetzen, was er sich ausgedacht hatte, müsste er sein Leben lang unter dem Damoklesschwert sitzen, das Erpressung oder sogar Aufdeckung seines wahren Ichs hieß, eine unerträgliche Vorstellung. Dann schon lieber alles auf eine Karte setzen und va banque spielen. Da hatte er wenigstens das berauschende Gefühl, dass Blut in seinen Adern floss und kein roter Lack.

Er hörte die Räder eines Autos im Kies knirschen, der auf dem Weg zum Bootshaus den Feldweg bedeckte, und überprüfte noch einmal alles, was er vorbereitet und mitgebracht hatte, mit einem kurzen Blick. Dann ging er bis auf fünf Schritte auf die Tür zu und wartete auf Kurbjuweit.

Das Bootshaus war ein solider Holzbau aus den 1950er-Jahren aus dem Besitz der Haggenmillers, es war uneinsehbar und lag abseits von bewohntem Gebiet an einem Schilfgürtel, der zu einem angrenzenden Naturschutzgebiet gehörte. Es verfügte über eine Werkstatt, einen kleinen Aufenthaltsraum, eine Menge Angelzubehör an den Wänden und eine Wasserzufahrt, die mit einem zweiflügeligen Tor verschlossen werden konnte. Normalerweise war das kleine Motorboot an Hebegurten mittels eines Krans am Dachbalken aufgehängt, aber den Sommer über lag es vertäut im Wasser an der Verlängerung des Stegs im Inneren des Bootshauses. Das Boot wurde selten benutzt, war aber gut in

Schuss. Der Außenbordmotor war vollgetankt, die Flügeltüren zum See hinaus standen weit offen. Ein schummriges Licht brannte am Eingang von der Decke, um das unzählige Insekten kreisten, ein dicker Nachtfalter flatterte immer wieder gegen den alten Blechschirm der Lampe und versetzte ihn in leichte Schwankungen, sodass der Lichtkegel sich kaum merklich bewegte.

Matussek wartete einfach.

Die Eingangstür öffnete sich quietschend, Kurbjuweit kam herein und blieb genau unter der Lampe stehen.

»Okay«, sagte er, als er die Silhouette von Matussek erkannte. »Hier bin ich. Was soll ich noch tun für Sie?«

Matussek bemerkte sofort den misstrauischen Unterton, der in der Fragestellung mitschwang, und er sah, dass Kurbjuweit die rechte Hand in der Jackentasche hatte. Es gab keinen Grund, jetzt noch lange um den heißen Brei herumzureden, es war alles gesagt. Matussek registrierte, dass Kurbjuweit irritiert auf den Boden schaute, weil er erst auf den zweiten Blick feststellte, dass er nicht auf Holzbrettern stand, sondern auf einer großen Plastikplane, die im ganzen Eingangsbereich des Bootshauses ausgebreitet war.

Blitzartig schien ihm die Erkenntnis in den Kopf zu schießen, dass die Befürchtung, die er insgeheim gehabt hatte – dass Matussek ihn hereinlegen wollte –, sich bewahrheitete, aber es war zu spät. Bevor er seine Pistole, die er schussbereit in seiner Jackentasche umklammert hielt, ganz herausziehen konnte, wurde er vom Projektil aus Matusseks Waffe seitlich in der Brust getroffen. Die kinetische Energie riss ihn nach hinten und von den Füßen. Er fiel, ohne sich abstützen zu können, auf den Rücken, und Blutblasen kamen aus seinem Mund. Der Schuss hatte ihn in die Lunge getroffen. Er wollte etwas sagen, aber es sprudelte nur Blut.

Matussek trat ihm mit dem Fuß auf die Hand mit der Schusswaffe und entwand ihm die Pistole. Kurbjuweit war vom Schock und der schweren Verletzung so paralysiert, dass er sich nicht mehr zur Wehr setzen konnte.

Matussek hatte Handschuhe an, ging vor Kurbjuweit in die Hocke, aber in ausreichender Entfernung, damit er sich nicht noch mit Blut besudelte, und sagte: »Ja, Sie können etwas für mich tun, Kurbjuweit. Sie können sterben.« Ein paar Sekunden studierte Matussek Kurbjuweits schreck- und schmerzgeweitete Augen, dann erhob er sich, zielte mit seiner Waffe auf den Kopf und schoss aus nächster Nähe zweimal. Die Kugeln trafen Kurbjuweit in fingerbreitem Abstand in die Stirn, er war auf der Stelle tot.

Matussek lauschte mit geschlossenen Augen, es stank nach der Treibladung der Geschosse.

Die Wasservögel machten den üblichen Radau, sonst war nichts zu hören. Matussek kniete sich erneut nieder und drehte Kurbjuweits Kopf herum. Die Kugeln waren nicht hinten ausgetreten, die Plastikplane und der Holzboden waren unversehrt geblieben. Er sah Kurbjuweits Pistole im Licht der Lampe an, sie war entsichert und schussbereit. Kurbjuweit hatte also mit dem Schlimmsten gerechnet, aber nicht mit der Kaltblütigkeit seines Chefs, ein kleines Palaver erst gar nicht anzufangen. Das war eben genau der kleine zögerliche Moment, der hauchdünne Unterschied, warum Matussek noch lebte und Kurbjuweit nicht mehr. Dr. Matussek hatte das Töten im Blut.

Das, was nun folgte, war ein Musterbeispiel an Effizienz und Schnelligkeit. Matussek durchsuchte die Taschen des Toten, fand den Autoschlüssel und steckte ihn ein. Das Handy von Kurbjuweit zertrat er auf dem Boden und schob es in dessen Tasche zurück, ebenso dessen Ausweis und Brieftasche, nachdem er alles überprüft hatte. Dann wickelte er Kurbjuweit in die vorbereitete Plastikplane, zurrte sie mit Paketklebeband fest und zog sie zum Boot, wo er sie einfach von der Stegkante aus ins tiefer gelegene Boot rollen ließ. Dort lagen schon zwei Jutesäcke, gefüllt mit Steinen, die er im schwankenden Boot mit einer Plastikleine an die Beine und den Hals des verpackten Leichnams band. Dann sprang er wieder auf den Steg und eilte hinaus ins Freie bis an dessen Ende, wo er aufs glitzernde Wasser hinaussah.

Kein Boot war unterwegs und kein Schiff in der Nähe, nur ganz weit draußen glitt ein hell erleuchtetes Partyschiff über den See, pulsierende Techno-Musikfetzen drangen bis zu ihm herüber.

Er kletterte in das Boot zurück, ließ den Motor an und tuckerte langsam aufs Wasser hinaus. Als er genügend weit vom Ufer entfernt war, gab er Gas und steuerte das Boot etwa in die Mitte zwischen Fischbach auf deutscher und Uttwil auf Schweizer Seite, dorthin, wo der See am tiefsten war, etwa zweihundertfünfzig Meter bis zum Grund. Er stellte den Motor ab und hievte zuerst den Körper aus dem Boot, dann warf er die schweren Jutesäcke hinterher, die an der Leiche festgebunden waren und sie sofort in die Tiefe zogen. Das Boot kam gefährlich ins Schwanken, aber er schaffte es, ohne es zum Kippen zu bringen. Seine Browning schleuderte Matussek in hohem Bogen hinterher, bevor er den Motor wieder anwarf und umkehrte.

49

Polizeiobermeister Lange war die Ablösung für POM Schmiedinger im Klinikum Friedrichshafen. Sein Kollege hatte ihm die neue Sachlage geschildert: Der Patient Aigner hinter der Tür war nun Hauptverdächtiger in einem Mordfall und nach einem Ausraster gegen Kommissar Madlener medikamentös ruhiggestellt, bis er in zwei oder drei Tagen in U-Haft überführt werden sollte. Lange war dafür verantwortlich, dass kein Unbefugter das Krankenzimmer betrat und vor allem: dass Aigner keinen Fluchtversuch unternahm. Aber damit war sowieso nicht zu rechnen, Aigner hatte schwere Gesichtsverletzungen, lag in seinem Krankenbett und war mit Beruhigungsmitteln vollgepumpt.

Lange hatte sich auf eine gemütliche Nachtschicht eingestellt und freute sich schon darauf. Es war ein einfacher Job, bei dem keine großen Schwierigkeiten zu erwarten waren und man nicht viel nachdenken musste. Man saß in »Kalkutta« – am Ende des Ganges, wie sein Freund und Kollege Schmiedinger scherzhaft gesagt hatte, und konnte sich in Ruhe mit irgendetwas beschäftigen und den Krankenschwestern hinterherschauen.

Lange hatte einiges über Aigner aufgeschnappt, was man sich in Polizeikreisen über ihn erzählte, und darüber, wie Kommissar »Mad« Max Madlener ihm auf die Schliche gekommen war. Danach war Aigner nach über zehn Jahren Knast kurz nach seiner Entlassung wieder rückfällig geworden und hatte erneut eine Frau erstochen – nach dem gleichen Muster, weswegen er schon einmal verurteilt worden war. Eindeutig ein Psychopath, der es nicht lassen konnte und vor dem die Bevölkerung für alle Zeiten geschützt werden musste. Schmiedingers Meinung nach gehörte Aigner in die Psychiatrie. Und zwar in die geschlossene Abteilung. Die überwiegende Mehrheit der Polizisten der einfachen und mittleren Dienstgrade äußerte sich so – natürlich nur, wenn man in der Kantine oder auf Streife unter sich war.

Lange war derselben Meinung. Er saß auf seinem Stuhl neben der Tür zum Krankenzimmer und packte seine Brotzeitdose aus, die ihm seine Frau immer mitgab, wenn er Nachtdienst schieben musste. Seine erste Imbisspause würde er Punkt zwei Uhr nachts machen, keine Minute vorher oder danach, außer es kam etwas Dienstliches dazwischen, aber das war Gott sei Dank nicht zu erwarten. Lange mochte keine unvorhergesehenen Überraschungen, er schob mit Vorliebe eine ruhige Kugel. Dass er nicht ständig danach gierte, mit Hilfe von Extralehrgängen und übertriebenem Pflichteifer eine Beförderung zu forcieren, wie es seine Frau schon seit Langem von ihm erwartete, lag an seinem fehlenden Ehrgeiz – er war der typische Phlegmatiker und hatte einfach einen fatalen Hang zur Lethargie.

Seine Ehe war kinderlos, und seine Frau ging ihm seit einiger Zeit auf den Geist, weil sie immer etwas von ihm wollte und vom Temperament her das glatte Gegenteil von ihm war, was er am Anfang ihrer Beziehung noch amüsant und aufregend, aber inzwischen nur noch anstrengend fand. Mal sollte er mit ihr einen Tanzkurs machen, dann einen Sprachkurs in Französisch, weil sie vorhatte, mit ihm im nächsten Jahr in den Ferien mit dem Wohnwagen an die Côte d'Azur zu fahren – wenn mehr als die Hälfte aller Franzosen dorthin unterwegs waren! Vor drei Wochen musste er sie und ihre Freundinnen auf ein Konzert von Andy Borg begleiten, und das Allerschlimmste war ein vierzehn-tägiger Urlaub gemeinsam mit der unerträglichen Familie seines Schwagers in Südtirol gewesen. In ihrem rastlosen Aktionismus fiel seiner Frau immer etwas ein, vielleicht hing das auch mit den anstehenden Wechseljahren zusammen, er wusste es nicht.

So mäanderten Langes Gedanken umher, während er den Inhalt seiner Brotzeitdose inspizierte: zwei Sandwiches mit getrüffelter Leberwurst und zwei mit Allgäuer Emmentaler, Tomatenscheibe und Senfgurke. Die Thermoskanne war bis zum Rand gefüllt mit ungesüßtem Ingwertee, den er abgrundtief verabscheute, aber seiner Frau zuliebe trank, weil sie der festen Überzeugung war, dass er seiner Gesundheit zuträglich war. Er goss sich davon in den Becher und nahm widerwillig einen Schluck, horchte dann aber kurz auf, weil er sich einbildete, im Krankenzimmer ein Geräusch gehört zu haben.

Nein, er musste sich wohl getäuscht haben. Seufzend stöpselte er sich seine Kopfhörer ein und gönnte sich ein neues Hörbuch, das er sich auf sein iPad geladen hatte, »Doctor Sleep« von Stephen King, zum Lesen war er zu faul. Aber er konnte sich nicht so recht auf den Inhalt konzentrieren, weil er immer wieder seinen Blick zu der gläsernen Schwesternstation an der entfernten Ecke schweifen ließ, in der eine Krankenschwester beschäftigt war, deren erfreulicher Anblick es ihm angetan hatte – jung, grazil, freundlich und von einer geradezu tänzerischen Anmut.

Vor einer guten Stunde hatte sie im Vorratsraum gegenüber zu tun gehabt, in dem Putzmittel und Wäsche gelagert waren. Er hatte sie heimlich mit seinen Augen verschlungen und den Bauch eingezogen, als sie wieder herauskam, dabei hatte er ihr freundlich zugenickt und gelächelt. Sie hatte das Lächeln erwidert, und Lange überlegte schon, ob er sie nach ihrem Schichtwechsel auf eine Tasse Ingwertee einladen sollte.

Er warf einen Blick auf seine Uhr. Das Zimmer mit Aigner, das er zu bewachen hatte, durfte nur ein Pfleger oder ein Arzt betreten.

Eigentlich Zeit dafür, der Pfleger war angewiesen worden, stündlich nach Aigner zu sehen. Lange spähte vor zur verglasten Schwesternstation und ärgerte sich: Der Pfleger alberte dort mit zwei Krankenschwestern herum, eine von beiden war die grazile Schönheit, er konnte sie bis hierher lachen hören. Typisch – da jammerte das Pflegepersonal über miese Bezahlung und Arbeitszeiten, aber ein Techtelmechtel konnte anscheinend immer eingeschoben werden, besonders in der Nachtschicht, wenn nicht so viel los war. Es wurmte ihn, dass der junge Pfleger anscheinend bei seinen weiblichen Kolleginnen gut ankam. Ob das an den Goldkettchen, die er trug, oder an seinen gebleachten Zähnen lag, mit denen er ständig hausieren ging? Eher an den Tattoos auf seinen Unterarmen, die durch die kurzen Ärmel seines weißen Dienstkittels besonders zur Geltung kamen, was ihm natürlich bewusst war. Garantiert jeder Patient, mit dem er zu tun hatte, würde ihn darauf ansprechen. Und vor allem jede Krankenschwester, auf die er es anscheinend abgesehen hatte.

Jetzt kam er mit federnden Schritten den Gang herunter und auf Lange zu. Auf dem rechten Unterarm hatte er undefinierbare, exotisch anmutende Schriftzeichen tätowiert – Lange vermutete: thailändisch – und links einen zigarettenschachtelgroßen Strichcode, wie er auf Warenverpackungen zum Abscannen aufgedruckt war. POM Lange nahm sich vor, den Pfleger, der laut Namensschild Sven hieß, nach der Bedeutung der Tätowierungen zu fragen, sobald er das Krankenzimmer wieder verließ, in das er eben mit einem Blutdruckmessgerät in der Hand und einem Kopfnicken hineingegangen war.

Lange widmete sich wieder seinem Hörbuch, denn inzwischen war auch die Schwesternstation verwaist, und es gab nichts mehr zu sehen.

Deshalb hörte er auch nicht, wie sich die Tür neben ihm wieder öffnete, er sah nur im Augenwinkel einen Schatten, konnte aber nicht mehr reagieren, weil ihn im selben Moment ein heftiger und brutaler Schlag auf den Kopf traf. Lange wurde schwarz vor Augen, er brach zusammen und wäre vom Stuhl gefallen, wenn Aigner, der die Klamotten des Pflegers angezogen hatte, ihn nicht aufgefangen und so auf den Stuhl zurückgelehnt hätte, dass er nicht abrutschen konnte – aber nicht aus Rücksichtnahme, sondern weil er nicht wollte, dass sofort Alarm geschlagen wurde, wenn man den Polizisten auf dem Boden liegen sah.

Der Metallprügel, mit dem er Lange niedergestreckt hatte, war die Kleiderstange aus dem Kleiderschrank. Aigner steckte sie in seinen Hosenbund und zog Lange die Dienstwaffe aus dem Gürtelholster, steckte sie ebenfalls ein, dann tastete er die Taschen des Polizisten ab. Er fand den Autoschlüssel, nahm ihn an sich und setzte Lange die Dienstmütze auf den Kopf, die dieser bei Dienstbeginn auf dem Boden abgelegt hatte. Die Platzwunde, die vom Schlag herrührte, blutete stark, aber das scherte ihn nicht.

Er bugsierte den besinnungslosen Lange in eine sitzende Stellung, die bei einem flüchtigen Blick von der Ferne so aussah, als ob der Bulle eingedöst war. Dann eilte er in die Wäschekammer, packte einen Arztkittel und schlüpfte hinein, schloss die Tür, die zu seinem Krankenzimmer ebenfalls, und sah zu, dass er den Trakt verließ, solange die Schwesternstation noch unbesetzt war. Bei seinem Aussehen mit dem Verband und den Pflastern im Gesicht konnte er nicht damit rechnen, dass er als Arzt oder Pfleger durchging, er musste es auf jeden Fall vermeiden, irgendjemandem über den Weg zu laufen, aber zu dieser nachtschlafenden Zeit war es durchaus möglich, wenn er sich geschickt anstellte.

Viel Zeit, seinen neuen, finalen Plan auszuführen, hatte er nicht.

Aber ihm blieb keine Wahl, er musste es versuchen. Das Ticken in seinem Kopf war inzwischen so laut geworden, dass es nicht mehr zu ertragen war. Er musste es zum Verstummen bringen.

Um jeden Preis.

Selbst den seines eigenen Lebens.

50

Er ließ das heiße Wasser aus dem tellergroßen Duschpaneel im Regenbrausemodus auf seinen Kopf niederprasseln. Dabei schloss Matussek die Augen und genoss es, stellte sich vor, er wäre ein Drogenbaron mitten im honduranischen Urwald. Brüllaffen schrien in der Ferne in ihren Mangrovensümpfen um die Wette, Papageien kollerten, pfiffen und stritten sich, und er war gerade von einer erfolgreichen Schmuggeltour mit seinem Highspeed-Schnellboot aus den Keys von Florida zurückgekehrt, um Millionen und das Erlebnis einer aufregenden Schießerei mit der DEA reicher.

In seinem Blut brodelte immer noch das Amphetamin, das er sich im Bootshaus eingeworfen hatte, bevor es richtig zur Sache ging. Er war, obwohl in seinem ersten Leben Jurist durch und durch, in seinem zweiten Leben nicht ohne eine blühende Phantasie, auch wenn das keiner wusste, außer vielleicht sein Sohn. Für den hatte er stundenlang Märchen erfunden und so lange improvisiert und fabuliert, bis Hubertus endlich eingeschlafen war.

Hubertus war der einzige Mensch, den er tatsächlich und aufrichtig liebte und der nie, absolut niemals, etwas von seinem Doppelleben erfahren durfte. Seine Frau hatte er nicht wirklich begehrt, er hatte sie mit Kalkül erobert, weil es hilfreich war, auf dem Weg von ganz unten nach ganz oben eine Frau an seiner Seite zu haben, die einem letzte Türen öffnen konnte. Schließlich war er nur ein Emporkömmling ohne Namen, ohne Hintergrund, ohne Standing. Mit Constanze Haggenmiller an seiner Seite war das schlagartig alles anders geworden, plötzlich hatte er Zugang zu gesellschaftlichen Kreisen, die jemandem wie ihm bis dahin verschlossen gewesen waren. Zum Dank für diese Hilfestellung, die er durch die Einheirat in die Familie Haggenmiller bekam, benahm er sich zumindest anfangs anständig seiner Frau gegenüber. Ihre Eltern waren betagt und hatten sich sehr bald auf ihren Zweitwohnsitz in Südafrika zurückgezogen und alles ihrer Tochter überschrieben.

Matussek entwickelte eine unerwartete Leidenschaft nicht für Constanze, aber für ihr Metier, das ihre Familie seit Generationen beherrschte und womit sie groß und wohlhabend geworden war – den Weinanbau. Von Anfang an fand er es spannend, wie die Weinreben gehegt, gepflegt, kultiviert und geerntet werden mussten. Weinbau galt zwar als eine Sparte der Landwirtschaft, war aber doch etwas ganz anderes, als Hühner zu züchten oder Schweine. Es war wie ein Ritterschlag, ein so großes und profitables Weingut zu besitzen, dafür respektiert und hofiert zu werden und im Small Talk mit Senatoren, Landgerichtspräsidenten, Staatssekretären und Kunstprofessoren über Weinsorten, Lagen, Jahrgänge und Cuvées als gleichberechtigt anerkannt oder gar als Fachmann gefragt zu sein – und nicht nur als eindimensionaler, staubtrockener Einserjurist, der außer seinen Paragrafen nichts in der Birne hatte.

Seine Frau hatte durchaus ihre Qualitäten, was den gastgeberischen, geschäftlichen und repräsentativen Bereich anging. Was das eheliche Schlafzimmer betraf, wurde es ihm bald langweilig. Im mondänen Neubau, der auf Initiative und unter der Regie und mit dem Geld seiner Frau gebaut worden war, gab es selbstverständlich zwei getrennte Schlafzimmer.

Für sein zweites Ich brauchte er Stimulation, Extreme, Abwechslung. Und wenn er dies nicht zu Hause bekam, musste er es sich eben woanders suchen. Tat er das nicht, fehlte ihm das gewisse Etwas im Leben, dann wurde es ihm sehr schnell langweilig, schal und fade. Für seinen ersten richtigen Kick war er allerdings fast zu weit gegangen und hatte beinahe alles riskiert. Wenn ihm da nicht gerade noch rechtzeitig dieser Tölpel Ferdinand Aigner in die Quere gekommen wäre, vorbestraft, naiv und käuflich, mit der richtigen Druckstelle, die Kurbjuweit gefunden hatte, nämlich das Ziehkind seiner Nichte. Aigner zum Sündenbock zu machen war eine von Matusseks elegantesten Lösungen gewesen, ihn ruhigzustellen eine seiner teuersten. Aber er konnte es sich schließlich leisten, Gott zu spielen, in jederlei Hinsicht.

Endlich drehte er das Wasser in der Dusche ab, seine Haut war schon ganz rot vor lauter Schrubben und Einseifen. Aber schließlich wollte er nicht, dass noch irgendwelche Spuren auf seinem Körper nachweisbar waren, außerdem war er in Bezug auf seine Körperhygiene beinahe manisch. Kurbjuweit auszuschalten war ein riskantes Spiel gewesen, aber absolut notwendig. Das Einzige, was Matussek daran bedauerte, war, dass er jetzt niemanden mehr hatte, der bedenkenlos hinter ihm aufräumte, wenn es nötig war. In der Hinsicht hatte er sich auf Kurbjuweit verlassen können. Dummerweise hatte Kurbjuweit sein gewaltsames Ende selbst provoziert, also ab mit Schaden. Jetzt hieß es, das Spiel bis zum Ende durchzuziehen, ohne auch nur im Geringsten in Verdacht zu geraten. Kurbjuweit war spurlos verschwunden und würde es auf ewig bleiben, dafür hatte er gesorgt. Eine Leiche im tiefen Wasser blieb für immer unten, selbst wenn sich die Säcke im Lauf der Zeit auflösen sollten. In zweihundertfünfzig Meter Tiefe herrschte – egal, ob Sommer oder Winter – nie mehr als vier Grad Celsius. Das reichte nicht aus, um irgendwelche biologischen Zersetzungsvorgänge zu aktivieren, und somit gab es auch keinen Auftrieb durch Fäulnisgase.

Aigner war ebenfalls eliminiert, er würde als rückfälliger Mörder oder zumindest Totschläger verurteilt werden und damit für alle Zeiten von der Bildfläche verschwinden. Der wenigen Reste seiner Glaubwürdigkeit hatte er sich selbst beraubt, indem er behauptet hatte, er, Matussek, habe ihn zusammengeschlagen. Wie konnte man nur so dumm sein und eine dermaßen perverse Nummer abziehen, nur um jemanden wie ihn zu desavouieren! Aber Aigner hatte eben auch seinen Plan gehabt und unnachgiebig verfolgt, dafür zollte ihm Matussek einen gewissen Respekt, auch wenn er kläglich gescheitert war und in ihm seinen Herrn und Meister gefunden hatte.

Der eine tot im nassen Grab, der andere lebendig im vergitterten.

Grund genug, das zu feiern und ein wenig Musik zu hören.

Im Morgenmantel ging er hinunter in den Wohnraum – seine Frau konnte nicht aufhören, ihn albernerweise »Livingroom« zu nennen – und suchte nach etwas Heroischem, etwas Bombastischem, das seiner momentanen Stimmungslage entsprach. Dazu gönnte er sich einen eiskalten Bodensee-Secco aus eigener

Produktion, auch, um den metallischen Geschmack des Amphetamins im trockenen Mund loszuwerden.

»Also sprach Zarathustra« von Richard Strauss – ja, das war jetzt genau richtig. Eingespielt von den Berliner Philharmonikern unter Herbert von Karajan. Er fand die Vinylplatte fast auf Anhieb und legte sie auf seinen Highend-Plattenspieler von Acoustic Solid, der ein Vermögen gekostet hatte, aber was Musik anging, war Matussek nichts zu teuer.

Als die ersten Klänge aus den »AudioNec Response V2«-Boxen kamen, konnte er es nicht lassen und stellte sich vor, wie er am Dirigentenpult stand. Er musste lächeln, als er sich selbst im Panoramaglasfenster vor nachtschwarzem Hintergrund gespiegelt sah: Der eingebildete Drogenbaron in weißem Bademantel dirigierte die Berliner Philharmoniker.

Ein Bild für die Götter!

51

Ein Bild für die Götter!

Genau das dachte auch Ferdinand Aigner. Aber was waren das für Götter, die so etwas zuließen? Dass jemand wie Matussek sich über andere erhob und sie auch noch verspottete? Müsste da nicht sofort ein Blitz aus heiterem Himmel herabfahren und Matussek in zwei Hälften spalten? Die zwei Hälften, aus denen er offensichtlich bestand, damit alle Welt erfahren konnte, wer Matussek wirklich war: ein Mann des Gesetzes und ein Mann, der diesen Gesetzen Hohn sprach, indem er mordete und damit davonkam?

Aigner wusste plötzlich, was seine Aufgabe war: Er musste das übernehmen und ein Werkzeug dieser Götter sein, um wieder Gerechtigkeit herzustellen. Dann würde endlich das Ticken in seinem Kopf aufhören. Wie er sich nach diesem Frieden sehnte!

Er saß im Charles-Eames-Sessel des Livingrooms im Dunkeln und sah zu, was für ein absurdes Theater Matussek zu einer pathetischen und pompösen Musik aufführte, die aus überdimensionalen Lautsprechern kam, die sicher ein Vermögen kosteten. Er hätte auf den teuren Habibian-Perserteppich zu seinen Füßen kotzen können.

Aigner war in Langes Streifenwagen zum Weingut gefahren, um ein für alle Mal mit Matussek abzurechnen. Zeit und Gelegenheit, um seine raffiniert ausgeklügelte Strategie bis zum letzten i-Tüpfelchen auszuführen, blieb ihm nicht mehr. Das hatte dieser Teufel Matussek durchkreuzt. Wenn er seinen Rachefeldzug noch zu einem hinreichenden und einigermaßen befriedigenden Abschluss bringen wollte – und das war der einzige Gedanke, der ihn noch antrieb –, dann musste er in dieser Nacht zuschlagen, hier und heute.

Auf der Fahrt zum Weingut hatte er sich gefragt, wie lange es wohl dauerte, bis man den Bullen vor seiner Tür und den Pfleger in seinem Krankenzimmer entdecken und Alarm auslösen würde.

Er litt, obwohl er eine Pferdenatur hatte und manches wegstecken konnte, unter den Nachwirkungen der Beruhigungsmittel, die ihm gespritzt worden waren, nachdem er auf diesen Madlener losgegangen war, der ihm seit seiner Entlassung aus dem Knast das Leben schwer gemacht hatte.

Seine Erinnerung daran war lückenhaft, irgendwie hatte, als der Bulle ihm den zweiten Mord anhängen wollte, seine Fähigkeit zu denken ausgesetzt. Er hatte eine Weile gebraucht, bis er wieder einen halbwegs klaren Kopf hatte, aber dann war ihm schnell bewusst geworden, dass er handeln musste, solange überhaupt noch eine Chance dazu bestand.

Als alle noch dachten, er sei weggetreten, waren seine Sinne schon geschärft und wach, auch wenn er so getan hatte, als sei er noch weit jenseits von Gut und Böse. Das Verstellen seiner wahren psychischen und physischen Verfassung war ihm im Knast zur zweiten Natur geworden. Er hatte aufgeschnappt, dass sie ihn, sobald er einigermaßen als wiederhergestellt und transport-fähig galt, in Untersuchungshaft bringen wollten. Von da wieder herauszukommen, mit den einschlägigen Vorstrafen und den Be-weisen, die gegen ihn vorlagen, war so gut wie unmöglich. Also musste er seine gegenwärtige Schwäche und seine Schmerzen überwinden und so schnell wie möglich handeln, solange er die Gelegenheit dazu hatte.

Das hatte er getan, aber dann, als er im Wagen des Bullen saß und die Wirkung der Schmerzmittel genauso nachließ wie die der Beruhigungsmittel, hatte er sich schon gewaltig am Riemen reißen müssen, um nicht rechts ranzufahren und aufzugeben, weil er einfach nicht mehr konnte.

In diesem Moment, als er wirklich schwach zu werden drohte, als sein Gesicht schmerzte und glühte, da half ihm nur noch eines weiter: seine überbordende Wut, das Ticken in seinem Kopf, das nicht nachließ und das er in seinem schwächsten Augenblick nutzte, indem er es anzapfte. Und siehe da: Es gab ihm den nötigen Schub, um sich selbst aus der lähmenden Sehnsucht nach bedingungsloser Kapitulation herauszuziehen und wieder Fahrt aufzunehmen.

Seine Wut war ein verlässlicher Motor und hatte ihn bis zur Abzweigung zum Weingut Haggenmiller geführt. Er schaltete das Licht aus und fuhr im Schleichgang weiter, bei Mondschein war die Zufahrtsstraße gerade so zu erkennen. Als er das Gut erreichte, steuerte er den Wagen hinter das alte Gutshaus, das jetzt als Lager und Veranstaltungsstätte diente. Dort konnte er vom Neubau aus nicht gesehen werden. Er schloss die Augen und mobilisierte noch einmal alle Kräfte für den nun fälligen letzten Endspurt.

Auf ziemlich wackligen Beinen stieg er aus und machte sich auf den Weg zum geheimnisvoll indirekt erleuchteten schwarzgläsernen Monolithen, der das Wohnhaus der Familie war, die er zerstören musste, damit er Ruhe finden konnte. Er trieb seinen Körper durch pure Willenskraft und den Gedanken an, dass er endlich etwas zu Ende bringen konnte, wovon er fast viertausend Nächte geträumt hatte.

Die große Glastür war verriegelt, natürlich, was hatte er anderes erwartet? Er umrundete das Gebäude, um irgendeine Möglichkeit zu finden, doch hineinzugelangen, als er Scheinwerfer die Straße heraufkommen sah. Schnell versteckte er sich in einer Nische. Ein schwarzer BMW fuhr direkt vor den Eingang, die Lichter gingen aus, und Matussek stieg aus dem Wagen.

Was hatte er für ein verdammtes Glück!

Matussek trug einen Trainingsanzug und Sportschuhe, einen Rucksack hatte er am Riemen in der Hand. Er wirkte nicht müde, sondern wie aufgedreht, als er zum Eingang ging, ihn aufschloss und im Inneren verschwand.

Diese einmalige Gelegenheit hatte Aigner genutzt – kurz bevor die Tür wieder ins Schloss fiel, war er hineingeschlüpft. Es hatte nur einen Wimpernschlag länger gedauert, bis sie mit einem satten »Klick« eingerastet war. Matussek hatte nichts gemerkt.

Und jetzt saß Aigner im Sessel auf dem sündhaft teuren Perserteppich und sah Matussek zu, wie er »Also sprach Zarathustra« dirigierte. Wie abgrundtief lächerlich das aussah – die feierliche, pompöse Musik und der asketisch wirkende Mann im Morgenmantel, der sich schon längst geöffnet hatte. Darunter war er nackt, aber das schien Matussek nicht zu stören, so hingebungsvoll und ganz in der Musik aufgehend, wie er wirkte.

Aigner sah ihm eine ganze Weile zu, bis ihm einfiel, dass die Polizei vielleicht schon nach ihm suchte und er nicht alle Zeit der Welt hatte. Er musste das hier zu Ende bringen – und zwar jetzt!

Matussek hatte inzwischen die Augen geschlossen und war so in seiner kranken Phantasiewelt gefangen, dass er nicht bemerkte, wie Aigner, der die ganze Zeit über die SIG Sauer des Bullen in der rechten Hand gehalten hatte, sich erhob, zum Plattenspieler ging und mit der linken Hand den Tonarm mit einer Wischbewegung quer über die Platte fegte. Die Musik brach abrupt ab, ein hässliches Kratzgeräusch ließ die Membranen der Lautsprecher erzittern und Matussek schlagartig herumfahren. Mit seinem offenen Bademantel und dem fassungslos entsetzten Ausdruck auf seinem Gesicht sah er gleichzeitig lächerlich und obszön aus.

Aber Aigner war nicht zum Lachen zumute, er hielt seine Waffe auf Matusseks Bauch gerichtet, die plötzliche Stille und sein lang ersehntes Ziel vor Augen zu haben, waren Labsal für seinen Kopf.

Das musste jetzt tatsächlich das ultimative Bild für die Götter sein!, dachte Aigner – ein Gespenst in Weiß mit Kopfbandage bedrohte einen halb nackten Irren im Bademantel mit einer Knarre.

»Einen Schritt oder einen Mucks wenn du machst, bist du ein toter Mann«, sagte Aigner mit einer gezwungenermaßen ziemlich ramponierten Aussprache, aber die gespreizten Formalitäten und gegenseitigen Eitelkeiten der früheren Begegnungen waren in dieser finalen Situation endgültig zur Makulatur geworden – jetzt wurde auf beiden Seiten Klartext gesprochen. Matussek würde ihn schon verstehen.

Und wie er verstand!

Er hatte sich viel schneller gefasst, als Aigner gedacht hätte, und deutete mit einer Hand auf seinen geöffneten Bademantel, als er sagte: »Darf ich?«

Aigner reagierte nicht, und Matussek schnürte seinen Bademantel mit dem Gürtel zu.

»Was willst du?«, fragte er. »Du siehst beschissener aus, als ich es mir vorgestellt hätte.«

Er machte einen Schritt nach vorne, aber Aigner war auf der Hut. »Du sollst dich nicht vom Fleck rühren, hab ich gesagt!«

»Schon gut, schon gut. Also – was willst du?«

»Kannst du dir das nicht denken?«

»Geld?«

Aigner lachte verächtlich und schüttelte den Kopf. »Du änderst dich nie. Glaubst du wirklich, du kannst mit deiner beschissenen Kohle alles aus der Welt schaffen?«

Matussek zuckte mit den Achseln. »Einen Versuch ist es wert.«

»Wo ist dein Sohn? Und wo deine Frau? Und wo ist dein verfluchter Kettenhund?«

»Viele Fragen auf einmal. Kann ich mich setzen? Das wird wohl eine längere Unterhaltung.«

Aigner winkte mit seiner Pistole zum Charles-Eames-Sessel. In dem saß man so tief, dass man unmöglich schnell aufspringen konnte. »Setz dich da hin, aber langsam!«, befahl er.

Matussek ging, barfuß, wie er war, zum Sessel und ließ sich hineinsinken.

»Jetzt sag schon!«, forderte Aigner ihn auf. »Wo sind sie?«

»Mein Sohn ist seit gestern bei seinen Großeltern in Südafrika. Ich hielt es für das Beste, ihn so weit wie möglich wegzuschicken, solange du uns mit deinen dämlichen Origami belästigst. Meine Frau ... sie ist vermutlich in ihrem Schlafzimmer im Nirwana. Sie hört und sieht nichts, wenn sie sich mit ihren Schlafpillen bis oben hin zugedröhnt hat. Mother's little helper, verstehst du? Und was meinen Kettenhund angeht ... Wenn du damit meinen Fahrer meinst: Das weiß ich nicht. Vielleicht steht er schon hinter dir und wartet nur auf ein kleines Zeichen von mir, um dir eine Kugel in deinen verkorksten Schädel zu jagen.«

Ganz kurz war Aigner versucht, sich umzudrehen, obwohl er genau wusste, dass Matussek bluffte, aber er widerstand seinem ersten Impuls.

»Warum wolltest du das wissen? Willst du sie der Reihe nach abschlachten?«, fragte Matussek fast amüsiert.

»Das Einzige, was ich will, sind Antworten.«

»Bitte – ich stehe gezwungenermaßen ganz zu deiner Verfügung. Aber wie ich vermute, ist deine Zeit begrenzt. Du zitterst und siehst richtig fertig aus. Tu mir den Gefallen und komm nicht aus Versehen an den Abzug. Wie mir scheint, bist du ausgebüxt. Wird wohl nicht mehr lange dauern, dann steht ein schwer bewaffnetes Sondereinsatzkommando vor meiner Haustür. Was machst du dann?«

Aigner konnte sich kaum noch zurückhalten, am liebsten hätte er abgedrückt und so lange den Abzug betätigt, bis das Magazin leer geschossen war. Er stürmte auf Matussek zu und bohrte ihm den Lauf seiner SIG Sauer ins Ohr.

»Du darfst raten, was ich dann mache. Und ich glaube kaum, dass du dazu drei Versuche brauchst.« Er drückte den Lauf noch fester in Matusseks Ohr, der mit seinem Kopf vergeblich auszuweichen versuchte.

»Weißt du, was ich am meisten an dir hasse, du Dreckskerl?«, sagte Aigner mit seiner nuschelnden Stimme. »Deine aufgeblasene, anmaßende, arrogante Selbstgefälligkeit.«

Mit aller Kraft zog er Matussek die Pistole quer über das Gesicht. Der schrie vor Schmerz und hob die Hände davor, Blut quoll zwischen den Fingern heraus. Vorsichtig nahm er sie weg und sah sie ungläubig an. Zum ersten Mal konnte Aigner so etwas wie Furcht in Matusseks Augen lesen. Seine Nase blutete, in der Wange klaffte ein breiter Riss, der weiße Bademantel war blutbesudelt.

»Das war eine erste Anzahlung«, meinte Aigner ungerührt. »Jetzt möchte ich, dass du ein Geständnis schreibst.«

Matussek fasste sich schneller, als Aigner gedacht hatte. »Soll ich dir sagen«, krächzte er und spuckte Blut aus, »was ein Geständnis, das unter Zwang entstanden ist, vor Gericht wert ist? Nicht einmal den Fetzen Papier, auf dem es geschrieben ist!«

»Das ist mir egal. Ich will dein Geständnis schriftlich. Was ist mit dieser zweiten ermordeten Frau?«

»Was soll sein mit ihr?«

»Warst du das?«

Matussek antwortete nicht und betastete vorsichtig Wange und Nase. »Du hast mir die Nase und den Wangenknochen gebrochen ...«

»Natürlich warst du das. Ich hatte viel Zeit, um über alles nachzudenken. Du hattest vor zehn Jahren mit Elfie Lammert ein Verhältnis. Ich weiß das, weil ich auch mit ihr zusammen war.«

»Sie war nicht wählerisch.«

»Halt's Maul!«, sagte Aigner und holte mit der Waffe aus.

Matussek hob die Hand zum Zeichen, dass er schweigen würde.

Aigner fuhr fort: »Als du Elfie loswerden wolltest, hast du sie erstochen, und ich war der Sündenbock. Mit der zweiten hast du es genauso gemacht. Wie heißt sie noch?«

Matussek schwieg.

»Was bist du für ein niederträchtiges, hinterhältiges Schwein«, sagte Aigner und schüttelte den Kopf.

»Wenn du's gewusst hast – warum hast du dann all die Jahre mein Geld genommen?«, fragte Matussek.

»Du weißt genau, warum. Weil mir keiner geglaubt hätte.«

»Wo du recht hast, hast du recht.«

»Ich mache jetzt Folgendes: Wenn du dich weigerst, ein Geständnis zu schreiben, schieße ich dir ins rechte Knie. Dann ins linke. Und so weiter. Hast du verstanden?«

Diesmal unterstrich Aigner seine Drohung, indem er Matussek den Pistolenlauf in den Mund steckte. »Wenn du verstanden hast, zwinkerst du mit den Augen. Und glaub mir, ich habe nichts zu verlieren. Ich tue, was ich sage.«

Matussek zwinkerte, Aigner nahm die Pistole aus Matusseks Mund, wischte den blutigen Lauf an dessen Bademantel ab, machte zwei Schritte zurück und winkte mit der SIG Sauer. »Hol Papier und Schreibzeug. Na los!«

Mühsam stemmte sich Matussek aus dem tiefen Sessel, Blut tropfte aus Nase und Wange auf den Boden. »Dazu muss ich in die Küche«, sagte er.

Aigner nickte und ging mit der Waffe im Anschlag hinter Matussek her in die Küche, er machte dort Licht. Auf dem Boden lagen der Trainingsanzug, die Sportschuhe und der Rucksack, dessen Reißverschluss offen war. Matussek hatte alles gleich ausgezogen, als er hereingekommen war.

»Darf ich?«, fragte er und fasste an eine Rolle Küchenpapier, von der er ein Stück abrollte, es abriss und sich damit vorsichtig das lädierte Gesicht betupfte.

»Wo ist das Schreibzeug?«, fragte Aigner ungeduldig.

»In der Schublade«, antwortete Matussek und griff schon danach.

»Halt, lass mich das machen!«, blaffte Aigner und stieß Matussek weg, um selbst die Schublade zu öffnen. Der stolperte zurück und geriet ins Taumeln, doch das war Absicht. Im Fallen griff er nach seinem Rucksack und zog in einer Bewegung Kurbjuweits Waffe aus der offenen Seitentasche.

Aigner hatte einen kurzen Blick in die Schublade geworfen und deshalb einen entscheidenden Augenblick zu spät bemerkt, was Matussek vorhatte. Auch war sein Reaktionsvermögen nicht mehr das schnellste. Er gab einen Schuss auf Matussek ab, aber der lag schon am Boden, die Kugel verfehlte ihn und durchschlug das große Panoramafenster, während Matussek fast gleichzeitig auf dem Rücken liegend von unten auf Aigner abdrückte und ihn in den Bauch traf.

Aigner starrte Matussek mit einem ungläubigen Ausdruck an und richtete mit letzter Kraft seine SIG Sauer auf dessen Kopf, aber da traf ihn schon die zweite Kugel aus Matusseks Waffe direkt ins Herz. Er sackte zusammen, ohne noch einen Schuss abgegeben zu haben. Die Pistole fiel aus seiner Hand und klackerte über die Marmorfliesen. Das Ticken in seinem Kopf hatte endlich aufgehört.

52

Beim ersten Klingelton seines Smartphones war Madlener schon
hellwach, obwohl es mitten in der Nacht war. Er hatte innerlich
beim Schlafen auf Stand-by geschaltet, manchmal funktionierte
das, weil er ahnte, dass es Schlag auf Schlag weitergehen würde.
Dieser Fall hatte eine ganz eigene Dynamik, und er hatte bisher
recht behalten.

»Ja, Frau Gallmann«, sagte er in sein Smartphone, »wo brennt's
diesmal?«

»Es isch kein Feuer im direkten Sinn, Herr Madlener, aber
es isch grad Alarm gschlagen worden im Klinikum. Der Aigner
isch entkommen …«

»Was?«, gab Madlener zurück und stand schon vor seinem
Bett, der letzte Rest Müdigkeit war wie weggeblasen.

»Ja, kaum zu fassen, aber wahr. Er hat seinen Pfleger überwältigt und fast erdrosselt, mit bloßen Händen, dann hat er den Lange
von uns, der vor der Tür Wache gehalten hat, niedergeschlagen,
seine Waffe entwendet, und weg war er.«

»Herrgott noch mal – wie konnte das passieren?«

»Genau dasselbe hat mich der Herr Kriminaldirektor auch
gefragt. Aber ich kann ja nix dafür …«

»Schon klar, Frau Gallmann, so war das auch nicht gemeint.
Wie ist der Zustand des Pflegers und von Lange?«

»Lange isch auf Intensiv, Schädelfraktur, und der Pfleger wird's
überleben. Die üblichen Fahndungsmaßnahmen sind eingeleitet,
Straßensperren werden errichtet.«

»Geben Sie unbedingt eine Warnung an alle heraus. Aigner
ist hochgefährlich!«

»Schon geschehen.«

Während er sprach, beeilte Madlener sich, nebenbei in seine
Klamotten zu schlüpfen. »Irgendwelche Hinweise, wohin Aigner
unterwegs ist?«

»Bis jetzt noch nicht. Halt, es kommt gerade eine Nachricht
rein, warten Sie … Das Auto isch weg.«

»Welches Auto?«

»Das Dienschtfahrzeug vom Lange. Der Aigner hat ihm anscheinend auch die Autoschlüssel abgenommen.«

»Mist, Mist, Doppelmist …«

»Sie sagen es, Herr Madlener.«

»Frau Gallmann, informieren Sie Harriet! Sie soll mich sofort abholen!«

»Isch schon passiert. Sie müsste jeden Moment bei Ihnen eintreffen.«

»Und rufen Sie Matussek an, er soll sofort seinen Leibwächter aktivieren und sich mit Frau und Sohn irgendwo verbarrikadieren, bis wir da sind. Harriet und ich fahren zum Weingut Haggenmiller. Die nächste Streife soll auch sofort dahin. Aber weisen Sie sie eindringlich auf das Gefahrenpotenzial von Aigner hin …«

»Ich weiß. Aigner isch zu allem fähig. Der Herr Kriminaldirektor hat schon das SEK in Stuttgart angefordert. Aber das dauert, die müssen erscht eingeflogen werden.«

»Wir sind schon unterwegs.«

»Passen Sie auf sich auf, Herr Madlener …«

»Werde ich. Danke, Frau Gallmann.«

Er legte auf und hörte es draußen im Gang bereits klackern. Harriet. Da klopfte es auch schon an seine Tür.

»Ich komme!«, rief er und gab in fliegender Hast die Geheimzahl für den Hotelsafe ein, diesmal vertippte er sich sogar ausnahmsweise einmal nicht, öffnete ihn, entnahm ihm seine SIG Sauer und lief zur Tür.

53

Was für eine Bescherung!, dachte Matussek, als sich der Nebel in seinem Kopf allmählich wieder lichtete und er begriff, was da abgelaufen war. Als der Schusswechsel vorüber war, blieb Matussek erst eine Weile liegen, er wusste nicht einmal, ob er für kurze oder längere Zeit weggetreten war, er wusste nur, dass er Aigner erledigt hatte, endgültig erledigt. Sein Gesicht schmerzte höllisch, jetzt, da der Schock allmählich abklang und er sich erst einmal aufrappelte. Die Pistole hatte er noch in der Hand. Er selbst blutete wie ein Schwein, um Aigner hatte sich eine große Blutlache ausgebreitet.

Mit letzter Kraft zog sich Matussek am Küchenblock hoch, der mitten im Raum stand. Trotz seiner Schmerzen begann ein seltsames Hochgefühl von ihm Besitz zu ergreifen. Er hatte Aigner erschossen, den einzigen Menschen, der ihm noch gefährlich werden konnte. Und es war eindeutig in Notwehr geschehen. Aigner war mit der Absicht, ihn und seine Familie umzubringen, in sein Haus eingedrungen, hatte ihm mit einer Schusswaffe aufgelauert, ihn bedroht und gefoltert und eine Kugel auf ihn abgefeuert. Die Beweislage war eindeutig, wie sein Juristenhirn konstatierte. Er hatte sich nur zur Wehr gesetzt, um sein eigenes Leben und das seiner Familie zu retten.

Was für ein Glücksfall!

Seine Wunden würden verheilen, und er würde besser dastehen als je zuvor. Ein Oberstaatsanwalt, der sich heldenhaft einem irren Amokläufer in den Weg gestellt hatte ...

Er hörte ein Geräusch und drehte sich um.

Seine Frau Constanze stand mit weit aufgerissenen Augen oben auf der Treppe und presste eine Hand auf den Mund. Sie trug ihren Lieblingspyjama, Grundfarbe stierblutrot mit japanischen Kirschblüten in Weiß, ihr Schlafzimmer war ganz im asiatischen Stil gehalten, wofür sie ein Faible hatte.

Matussek wurde plötzlich klar, was für eine absurde Szenerie sie von da oben sah und wie das auf sie wirken musste. Wieso tauchte sie eigentlich ausgerechnet jetzt auf? Ihr Nervenkostüm war nicht erst seit den Drohungen mit den Origami angegriffen, sie half sich schon seit geraumer Zeit beim geringsten Anlass mit ihren kleinen weißen Pillen aus, Valium und Faustan und wie ihre bevorzugten Drogen alle hießen, um sich zu betäuben, wenn der Stress zu groß wurde oder sie nachts nicht schlafen konnte – und das war immer öfter der Fall.

Langsam wie ein Schlafwandler setzte sie sich in Bewegung, Schritt für Schritt kam sie herunter. Matussek stand immer noch da, auf den Küchenblock gestützt, unfähig, sich zu rühren, bis Constanze unten angekommen war, den blutigen Schlamassel begutachtete und zu seiner Verblüffung mit völlig klarer Stimme sagte: »Ist das dieser Aigner?«

Er wunderte sich, dass sie nicht zusammenbrach oder hysterisch reagierte, nein, sie schien auch nicht unter ihren gewöhnlichen Psychopharmaka zu stehen, sie war einfach neugierig darauf, wer da in seinem Blut lag.

»Ja, es ist Aigner«, sagte er.

»Warum hast du ihn getötet?«, fragte sie und sah ihn an. Ihr Blick war klar und fest und von einer seltsamen Entschlossenheit, die sie im persönlichen Umgang ihm gegenüber schon seit Jahren nicht mehr an den Tag gelegt hatte.

»Weil er mich erschießen wollte. Und dich. Und unseren Sohn.«

»Hubertus?«, sagte sie mit ungläubiger Stimme. »Was hatte Aigner gegen Hubertus?«

»Nichts. Er wollte mich damit treffen.«

»Hast du schon die Polizei gerufen?«, fragte sie, und er schüttelte verneinend den Kopf.

»Nein, aber sie wird sowieso gleich kommen.«

Dann fiel ihm auf, dass sie nicht danach fragte, wie schlimm seine Verletzung war, er musste fürchterlich aussehen. Stattdessen ging sie zu einer Schublade, in der sie Plastiktüten aufzubewahren pflegte, holte eine heraus, stülpte sie um und schlüpfte mit der rechten Hand bis zum Ellbogen hinein. Er kapierte nicht, was sie damit vorhatte, ihr Benehmen kam ihm immer seltsamer vor. Dann wurde es ihm klar: Sie musste unter Schock stehen!

Wahrscheinlich hatte sie schon eine ganze Weile vom oberen Stockwerk aus alles beobachtet: seine Gastvorstellung als Dirigent im Bademantel, den überraschenden Auftritt von Aigner, ihre Auseinandersetzung, seinen gelungenen Versuch, Aigner zu erschießen – aber warum hatte sie nicht geschrien, die Polizei angerufen oder sonst wie eingegriffen?

Und vor allem – was machte sie denn jetzt?

Sie ging tatsächlich vor dem toten Aigner in die Hocke!

»Constanze – was um Himmels willen tust du da?«, fragte er, löste sich endlich aus seiner Starre und schritt langsam auf sie zu, wie ein Pferdeflüsterer, der ein völlig durchgedrehtes Pferd wieder beruhigen will. »Constanze, hörst du mich überhaupt?«

»Oh ja«, antwortete sie. »Ich höre dich. Sehr gut sogar.« Sie beugte sich mit der Plastiktüte über Aigners rechte Hand. Es war die Lidl-Plastiktüte, in der der ominöse Origami-Skorpion hergebracht worden war. Dann hob sie mit der plastikbewehrten Hand die Pistole auf, die Aigner im Sterben aus der Hand gefallen war.

»Was machst du da?«, fragte Matussek völlig irritiert. »Lass die Waffe liegen, sie könnte losgehen …«

»Das soll sie ja«, sagte sie völlig emotionslos, legte auf ihn an und schoss ihm zweimal in die Brust.

Bei jedem Schuss zuckte er zusammen und taumelte ein Stück zurück.

Constanze Haggenmiller-Matussek schaute zu, wie ihr Mann mit einem Ausdruck, der ein einziges unfassbares Staunen war, zusammenbrach und sein Leben aushauchte.

Drei Herzschläge lang wartete sie noch, ob ihr Gatte vielleicht wieder aufstand, aber das tat er nicht. Er würde nie wieder aufstehen.

Constanze wendete sich wieder Aigner zu, dabei achtete sie sorgfältig darauf, dass sie nicht in die Blutlache trat, die sich unter seinem Körper ausgebreitet hatte, und drückte dem Leichnam die eben abgefeuerte Waffe in die rechte Hand. Dann machte sie ein paar Schritte zurück, zog sich wie ein Chirurg nach der Operation mit spitzen Fingern die Plastiktüte von der Hand, stülpte sie wieder um, faltete sie sorgfältig zusammen und steckte sie ganz nach unten unter die anderen Tüten in die Schublade zurück. Sie schloss die Schublade und fischte ihr Smartphone aus der Tasche. Sie drückte den Notruf, und als die Verbindung stand, sagte sie: »Constanze Haggenmiller vom Weingut Haggenmiller. Hier hat ein Einbruch stattgefunden. Mein Mann hat einen Einbrecher überrascht und ist von ihm erschossen worden … Nein, der Einbrecher ist auch tot. Kommen Sie schnell, ich …«

Sie ließ das Smartphone eingeschaltet auf den Marmorboden der Küche fallen, setzte sich auf einen Barhocker am Küchenblock, zündete sich eine Zigarette an und wartete.

54

Es war ein seltsames, fast unwirkliches rosafarbenes Licht, das sich am östlichen Horizont ausbreitete, als Harriet und Madlener bei Anbruch der Morgendämmerung mit pulsierendem Blaulicht die ersten Weinfelder entlangrasten.

Genauso seltsam wie ihre Stimmung.

Sie hatten noch schnellstens vor dem Hotel »Zum silbernen Zeppelin« ihre Schutzwesten angezogen und waren sich dessen bewusst, auf was sie sich einließen und was auf sie zukam, wenn sie jetzt ohne Verstärkung im Weingut Haggenmiller auf Aigner trafen – so desperat, wie dessen mutmaßliche Verfassung nach dem gewaltsamen Ausbruch aus der Klinik sein musste. Es war natürlich nicht mit absoluter Sicherheit auszuschließen, dass Aigner ganz woanders hin unterwegs war, aber weder Madlener noch Harriet rechneten damit. Aigner war nur noch von einem einzigen Gedanken besessen: Er wollte seine Rache zu Ende bringen, egal, wie. Sie mussten mit dem Schlimmsten rechnen, und Madlener überprüfte noch einmal sicherheitshalber seine SIG Sauer, als ein Funkspruch hereinkam, der sie vorwarnte, dass eben ein Notruf eingegangen war, der zwei Tote nach einem Schusswechsel im Wohnhaus des Weinguts meldete – von der Hausherrin persönlich. Harriet, die am Steuer saß, drückte noch mehr aufs Gas, und Madlener schaltete nun auch die Sirene ein.

Es ging jetzt darum, schon von Weitem gehört zu werden, um Frau Haggenmiller anzukündigen, dass Hilfe auf dem Weg war, auch wenn sie allem Anschein nach zu spät kamen, um das tödliche Drama, das es zu verhindern gegolten hätte, noch abwenden zu können. Es hatte schon stattgefunden, in welcher Form auch immer. Harriet fuhr im Grenzbereich. Wenn sie selbst am Steuer saß, machten ihr hohes Tempo und riskante Fahrmanöver nichts aus, nur zur passiven Beifahrerin, wenn sie das Gefühl hatte, nicht eingreifen zu können und hilflos ausgeliefert zu sein, eignete sie sich grundsätzlich nicht.

Als sie in die Seitenstraße einbogen, die zum Weingut führte, kamen sie dem Streifenwagen knapp zuvor, der aus der Gegenrichtung kam und von Madlener hinbeordert worden war. Er setzte sich, ebenfalls mit Blaulicht und Sirene, hinter sie. In einem wahren Höllentempo preschten sie durch die Weinfelder. Wenn der Funkspruch stimmte, waren keine besonderen Vorsichtsmaßnahmen mehr nötig, also dirigierte Madlener seine Assistentin direkt vor den Eingang des Wohnhauses, wo Harriet heftig abbremsen musste.

Constanze Haggenmiller wartete, in einen schwarzen Satinmorgenmantel mit weißen stilisierten Sternen eingehüllt und barfuß, die Hände mit überkreuzten Armen auf die Schultern gelegt, zitternd neben einem schwarzen BMW, die gläserne Haustür hinter ihr stand sperrangelweit offen.

»Kümmere du dich um Frau Haggenmiller, ich gehe rein. Die Kollegen sollen das Gebäude sichern, bis ich grünes Licht gebe«, sagte Madlener zu Harriet und stieg aus. Frau Haggenmiller wirkte auf ihn, als würde sie jeden Moment zusammenklappen. Ihr Gesicht war aschfahl, ohne Schminke und mit zerzaustem Haar sah sie so alt aus, wie sie wirklich war.

»Frau Haggenmiller«, sprach Madlener sie an, »sind Sie verletzt?«

»Nein«, sagte sie tonlos. »Sie sind beide tot. Mein Mann und dieser Aigner.«

»Was ist mit Ihrem Sohn?«

»Hubertus ist nicht hier. Er ist bei seinen Großeltern.«

Madlener warf Harriet einen Blick zu, den sie sofort verstand. Sie stützte Frau Haggenmiller. »Kommen Sie, setzen Sie sich ins Auto.«

»Die Kollegen sollen einen Krankenwagen anfordern!«, rief Madlener Harriet noch zu, bevor er mit gezogener Waffe und aller gebotenen Vorsicht ins Haus stürmte.

Als er in den Livingroom kam und einen Blick in die offene Küche warf, wurde er vom gleichen Geruch empfangen, den er im Apartment von Charlotte Elisabeth Prechtl wahrgenommen hatte, nur mit dem kleinen Unterschied, dass der Geruch hier stechender und nicht abgestanden war, weil er frisch war. Madlener roch Kupfer, Gewalt und Tod. Es war kein Tatort, der Stunden alt war oder Tage. Das, was hier abgelaufen war, hatte sich höchstens vor zehn, fünfzehn Minuten abgespielt.

Für solche Situationen hatte Madlener ein besonderes Sensorium. Er war in der Lage, Positionen, Schusswunden, Blutspuren, Schusskanäle und einen möglichen Abriss des Geschehens in kurzer Zeit aufzunehmen, zu interpretieren, zu analysieren und zu speichern. Auch wenn der später nach unzähligen Blut- und Spurengutachten rekonstruierte Ablauf dann manchmal, wenn auch selten, von seiner ersten spontanen Wahrnehmung abwich – im Prinzip war alles so abgelaufen, wie er es imaginiert hatte. Aber das klappte nur, wenn die Techniker und Spurensicherer noch nicht vor Ort waren und jede kontemplative Tatortwitterung mit ihrer Anwesenheit und Tätigkeit vereitelten.

Er nahm alles auf einen Blick wahr. Die zwei Leichen lagen jeweils in Blutlachen auf dem Rücken, vielleicht fünf Schritte auseinander, Aigner mit seinem Gesichtsverband und dem weißen blutgetränkten Arztkittel. Matussek im Bademantel, beide hielten sie Schusswaffen in der rechten Hand. Madlener registrierte die oberflächlich sichtbaren Schussverletzungen an den Leichen, das Einschussloch im Panoramafenster, den Plattenspieler mit dem verbogenen Tonarm, den Aschenbecher mit einer Kippe – eine Davidoff Gold Slim – auf dem Küchenblock und die abgelegte Trainingskleidung sowie die Sportschuhe auf dem Boden. Er rührte nichts an, aber er prägte sich jedes Detail ein. Die Techniker würden alles noch minutiös filmen und fotografieren, aber er verließ sich lieber auf seine Festplatte im Kopf mit nahezu unbegrenzter Speicherkapazität.

Diese visualisierte Momentaufnahme – simpel ausgedrückt: der erste Eindruck – war es, was für Madleners Wahrnehmung und Wahrnehmungsanalyse so unschätzbar hilfreich war.

Aber darüber vergaß er beileibe nicht seine nächstliegenden Pflichten: Zuerst musste er den gesamten Gebäudekomplex wenigstens so genau absuchen, dass es keine unliebsamen Überraschungen durch irgendwelche Personen geben konnte, mit denen keiner gerechnet hatte. Also ging er die Treppe hoch, nachdem er das Erdgeschoss komplett inspiziert hatte, immer noch mit seiner SIG Sauer in der Hand, warf einen Blick in die Schlafzimmer, das riesige Bad und das Zimmer von Hubertus. Er tastete in seiner Tasche nach den obligatorischen Latexhandschuhen – Gott sei Dank, Harriet hatte ihm noch welche zugesteckt –, zog sie an, öffnete Schranktüren, spähte unter Betten, in begehbare Kleiderkammern, Abstellräume.

Erst dann eilte er wieder hinunter und zur Vordertür hinaus. Frau Haggenmiller lag mit geschlossenen Augen auf dem Rücksitz des Dienstfahrzeugs, und Harriet telefonierte mit dem Smartphone am Ohr. Sie beendete das Gespräch, als sie ihren Chef kommen sah.

Madlener meldete: »Alles sauber so weit. Bitte ruf die KTU an ...«

Harriet winkte ab. »Schon erledigt. Kriminaldirektor Thielen ist ebenfalls informiert und auf dem Weg hierher. Er pfeift das SEK zurück. Frau Dr. Herzog wird von Frau Gallmann herbeordert.«

Madlener beugte sich zu Harriet und fragte leise: »Wie geht's Frau Haggenmiller? Hat sie noch was gesagt?«

»Nein, kein Wort. Sie steht unter Schock, wie mir scheint. Aber sie wird durchhalten, bis der Notarzt kommt. Was ist da drin passiert?«

»So wie's aussieht, gab es einen Schusswechsel zwischen Matussek und Aigner. Beide sind tot. Ich sehe mich weiter um. Du bleibst bei Frau Haggenmiller, bis die Sanis da sind. Die Kollegen sollen die KTU einweisen und die Umgebung nach dem Polizeiwagen absuchen, mit dem Aigner hergekommen ist.«

Harriet nickte. Das schätzte Madlener besonders an ihr, dass sie, wenn es darauf ankam, keine überflüssigen Fragen stellte.

Er sah sich um. Wo zum Teufel war dieser Kurbjuweit? Wenn ihn sein Chef gebraucht hätte, dann jetzt.

55

Madlener stand beim Weingut am Rand der Weinfelder, sah über die lieblich geschwungenen Hügel hinweg bis zum fernen Bodensee und rauchte. Er dachte darüber nach, wohin Kurbjuweit verschwunden war. Zusammen mit Harriet hatte er dessen Wohnräume in einem der Nebengebäude durchsucht, weder Ausweise noch Handy gefunden und Letzteres vergeblich orten lassen. Ansonsten schien alles da zu sein, die Wohnung war sauber und aufgeräumt, nichts schien zu fehlen, und niemand wusste etwas über Kurbjuweits Verbleib. Seltsam. Madlener drückte seine Kippe in dem kleinen Döschen von Harriet aus, das sie ihm geborgt hatte.

Etwas hatte Harriet allerdings gefunden: die Aufzeichnung eines Gesprächs zwischen Matussek und Aigner. Kurbjuweits kleines Büro war rappelvoll mit Abhör-, Lausch- und optischen Beobachtungsgeräten. Mit dem Krempel hätte man die halbe NSA ausrüsten können, Kurbjuweit – oder sein Chef – musste ein Überwachungsfreak gewesen sein. Es würde noch Wochen dauern, bis man alles registriert und überprüft hatte, was da gesammelt und gespeichert worden war. Harriet war gerade noch dabei, alles grob zu sichten, bevor das Zeug ins Präsidium geschafft und genau untersucht werden sollte. Madlener erhoffte sich einen Hinweis auf den Mord im Überlinger Eisenbahntunnel – das Gespräch zwischen Aigner und Matussek, in das sie nur oberflächlich hineingehört hatten, klang jedenfalls so, als hätte Aigner Matussek schon einmal bedroht und in seiner Gewalt gehabt. Das hatte Matussek aber der Polizei gegenüber wohlweislich verschwiegen. Der Oberstaatsanwalt hatte also doch mehr Dreck am Stecken, als es den Anschein hatte. Madlener würde wohl noch tiefer graben müssen.

Er ahnte es: Kriminaldirektor Thielen würde das garantiert nicht schmecken …

Es war inzwischen Mittag geworden. Horden von Spurensicherungsleuten, Technikern und sonstigen Experten in ihren Overalls hatten im Umkreis von einem halben Kilometer um das Zentrum des Weinguts, das futuristische Wohnhaus der Haggenmillers, alles umgekrempelt, fotografiert, skizziert und dokumentiert, hatten jeden Grashalm umgedreht, unter jeden Teppich geschaut und in jeden Blumentopf. Im gläsernen Wohnkubus und den angrenzenden Gebäuden, Weinkellern und Lagerhäusern war buchstäblich das Unterste zuoberst gekehrt worden. Madlener war froh, wenn der ganze Zirkus vorbei war und er sich wieder darauf konzentrieren konnte, wo er noch nachbohren wollte. Und da gab es einige Punkte, die ihm im Ablauf der Geschichte alles andere als logisch erschienen.

Als Thielen endlich vorgefahren war, hatte der Kriminaldirektor sofort allen demonstriert, wer hier der Chef war. Er war überall und nirgends und deshalb ganz in seinem Element, an ihm war wirklich ein Feldherr verloren gegangen. Wenn Madlener den Kriminaldirektor im Stil eines Oberbefehlshabers durch die Reihen seiner Untergebenen marschieren sah, fand er, zum Panzergeneral Patton fehlte ihm eigentlich nur die dicke Zigarre zur dicken Hose.

Madlener hatte inzwischen seine Schutzweste ausgezogen und dachte bei einer zweiten Zigarette weiter nach. Was er gesehen hatte, stimmte seines Erachtens nicht so ohne Weiteres mit dem überein, was Constanze Haggenmiller Thielen gegenüber im Beisein Madleners mit wenigen dürren Worten ausgesagt hatte, bevor sie einen Zusammenbruch erlitten hatte und vom fürsorglich bemühten Kriminaldirektor zur Beobachtung ins Klinikum nach Friedrichshafen geschickt worden war.

Madlener ging zum Wohnhauskubus zurück, weil er sah, dass jetzt die beiden Leichen abtransportiert wurden. Auch Ellen, die sie am Tatort untersucht und nun zur Obduktion in die Pathologie begleitete, kam in ihrem Overall heraus und zog ihre Handschuhe aus. Sie waren sich seit ihrer Ankunft kühl und professionell begegnet, jetzt war nicht die Zeit und die Gelegenheit, private Dinge zu erörtern, sosehr sie Madlener immer noch im Kopf herumgeisterten.

»Kann ich dich kurz sprechen?«, sagte er ohne viel Federlesen und zog sie beiseite. »Keine Bange, es ist rein beruflich«, fügte er nicht ohne eine gewisse Süffisanz hinzu.

»Ja?«, antwortete sie und sah ihn nicht gerade missbilligend, aber doch misstrauisch an.

»Könntest du mir einen Gefallen tun und die DNS von Matussek einem Schnellabgleich unterziehen? Ich weiß, so was dauert zwei Tage ...«

»Mindestens«, unterbrach sie ihn.

»Es ist sehr wichtig.«

Als er ihr gesagt hatte, womit sie den Schnellabgleich machen sollte, löste er doch ein minimales Erstaunen bei ihr aus. Er bat sie noch, ihre kleine Unterredung für sich zu behalten und nur ihm das Ergebnis ihrer Untersuchung mitzuteilen. Das sei sehr wichtig, schärfte er ihr noch einmal ein, weil in diesem Moment Kriminaldirektor Thielen aus dem Eingang kam und gleich auf ihn zusteuerte. Ellen nickte Madlener zu, sie kannte seine kleinen Extratouren, aber sie schien ihm nach wie vor zu vertrauen – jedenfalls, was seine berufliche Seite anging – und stieg dann in ihren Wagen, mit dem sie davonfuhr.

Madlener machte seine Zigarette wieder im Döschen von Harriet aus und nahm sich vor, sich selbst so ein Ding für seine Kippen anzuschaffen, da klopfte ihm Thielen schon auf die Schulter.

»Haben Sie mir auch eine?«, fragte er, und Madlener brauchte eine geraume Weile, um zu realisieren, dass sein Vorgesetzter wirklich und wahrhaftig eine Zigarette von ihm schnorren wollte. Er bot Thielen seine Schachtel an, der nahm eine heraus, und Madlener gab ihm Feuer. Thielen inhalierte einmal kräftig und zog Madlener mit sich.

»Kommen Sie, lassen Sie uns ein paar Schritte laufen.«

Madlener ging neben Thielen her, der sich erst einmal auf die Zigarette konzentrierte, bevor er loslegte: »Gute Arbeit, Madlener, auch wenn wir leider den tragischen Mord an Oberstaatsanwalt Dr. Matussek nicht verhindern konnten. Obwohl wir alles Menschenmögliche versucht haben. Wer hätte auch gedacht, dass dieser Aigner nach den ganzen Verletzungen und dem Zeug, was die ihm da in der Klinik gespritzt haben, noch so tough sein könnte und hier Amok läuft. Tragisch, tragisch, aber nicht mehr zu ändern. Aber wer kann schon in den Kopf eines Irren blicken? Oder haben wir da vorher doch etwas übersehen?«

»Wie meinen Sie das, Herr Kriminaldirektor?«

»So, wie ich es sage. Hätten wir am Verhalten von Aigner nicht erkennen müssen, was er vorhat? Genau das wird mich nämlich die Presse gleich fragen.«

»Wer hätte das voraussehen sollen?«

»Na Sie zum Beispiel.«

Madlener blieb stehen. »Ist das Ihr Ernst?«

»Mein Gott, jetzt schauen Sie nicht so beleidigt, Madlener. Geschehen ist geschehen, und niemandem kann ein Vorwurf gemacht werden. Der Fall ›Skorpion‹ ist abgeschlossen. Und der Fall mit der Toten im Eisenbahntunnel ebenso.«

»Sie meinen Charlotte …«

»… Elisabeth Prechtl, genau. Abgeschlossen. Aus, Äpfel, amen.«

»Also ich sehe das nicht so.«

»Das hab ich mir schon gedacht, aber da führen wir jetzt keine lange Diskussion mehr. Die Akten werden geschlossen. Das ist alles sehr tragisch und spektakulär, zugegeben, schließlich haben wir drei Tote, zwei davon absolut unschuldig, Matussek hat sein Leben für die Familie gegeben, sehr heldenhaft.«

Madlener sagte nichts, sie gingen weiter. Thielen fuhr fort: »Haben Sie eine Ahnung, warum der Hass bei Aigner so tief saß? So tief, dass er Matussek umbrachte?«

»Am Ende ja«, sagte Madlener. »Ja, ich habe mir schon so meine Gedanken gemacht. Wir hätten Dr. Matussek Personenschutz geben sollen, trotz aller Personalschwierigkeiten.«

»Ich habe gestern noch einmal deswegen mit ihm telefoniert. Er hat es rundweg abgelehnt.«

Madlener vollzog eine vage Geste – was sollte er dazu auch sagen? Thielen klopfte ihm aufmunternd auf die Schulter. »Madlener – Aigner war medikamentös ruhiggestellt und wurde bewacht. Keiner muss sich irgendwelche Vorwürfe machen. Kein Mensch konnte ahnen, dass ihm seine pathologischen Hassgefühle die Kraft verleihen würden, sich über alles menschliche Maß und sämtliche Beruhigungsmedikamente hinwegzusetzen.«

»Meinen Sie?«

»Ich bin mir sicher.«

»Hat Frau Haggenmillers Aussage Sie überzeugt?«

»Kurz und bündig: ja.«

»Ich möchte sie noch einmal detailliert zum Tathergang befragen, sobald sie wieder vernehmungsfähig ist …«

»Unterstehen Sie sich! Ich bin es ihrem Mann schuldig, dass wir Constanze Haggenmiller – zumal sie selbst beinahe noch ein Opfer von Aigner geworden wäre! – mit Samthandschuhen anfassen. Deshalb spreche ich hier und jetzt mit Ihnen, Madlener.«

Er verharrte und hielt Madlener an den Oberarmen fest, um mit seiner ganzen Überzeugungskraft auf ihn einreden zu können. »Frau Haggenmiller ist eine außergewöhnlich tapfere Frau. Sie hat eine Menge durchgemacht. Aber sie steht unter Schock. Was kein Wunder ist, nach allem, was sie mitansehen musste. Und was ihr noch bevorsteht, schließlich hat sie einen Sohn, dem sie die furchtbare Nachricht vom Tod seines Vaters beibringen muss. Versetzen Sie sich bitte in ihre Lage.«

»Das tue ich.«

»Ich meine das nicht so, wie Sie das bei den üblichen Verdächtigen tun. Ihren Gatten können wir nicht wieder lebendig machen. Aber wir können ein wenig Rücksicht auf sie nehmen und darauf, dass sie auf brutalstmögliche Weise vor ihren eigenen Augen zur Witwe gemacht worden ist.«

»Dann ist für Sie der Fall also endgültig abgeschlossen?«

»Ja. Und zwar so was von abgeschlossen! Haben wir uns verstanden?«

Madlener reagierte nicht.

Thielen insistierte: »Madlener – ich weiß doch, was Ihnen im Kopf herumspukt: Aigner und seine Behauptungen, er sei unschuldig und Matussek habe mit dem Mord an Elfie Lammert zu tun. Aber jetzt denken Sie doch mal nach, Madlener. Es bringt nichts, wenn wir unsere Nase noch einmal in die Vergangenheit stecken und im Dreck herumwühlen. Das hat Dr. Matussek nicht verdient und würde sein Ansehen nur beschädigen. Er ist für mich als unerschrockener Verteidiger seiner Familie gestorben, und allein diese Tatsache verdient höchsten Respekt. Respekt, den wir ihm nicht mehr zollen können. Aber seiner Gattin. Aigner war ein Irrer, ein Geistesgestörter, der sich über zehn Jahre in den Wahn hineingesteigert hat, dass der Staatsanwalt, der ihn angeklagt hat, schuld an seiner Haftstrafe war! Es entbehrt jeglicher Grundlage, wenn wir dieser unbegründeten Verleumdung nachgehen.«

»Ich soll also nicht noch einmal den alten Fall durchforsten, meinen Sie das?«

»Sie haben es erfasst.«

»Und der zweite Mord? Der Fall Charlotte Elisabeth Prechtl?«

»Den schließen Sie sauber ab. Der Mörder war Aigner. Und der ist tot. Die Beweise sind eindeutig.«

»Für mich ein wenig zu eindeutig.«

»Madlener, hören Sie mir nicht zu? Der Tunnelfall ist hiermit abgeschlossen. Punkt. Das ist eine Anordnung.«

Er nahm Madlener wieder am Arm und kehrte mit ihm um. »Und was diese üble Geschichte hier angeht: Frau Haggenmiller wird ein Protokoll unterzeichnen, in dem sie bestätigt, dass Aigner mit Waffengewalt in ihr Haus eingedrungen ist, sie und ihren Mann bedroht hat, mit einer Schusswaffe, und dass ihr Mann Dr. Matussek, als auf ihn geschossen wurde, sich zur Wehr gesetzt und zurückgeschossen hat.«

»Sie glauben ihr also.«

»Uneingeschränkt.«

»Da sind aber noch eine ganze Menge Fragen offen.«

»Geschenkt, Madlener, geschenkt. Ich will diesen hässlichen Fall so schnell wie möglich vom Tisch haben. Und ich bin mir sicher: Die dafür neu zuständige Staatsanwaltschaft denkt genauso. Gegen Tote wird grundsätzlich nicht ermittelt. Wir müssen nicht an Dinge rühren, die alten Schmutz wieder hochkochen lassen. Ich werde nicht zulassen, dass ein böses Wort über Dr. Matussek geschrieben wird. Und daran werden Sie sich auch halten.«

»Wenn Sie meinen … Für wann setzen Sie unsere Besprechung an?«

»Heute fällt sie aus. Morgen früh, zehn Uhr.«

»Gut. Bis dahin, Herr Kriminaldirektor«, sagte Madlener und

ging zu seinem Dienstwagen, in dem Harriet schon auf ihn wartete.

»He, Madlener!«, rief Thielen hinter ihm her.

Madlener blieb stehen.

»Haben Sie noch eine für mich?«, fragte Thielen.

Madlener zog seine Schachtel heraus und warf sie seinem Chef zu. »Können Sie behalten.«

Dann stieg er ein, und Harriet kutschierte los.

56

Harriet hielt sich auf dem Rückweg an die vorgeschriebene Geschwindigkeit, beide schwiegen und hingen ihren Gedanken nach. Harriet spürte, dass Madlener ziemlich angefressen war. Schließlich riskierte sie nach einem kurzen Seitenblick trotzdem eine Frage: »Was ist los? Was wollte der Chef von dir?«

»Was er wollte? Klappe zu, Affe tot.«

»Die Ermittlungen sollen eingestellt werden?«

»So ist es.«

»Für dich ist der Fall aber noch nicht gegessen?«

»Nein.«

»Hast du Anhaltspunkte? Außer den Behauptungen, die Aigner aufgestellt hat?«

»Habe ich«, knurrte Madlener.

Harriet hatte heute ihren geduldigen Tag. Ohne einen demonstrativen Seufzer loszuwerden, fragte sie: »Willst du sie für dich behalten?«

»Nein. Es ist nur eine lächerliche Kleinigkeit, aber ...« Er wandte sich ihr zu: »Was würdest du machen, wenn man vor deinen Augen deinen Mann erschossen hat, er liegt in seinem Blut, und du hast eben die Polizei angerufen?«

»Ich weiß nicht – Menschen reagieren nicht alle gleich. Vielleicht würde ich mich auf ihn werfen, um nachzuprüfen, ob er vielleicht doch noch lebt, heulen, durchdrehen, schreien ...«

»Du sagst es. Frau Haggenmiller hat nichts dergleichen getan.«

»Der Schock?«

»Na schön, nehmen wir den zu ihren Gunsten mal an. Du hast also einen Schock. Was würdest du dann aber auf gar keinen Fall tun, bis die Polizei eintrifft?«

»Weiß nicht – sag du es mir. Zeitung lesen?«

»Ganz genau, das ist es. Zeitung lesen oder in aller Ruhe eine Zigarette rauchen. Im Aschenbecher auf dem Küchenblock war eine frische Kippe, ich konnte den Rauch noch riechen. Eine Davidoff Gold Slim. Typische Frauenzigarette.«

Sie warf ihm einen Seitenblick zu.

Er war schon so konditioniert, dass er glaubte, sich verteidigen zu müssen. »Das sage ich als Ermittler, nicht als Chauvinist.«

»Schon klar.«

»Was also hat Frau Haggenmiller getan, bis sie unsere Sirene hörte, aus dem Haus spazierte und uns erwartete? Sie hat eine Zigarette gequalmt.«

»Vielleicht hat sie das gemacht, um ihre Nerven wieder in den Griff zu kriegen.«

»Dann wäre sie raus, hätte sich da eine Kippe angezündet und auf uns gewartet. Nicht am Tatort.«

»Du meinst ... sie ist eiskalt geblieben und hat uns das ganze Theater mit Schock und Zusammenbruch vorgespielt?«

»Frau Haggenmiller-Matussek ist kalt bis ins Herz.«

Sie steckten im Berufsverkehr von Friedrichshafen fest, und Harriet fragte nach einer kleinen Denkpause: »Soll ich dich in dein Hotel bringen?«

»Nein. Ins Präsidium. Kommst du mit?«

»Wenn ich dir behilflich sein kann ...«

»Kannst du. Ich werde exakt das tun, was Thielen mir ausdrücklich untersagt hat.«

»Du willst im alten Fall graben?«

»Genau das. Die Akten sind laut Frau Gallmann schon bei uns im Büro. Die gehen wir noch mal gründlich durch. Vier Augen sehen mehr als zwei. Du musst aber nicht, wenn du nicht willst. Ist sozusagen meine Art von Freizeitbeschäftigung.«

»Sind dir die Modezeitschriften ausgegangen?«, fragte Harriet mit spöttischem Grinsen.

»Ja. Und ›Bunte‹ und ›Gala‹ hab ich auch schon dreimal gelesen.«

»Dann bin ich dabei. Zu Hause komme ich nur noch auf blöde Ideen und sehe mir was in der Glotze an. ›Schlag den Raab‹ oder so was.«

»Würde dir vielleicht zur Abwechslung ganz guttun.«

Endlich hatten beide ein wenig Abstand und ihren Humor wiedergefunden.

Harriet sagte: »Weißt du was? Wenn das hier vorbei ist, machen wir uns mal einen gemütlichen Abend ohne Amokläufer und Frauenkiller. Du bringst was zum Trinken mit, und ich spendiere Tortilla-Chips. Mit Hot-Salsa-Dip!«

»Klingt vielversprechend. Und was schauen wir?«

»Irgendeine von diesen neuen Serien.«

»Aber nur ohne Werbung.«

»Sowieso. Ich hab einige davon auf Blu-Ray. ›True Detective‹, oder ›House of Cards‹ oder ›Homeland‹.«

»Auf gar keinen Fall ›CSI‹! Weder CSI Miami noch Las Vegas noch New York.«

»Stehen die auf deiner Negativliste?«

»Aber ganz weit oben. Kurz vor den Aliens.«

»Welchen Aliens?«

»Du weißt schon – den Leuten, die so tun, als wären sie menschliche Lebewesen. Aber das ist nur die sichtbare Oberfläche.«

»Glaubst du, dass es viele davon gibt?«

»Oh ja. Ich bin einigen davon begegnet. Bleibt in unserem Beruf nicht aus.«

»Ich denke, ich weiß, was du meinst. An was erkennt man sie?«

»Im Laufe der Zeit entwickelt man einen sechsten Sinn dafür.«

»Gehört das dazu, wenn man ein guter Cop sein will?«

»Unbedingt. Aber manche können das verdammt gut verbergen.«

Harriet sah ihm prüfend direkt ins Gesicht. Madlener deutete mit keinem Augenzwinkern oder wenigstens mit einem Lächeln an, dass er das ironisch meinte. Sie nickte genauso ernst. »Ja. Ja, ich glaube, du hast recht.«

Sein Smartphone klingelte. Er nahm ab, es war Götze. »Herr Madlener, ich habe was gefunden, das für Sie von Interesse sein dürfte.«

57

Götze war auf dem Laufenden, was »draußen an der Front« – wie Kriminaldirektor Thielen gewohnt martialisch zu sagen pflegte – passiert war, und lotste Madlener und Harriet zu seinem Laptop, um ihnen etwas zu zeigen, was er anscheinend wichtig fand. Er war so aufgeregt, als hätte er einen Hinweis auf den Heiligen Gral gefunden. Auf Anordnung Thielens hatte er im Präsidium die Stellung gehalten und herumgetüftelt. Das war etwas, was er wirklich gut konnte, und Madlener wusste schon, warum ihn der Chef nicht mit zum Tatort genommen hatte: weil Götze die schlechte Eigenschaft besaß, immer nur im Weg herumzustehen. Im Präsidium konnte er keinen größeren Schaden anrichten und vielleicht zur Abwechslung auch einmal nützlich sein. Sein Spezialgebiet waren technische Spielereien, und er hatte schon die Stühle so um sein Laptop gruppiert, dass man meinen konnte, er würde gleich eine Direktverbindung mit Edward Snowden in dessen Asyl im Kreml bewerkstelligen, mit Putin an der Seite, und Barack Obama dazuschalten.

Frau Gallmann kam mit Kaffee, Tee und belegten Brötchen, was Madlener und Harriet daran erinnerte, wie ausgehungert sie waren. Sie griffen dankbar zu, und Madlener nahm sich zum hundertsten Mal vor, sich bei Frau Gallmann für ihre geradezu mütterliche Besorgtheit um ihr körperliches Wohlbefinden endlich einmal ordentlich zu revanchieren. Aber das wollte er zuerst mit Harriet besprechen, wenn sie unter vier Augen waren, weil ihm für solche Anlässe nie das Passende einfiel.

Endlich konnte es losgehen. Götze blühte förmlich auf, weil er das Gefühl hatte, ernst und wichtig genommen zu werden und etwas Entscheidendes zum großen Ganzen beitragen zu können.

»Ich habe die gesamten Überwachungsvideos von der Tiefgarage in Ravensburg noch einmal ausgewertet«, erklärte er, »für die Zeit, in der Aigner zusammengeschlagen wurde. Sie erinnern sich vielleicht: Aigner und der Schläger waren bei der Tat selbst nicht darauf zu sehen. Ja, wir hatten sogar Anlass zur Vermutung, dass Aigner nicht nur Herrn Dr. Matussek fälschlich bezichtigte, sondern sich vielleicht sogar selbst seine Verletzung beigebracht haben könnte.«

Madlener kannte die umständliche Art von Götze, die ihn schon das eine oder andere Mal schier auf die Palme gebracht hatte, zur Genüge, aber diesmal ließ er ihn einfach machen.

»Zweierlei habe ich herausgefunden. Ich habe die entscheidenden Szenen herausgeschnitten und aneinandergelegt, dann geht's schneller.« Er tippte auf der Tastatur herum.

Na hoffentlich, dachte Madlener inständig, sagte aber nichts, sondern sah auf den Bildschirm, auf dem die Einfahrt zur Tiefgarage in Schwarz-Weiß zu erkennen war.

Götze wies auf den Timecode. »Wie Sie hier sehen können, ist das etwa eineinhalb Stunden vor der KVA …«

»Der was?«, fragte Madlener irritiert.

»Der Körperverletzungsattacke …«, erklärte Götze wie selbstverständlich.

»Ach so, ja klar, die Körperverletzungsattacke«, sagte Madlener und tauschte einen belustigten Blick mit Harriet aus. Den Abkürzungsfimmel hatte Götze ganz sicher aus den Büchern über das FBI, die er so leidenschaftlich gerne las wie Jehovas Zeugen den »Wachtturm«.

»Sehen Sie …«, sagte er aufgeregt und zeigte auf den unscheinbaren Pick-up, der die Rampe herunterrollte. Es dauerte vielleicht vier Sekunden, dann war das Fahrzeug aus dem Blickwinkel der Überwachungskamera verschwunden.

Götze ließ das Video wieder zurückfahren. Die Insassen des Pick-ups waren als dunkle Schemen mehr zu erahnen als zu erkennen. Götze schaltete auf Standbild und erwartete wohl so etwas wie Beifall, jedenfalls machte er ein entsprechendes Gesicht.

»Ja und?«, fragte Madlener.

»Wissen Sie«, erklärte Götze, »für die Bilder so lange vor der eigentlichen Tat …«

»Der KVA …«, warf Madlener mit todernstem Gesicht ein, und Harriet fing an zu hüsteln, um einen aufsteigenden Lachanfall nicht zum Ausbruch kommen zu lassen.

Götze merkte wie immer nicht, dass man sich über ihn lustig

machte, und fuhr unbeirrt fort: »Richtig. Also – was davor war, dafür hat sich bisher niemand interessiert. Ich habe nun ...«, er tippte wieder herum und zoomte auf das vordere Nummernschild des Pick-ups, bis nur noch abstrakte Pixel zu sehen waren, »... das Nummernschild vergrößert und den Fahrzeughalter festgestellt.«

»Ja?«, fragte Madlener mit einer wahren Engelsgeduld.

»Der Wagen ist auf die Firma ›Autoersatzteile und Buntmetalle Gebrüder Schwarz‹ zugelassen.«

Jetzt wurden Madlener und Harriet auf einmal doch hellhörig, was Götze stolz registrierte. Er hob warnend den Finger, um sein Auditorium auf weitere Überraschungen vorzubereiten.

»Aber das ist noch nicht alles«, sprach er weiter. »Kennen Sie die beiden Herrschaften?«

Wieder war der Pick-up in Schwarz-Weiß als Standbild zu sehen, völlig undeutlich die schemenhaften Insassen. Madlener und Harriet blickten genau hin.

»Wer soll das sein? Ich kann beim besten Willen niemanden erkennen«, sagte Harriet.

»Nun«, erwiderte Götze im Stil eines Magiers, der dabei war, den größten Zaubertrick seit David Copperfield vorzuführen, »ich habe alle Bildbearbeitungsprogramme durchprobiert, die es gibt – und ich kann Ihnen versichern, es gibt Hunderte ...«

Madlener atmete tief durch und memorierte sein Mantra für solche Fälle – Du bist ruhig, du bist ruhig, du bist ganz, ganz ruhig! –, weil er sonst allmählich handgreiflich geworden wäre, aber Götze machte Gott sei Dank schon weiter.

»Voilà!« Er drückte auf einen Knopf, und plötzlich waren die zwei Gesichter hinter der verdreckten Windschutzscheibe des Pick-ups deutlich zu erkennen.

»Laurel und Hardy!«, sagten Madlener und Harriet gleichzeitig wie aus einem Mund und doch einigermaßen überrascht.

»Wie bitte?« Jetzt war die Verblüffung auf der Seite von Götze.

»Das sind ihre Spitznamen«, erklärte Harriet. »Sie gehören zum Inventar des Schrottplatzes der Gebrüder Schwarz.«

»Umso besser, wenn Sie sie erkennen. Denn jetzt kommen wir zum absoluten Höhepunkt meiner kleinen Filmvorführung.«

»Sie haben noch etwas?«, staunte Madlener.

»Ja, sicher«, sagte Götze grinsend. »Ich habe die KVA gerichtsverwertbar auf Bild.«

»Die was?«, fragte diesmal Harriet und bekam prompt einen leichten Ellbogenschubser von Madlener.

»Wir verstehen schon«, sagte er. »Machen Sie mal.«

Götze bediente wieder ein paar Tasten und dimmte die Lautstärke seiner Stimme nach unten in Richtung konspirativ. »Ich habe mir nämlich auch die Aufzeichnungen der anderen Überwachungskameras angesehen. Ziemlich zeitaufwendig und ziemlich langweilig, sogar im Schnelldurchlauf, kann ich Ihnen sagen.«

»Können wir uns lebhaft vorstellen«, pflichtete Madlener Götze bei, um ihn zu animieren, endlich zur Sache zu kommen.

»Und dabei bin ich auf etwas gestoßen – und zwar hier …«, dozierte Götze weiter. Auf dem Bildschirm erschien ein Standbild aus einer anderen Perspektive der Tiefgarage. »Wenn Sie genau hinschauen, erkennen Sie hier …«, er zeigte auf die Seitenscheibe eines SUV, »… eine Spiegelung, sehen Sie? Wenn ich das vergrößere und mein entsprechendes Bildbearbeitungsprogramm einsetze …«

»BBP«, kürzte Harriet schamlos ab – sie konnte es nicht lassen, Götze auf den Arm zu nehmen. Auch diesmal merkte er es in seinem heiligen Eifer nicht, sondern nahm ihren Zwischenruf ernst.

»Richtig. Sehen Sie …«

Der Ausschnitt wurde schärfer, man konnte auf einmal Aigner erkennen, der wartete, bis sich aus dem Schatten jemand löste und sich näherte.

»Laurel«, sagte Madlener.

»Laurel«, bestätigte Harriet.

Sie betrachteten weiter, was auf dem Bildschirm geschah. Der hagere Mann schlug auf Aigner ein, der es tatenlos mit sich geschehen ließ, bis er zusammensackte. Er bekam noch einen Tritt mit dem Fuß verpasst und blieb schließlich liegen, während der Täter wieder im Schatten verschwand.

Götze sah Madlener und Harriet beinahe schon herausfordernd an. Madlener klopfte ihm anerkennend auf die Schulter. »Hervorragende Arbeit, Götze. Wirklich – Kompliment!«

Götze strahlte wie ein Junge unter dem Weihnachtsbaum, der tatsächlich genau die Playstation bekommen hatte, die er sich sehnlichst gewünscht hatte, und packte seine Sachen zusammen.

Harriet sah Madlener an. »Was sagt uns das? Jedenfalls, dass Dr. Matussek wirklich nicht derjenige war, der Aigner so zusammengeschlagen hat.«

»Aber Aigner glaubte, Matussek damit fertigmachen zu können, wenn er ihn als Schläger brandmarkte.«

»Dafür lässt er sich sein Gesicht zu Brei schlagen?«

»Du hast gesehen, wie weit er für seine Rache zu gehen bereit war.«

»Ja – in letzter Konsequenz bis zum eigenen Tod.«

»Harriet, wir sollten noch einen kleinen Ausflug machen.«

»Und der alte Fall? Elfie Lammert?«

»Nimm die Akten mit. Die liest du unterwegs. Ich fahre.«

Er schüttelte Götze die Hand. »Machen Sie Feierabend für heute. Sie haben es sich verdient.«

58

Im Dienstfahrzeug fing Harriet auf dem Beifahrersitz an, die alten Akten vom Fall Elfie Lammert durchzusehen. Madlener fuhr mit moderater Geschwindigkeit, sie hatten es nicht weit und nicht eilig. Wenn es sein musste, konnte Harriet in einem Tempo lesen, das fast so hoch war wie das eines Scanners, wobei sie zusätzlich noch in der Lage war, Wichtiges von Unwichtigem zu unterscheiden. Der Aktenstapel auf ihrem Schoß war zwar nicht ganz so dick wie die Brockhaus-Gesamtausgabe, aber er kam ihr im Umfang schon ziemlich nahe.

Aus der Einfahrt zum Schrottplatz der Gebrüder Schwarz kam ein Lastwagen mit Anhänger. Madlener nutzte die Gelegenheit und steuerte durch das einladend offene Tor auf das riesige Gelände. Es kam Madlener vor wie ein Déjà-vu, als sie die schier endlosen Reihen der aufeinandergestapelten Schrottfahrzeuge passierten, bis sie den Platz erreichten, auf dem der Bürocontainer stand. Madlener hielt an und stellte den Motor ab. Er klickte leise, es war das einzige Geräusch.

Sie rechneten damit, dass sie gehört und gesehen worden waren und jemand erscheinen würde.

»Hast du irgendwas Brauchbares in den Akten gefunden?«, fragte Madlener in die Stille hinein.

Harriet überflog noch immer in Windeseile Seite um Seite.

»Wonach suchen wir eigentlich?«, fragte sie nebenher, während sie umblätterte.

»Widersprüche, Auffälligkeiten – ich weiß es selbst nicht«, antwortete Madlener.

Die Containertür war immer noch nicht aufgegangen, also drückte Madlener entschlossen auf die Hupe und blieb so lange darauf, bis nach zehn oder fünfzehn endlos scheinenden Sekunden ein sichtlich wütender Mann in Latzhose und Schnürstiefeln aus dem Container herausgeschossen kam. Es war der Hagere, also Laurel.

Er stürmte in einer Manier auf das Dienstfahrzeug zu, als würde er es packen und samt Insassen in die große Autopresse werfen wollen.

Madlener stellte das Hupen ein und stieg aus. Der Mann in der Latzhose erkannte ihn offenbar sofort und stufte ihn als bedrohlich ein, denn er reduzierte seine Aggressivität um neunzig Prozent und schaltete auf gebremste Öligkeit um.

»Der Herr Kommissar«, sagte er grienend, zog ein Bündel Putzwolle aus seiner Tasche und versuchte vergeblich, seine schmutzigen Hände damit zu säubern. »Was wollen Sie? Sie sind hier so willkommen wie ein Furunkel auf meinem Hintern, um es angesichts der weiblichen Kollegin mal vornehm auszudrücken.«

Harriet war ebenfalls ausgestiegen, das Aktenbündel hatte sie auf dem Beifahrersitz deponiert.

Diesmal fackelte Madlener nicht lange. Ohne Vorwarnung machte er ein paar Schritte auf den langen Kerl zu und packte ihn am schmutzigen Kragen.

»Halt bloß dein vorlautes Maul«, sagte er unmissverständlich. »Wo sind die zwei sauberen Brüder?«

Laurel versuchte vergeblich, sich aus Madleners eisernem Griff herauszuwinden. »He, das ist unverhältnismäßige Gewaltanwendung, was Sie da machen. Mein Cousin ruft die Bullen!«

»Wir sind die Bullen, Arschloch!« Madlener ließ nicht los.

»He, Hardy«, brüllte Laurel in Richtung Bürocontainer, »ruf die Bullen!«

»Wo sind die Gebrüder Schwarz?«, insistierte Madlener.

»Weg«, sagte Laurel schon kleinlauter.

Madlener stieß ihn von sich, sodass Laurel ins Stolpern geriet und auf dem Hosenboden landete.

»Wie weg – auf Fortbildung?«, wollte Madlener wissen.

»Na ganz bestimmt«, erwiderte Laurel, erhob sich mühsam und klopfte seine Latzhose ab. »Auf dem Seminar ›Wie erkenne ich Bullen schon von Weitem, und wie schaffe ich sie mir schnellstmöglich vom Hals‹.«

Jetzt kam auch der untersetzte Dicke aus dem Container, Hardy, in Holzfällerhemd und Latzhose und mit Schnürstiefeln, genauso gekleidet wie sein langer Cousin oder Schwippschwager, das wirkliche verwandtschaftliche Verhältnis interessierte Madlener nicht die Bohne. Als Hardy erkannte, wen er da vor sich hatte, ließ er die Eisenstange, die er schon erhoben hatte, wieder sinken und blieb abwartend stehen.

»Pass auf, Laurel«, sagte Madlener und kam ihm langsam so nahe, dass sich ihre Nasen fast berührten und er die unangenehme Bierfahne, vermischt mit Knoblauchgestank, riechen konnte.

»Ich habe keine Lust und keine Zeit, um mir hier blöde Sprüche anzuhören. Ich könnte dich auf der Stelle festnehmen, und dann kannst du mal zusehen, wie du wieder aus dem Knast kommst.«

»Mich verhaften?« Laurel lachte verächtlich auf und breitete die Arme aus. »Weswegen denn, bitte schön?«

»Wegen schwerer Körperverletzung zum Nachteil von Ferdinand Aigner zum Beispiel. Wir haben eine Videoaufnahme von dir, in der du Aigner in der Tiefgarage in Ravensburg zusammenschlägst. Was sagst du jetzt?«

Laurel zuckte mit den Schultern und steckte die Putzwolle weg. »Er wollte es.«

»Was?«

»Ja, zum Teufel. Er hat uns sogar dafür bezahlt.«

»Wofür?«

»Na wofür? Dass wir ihm die Fresse polieren, dem perversen Schwein. In der Tiefgarage in Ravensburg. Wir sollten nur auf die Überwachungskamera aufpassen. Dass wir nicht im Bild sind. Das haben wir vorher genau ausgecheckt. Der Typ ist eben ein Maso. Ist das strafbar? Gibt es so was wie Körperverletzung auf Verlangen? Ich glaub's wohl kaum.«

»Wie viel hat Aigner euch dafür bezahlt?«

»Zweitausend Schweizer Franken.«

»Schweizer Franken? Wieso denn das?«

»Keine Ahnung. Er hat uns zuerst tausend Franken angeboten, als mein Cousin sagte, dass wir so was nicht machen. Also, wenn ich ehrlich bin: Ich hätte es auch umsonst gemacht ...« Er grinste. »Aber mein Cousin verlangte das Doppelte. Er verlangt immer zuerst das Doppelte, bei jedem Geschäft. Im Voraus. Da hat Aigner gesagt: Okay, zweitausend Schweizer Franken. Ohne mit der Wimper zu zucken.«

»Und die hat er euch in die Hand gedrückt?«

»Jeden einzelnen Lappen.«

»Woher hatte er das Geld?«

»Keine Ahnung. Aus seiner Hosentasche?«

Madlener warf Laurel einen Blick zu, der zwischen dem Drang, prophylaktisch zuzuschlagen, und verächtlichem Ignorieren schwankte. Letztlich entschied er sich für die zweite Option und sah zu Harriet hinüber. Dann drehte er sich von Laurel weg und stieg ohne weiteren Kommentar in den Dienstwagen, Harriet ebenfalls.

Madlener gab so heftig Gas, dass die Räder im Kies durchdrehten, wendete scharf und fuhr Laurel und Hardy dabei beinahe über den Haufen, die beiden konnten gerade noch zur Seite hechten, dann brauste der Dienstwagen endgültig vom Hof.

»Spinnt der?«, schrie Laurel. »Der hat sie doch nicht alle. Scheißbulle!«

Hardy schickte dem Wagen noch eine Best-of-Auswahl seiner obszönsten Gesten hinterher.

Aber Madlener und Harriet sahen nicht mehr in den Rückspiegel.

59

Madlener holte einen Klappspaten aus dem Kofferraum und reichte ihn Harriet. Sie hatten den Dienstwagen am Rand der Kiesgrube abgestellt, wo sie schon einmal geparkt hatten, um illegal auf das Gelände der Gebrüder Schwarz zu gelangen. Nur mit dem Unterschied, dass es diesmal hell war, wenn auch nicht mehr lange. Madlener steckte sicherheitshalber noch die Maglite-Taschenlampe ein und machte den Kofferraumdeckel zu.

»Was hast du vor?«, fragte Harriet.

»Wir werden jetzt graben«, antwortete Madlener.

»Wonach?«

»Pass auf, Harriet – beantworte mir bitte eine Frage. Woher hatte Ferdinand Aigner, ein vor Kurzem entlassener Gefängnisinsasse der Justizvollzugsanstalt Singen, in der er nachweislich zehn Jahre abgesessen hat, plötzlich so viel Geld, um sich ein Auto zu leisten, um sich bei den Gebrüdern Schwarz einzuquartieren, und vor allem: um meineidige Zeugen zu bezahlen und dann noch einen Schläger, der ihm das Gesicht fachgerecht mit Fäusten bearbeitet? Glaubst du wirklich, so jemand hat ein Nummernkonto in der Schweiz?«

»Möglich. Aber wohl eher unwahrscheinlich.«

»Eben. Das nehme ich auch an. Woher er die Kohle hat, wissen wir nicht. Aber er hat mit Geld nur so um sich geschmissen. Was wir mit Sicherheit wissen: Aigner hatte weder ein Konto, noch hatte er etwas im Wohnwagen versteckt. Denn dann hätten es entweder wir oder diese Schrottplatztypen gefunden. Denkst du denn, er war so naiv und hat denen über den Weg getraut?«

»Ganz bestimmt nicht.«

»Und deshalb bin ich ziemlich sicher: Er muss irgendwo ein simples Versteck gehabt haben, auf das er schnell Zugriff hatte, wenn er Bargeld brauchte. Also ...« Er zeigte auf den Spaten.

»Warum machen wir das?«, wollte Harriet wissen. »Warum schicken wir nicht einfach ein paar Kollegen aufs Gelände, die alles offiziell noch mal gründlich absuchen?«

»Nun, es gibt mehrere Möglichkeiten. Wir können das Geld, falls es überhaupt existiert, verrotten lassen, weil wir sagen, das kann uns doch wurscht sein. Aber vielleicht kommt die beschränkte Mischpoke vom Schrottplatz auf die gleiche Idee, fängt an zu suchen und reißt es sich unter den Nagel. Irgendwie würde mich das ärgern, weil ich es denen ganz bestimmt nicht gönne. Oder wir machen unsere Hände nicht schmutzig, lassen es suchen und helfen damit, eines der unzähligen Löcher im baden-württembergischen Staatshaushalt zu stopfen. Oder …«

Er ließ Harriet Zeit, darüber nachzudenken, was es mit der letzten Möglichkeit auf sich hatte.

»Du meinst doch nicht, wir beide …?«

Madlener schüttelte den Kopf. »Harriet, ich dachte wirklich, du kennst mich besser. Im Ernst: Willst du dieses Geld, an dem vielleicht Blut klebt?«

»Nein, auf gar keinen Fall.«

»Dann denk nach. Wer hätte es sich verdient? Wem hätte Aigner es gegeben, wenn er noch könnte? Ich kann bei Gott nicht gutheißen, was er getan hat, es war nicht richtig. Aber je länger ich es mir durch den Kopf gehen lasse, desto sicherer bin ich mir, dass Aigner übel mitgespielt worden ist. Er hat die Morde, die ihm zur Last gelegt werden, nicht begangen. Das werden wir beweisen, ob es Thielen nun in den Kram passt oder nicht. Und mit der Kohle – falls wir sie finden – könnten wir vielleicht ein wenig … Wiedergutmachung betreiben.«

»Okay, jetzt kapiere ich, was du meinst. Dann lass uns loslegen.«

Madlener drehte sich um und marschierte schon los. »Vielleicht sollten wir das Fell des Bären erst verteilen, wenn wir ihn erlegt haben – meinst du nicht auch?«

Harriet hatte Mühe, mit ihm Schritt zu halten. »Wo willst du jetzt auf Schatzsuche gehen? Die Kollegen und Techniker von der KTU haben doch jeden Stein zweimal umgedreht.«

»Ja. Im Wohnwagen und im Umkreis von zehn Metern vielleicht. Aber Aigner war in der Hinsicht ein cleverer Bursche.«

Sie kamen am stacheldrahtbewehrten Maschendrahtzaun an, an dem sie schon einmal außerhalb des Schrottplatzes bis zu Aigners Wohnwagen entlanggegangen waren. Jetzt nahmen sie denselben Weg und fanden nach einem kleinen Fußmarsch das Loch im Zaun, das sie selbst mit der Drahtschneidezange hineingeschnitten hatten. Langsam gingen sie weiter, ein gutes Stück, Madleners Blick war dabei nur auf den Zaun gerichtet, der von Unkraut und Brennnesseln umwuchert war.

Auf einmal blieb er stehen.

»Siehst du das?«, fragte er und kniete sich nieder. Er zog den Maschendraht hoch, der sich an dieser Stelle so weit hochheben ließ, dass man bequem darunter durchschlüpfen konnte. Er sah sich um. »Wenn überhaupt ein Versteck existiert, muss es hier irgendwo sein.«

Sie schlichen gebückt am Zaun entlang, und Harriet entdeckte es als Erste.

»Max«, sagte sie, »ich hab hier was.«

Sie zeigte auf einen Knoten aus einem Schuhbändel, der an der untersten Masche des Drahtzauns angebracht war. Sie suchten den Boden Schritt für Schritt ab und fanden einen Meter vom Zaun entfernt ein Stück Grasnarbe, das wie aufgepfropft aussah. Madlener packte den Spaten und hob fast mühelos das Stück aus dem Boden. Darunter kam ein Tupperbehälter von der Größe eines Telefonbuchs zum Vorschein. Harriet kniete sich hin und holte ihn heraus. Er war mit Klebeband umwickelt, sie zog es ab und öffnete den Deckel.

Sie zählten die Geldbündel oberflächlich an Ort und Stelle, einige davon waren angebrochen. Insgesamt waren es ungefähr zwölftausend US-Dollar und fünfundzwanzigtausend Schweizer Franken. Sie legten die Scheine in den Behälter zurück, schlossen ihn, Harriet platzierte das Grasbüschel wieder auf dem Loch, und dann machten sie sich auf den Rückweg zu ihrem Wagen.

60

Madlener beeilte sich, um vor Geschäftsschluss noch nach Konstanz zu kommen. Sie hatten Glück und erwischten die Fähre in Meersburg gerade noch, bevor sie ablegte. Während der Überfahrt blieben sie im Wagen sitzen. Harriet hatte wieder ihr Aktenstudium aufgenommen, während Madlener die Augen geschlossen hatte, weil er müde war und das gleichmäßige Rütteln und Dröhnen des Schiffsdiesels ihn allmählich schläfrig machte.

Aber Harriet schreckte ihn auf. »Ich hab da was«, sagte sie unvermittelt.

Madlener war sofort hellwach.

»Es gibt da eine Zeugenaussage aus dem Jahr 2003 von einer gewissen Frau Brenkmeyer. Sie wohnte gegenüber von dem Haus, in dem der Mord geschah, der Mord an Elfie Lammert. Da ist ihre Aussage, dass sie Rentnerin sei und den ganzen Tag nichts anderes zu tun hat, als aus dem Fenster zu schauen …«

»Das ist alles?«

»Ja, aber ich kann hier herumsuchen, so viel ich will – ich finde kein weiteres Vernehmungsprotokoll. Obwohl der Beamte, der sie damals vernommen hat, ein gewisser H. Janschke, handschriftlich vermerkt hat, dass er die Vernehmung besagter Zeugin wegen Krankheit abgebrochen hat und später fortführen würde.«

»Was bedeutet?«, fragte Madlener.

»Was bedeutet, dass die weitere Vernehmung wohl nicht mehr durchgeführt wurde, weil die Beweislage anscheinend auch so eindeutig war.«

»Schlamperei?

»Sieht ganz danach aus.«

»Janschke, sagtest du? Kein Kommissar Wohlfahrt?«

»Nein.« Sie blätterte. »Der kam erst später dazu. Hat Aigner verhört.«

»Hätte mich auch gewundert. Ich kenne Kommissar a. D. Wohlfahrt seit dem Fall des verschwundenen Unternehmers, dessen Leiche wir beide gefunden haben.«

»Daran kann ich mich nur zu gut erinnern.«

»Netter Kollege. Und vor allem kompetent und gründlich. Dem wäre so was nie passiert.«

Harriet fischte ihr Smartphone aus dem Rucksack, wischte darauf herum und meinte: »Die Zeugin scheint noch zu leben. Unter ihrer alten Adresse.«

»Weingarten?«

»Ja.«

»Dann ruf sie an. Wenn sie da ist, fahren wir bei ihr vorbei.«

»Heute noch?«

»Heute noch.«

Harriet gab schon die Nummer ein, als die Fähre andockte und Madlener den Motor startete.

Emma Lenz war gerade dabei, die letzten Blumentöpfe in ihr Geschäft in der Altstadt von Konstanz zu räumen, als sie die Klingel der Ladentür hörte.

»Wir haben schon geschlossen«, sagte sie, rückte im Knien einen Topf zurecht, drehte sich um und sah sich Madlener und Harriet gegenüber, die ernste Gesichter machten. Sie stand auf, wischte ihre Hände an der grünen Schürze ab und klemmte eine widerspenstige Haarlocke hinter ihr Ohr, eine Geste, die Madlener schmerzhaft an Ellen erinnerte, bevor sie fragte: »Schlechte Nachrichten?«

»Es tut mir leid, Frau Lenz«, antwortete Madlener, »aber wir müssen Ihnen mitteilen, dass Ihr Onkel nicht mehr am Leben ist.«

Emma Lenz erstarrte, man konnte förmlich sehen, wie sie sich zusammennahm. Sie gab sich einen Ruck, huschte zur Ladentür und sperrte sie von innen ab, bevor sie sich wieder zu Madlener und Harriet umdrehte.

»Was ist passiert?«, fragte sie einigermaßen gefasst und zündete sich mit zittrigen Fingern eine Zigarette an. »Hat das was mit der Schießerei zu tun, von der sie in den Nachrichten im Radio berichtet haben? Auf einem Weingut bei Friedrichshafen?«

»Ja«, antwortete Madlener.

»Entschuldigen Sie«, sagte sie und zog einen Schemel hinter der Ladentheke hervor, »ich muss mich setzen.«

Sie sank auf den Schemel und begrub ihr Gesicht in beiden Händen. Harriet ging zu ihr und vor ihr in die Hocke. »Frau Lenz, ist Ihnen nicht gut?«

»Nein, nein, es geht schon«, murmelte sie und sah wieder hoch. Tränen standen in ihren Augen, als sie sagte: »Es musste ja so kommen. Ich hab's immer gewusst …«

»Hatte Ihr Onkel etwas angedeutet? Dass er vorhat, sich an Staatsanwalt Matussek zu rächen?«, fragte Madlener.

Emma Lenz schüttelte heftig den Kopf. »Nein, so war er nicht. Er hat nie darüber gesprochen.«

»Dass er unschuldig war?«

»Doch, das schon. Gleich am Anfang.«

»Am Anfang?«

»Vor zehn Jahren, als sie ihn verurteilt haben. Da hat er mir gesagt, dass er es nicht getan hat. Aber dass er die Schuld auf sich nimmt.«

»Weswegen? Was war der Grund?«

»Sophie.«

Harriet reichte Emma Lenz eine Packung Tempotaschentücher aus ihrem Rucksack. Sie nahm eines heraus und schnäuzte sich. »Ich bekam regelmäßig Geld für sie. Jeden Monat.«

»Von wem?«

»Ich weiß es nicht.«

»Aber Aigner wusste es wohl.«

»Ja«, nickte sie. »Er sagte mir, es sei Teil einer Abmachung. Dafür behauptet er nicht weiter, dass er unschuldig sei, und für Sophie ist gesorgt.«

»Und als Sophie gestorben ist, da blieben die Zahlungen aus?«

»Ja. Er hat sich fürchterlich darüber aufgeregt …«

»Ahnten Sie, dass Ihr Onkel sich irgendwie rächen wollte?«

»Nein. Er hat gesagt, er will von den alten Geschichten nichts mehr wissen. Das sei Vergangenheit.«

»Er hat Sie angelogen.«

»Weil er mich schützen wollte. Er wollte mich immer aus allem heraushalten. Er hat mich wie eine Tochter geliebt, die er nie hatte. Und Sophie war so was wie eine Enkelin für ihn.« Sie sank wieder in sich zusammen und weinte in ihr Taschentuch.

Madlener und Harriet warteten, bis sie sich wieder einigermaßen unter Kontrolle hatte und mit vorgerecktem Kinn hochsah.

»Wann kann ich meinen Onkel beerdigen?«

»Sobald seine sterblichen Überreste von der Staatsanwaltschaft freigegeben werden. Wir benachrichtigen Sie, wenn Sie das wollen.«

»Ja, das will ich«, sagte sie mit großer Entschlossenheit. »Er soll neben Sophie liegen, das hätte er sich so gewünscht.«

»Frau Lenz«, sagte Madlener, »wir haben da etwas für Sie. Es ist quasi der Nachlass von Herrn Aigner. Er hätte bestimmt gewollt, dass Sie es bekommen.«

»Was ist es?«, fragte sie. »Mein Onkel hatte doch nichts, außer ein paar alte Klamotten und seine Origami. Und den Buddha. Den hat er gehütet wie seinen Augapfel.«

»Nun, wir dürften Ihnen das, was wir gefunden haben, offiziell gar nicht aushändigen, es wäre mit Sicherheit vom zuständigen Nachlassgericht der Staatskasse zugesprochen worden. Aber wir beide sind der Meinung, dass Sie Anspruch darauf haben. Unter einer Bedingung ...«

Emma Lenz sah Madlener mit fragendem und gleichzeitig erstauntem Blick an, sie verstand überhaupt nicht, worauf der Kommissar hinauswollte.

Madlener fuhr fort: »Sie müssen uns versprechen, dass Sie das für sich behalten. Wenn irgendjemand davon erfährt, nimmt man es Ihnen unter Garantie wieder weg, und wir beide, meine Kollegin und ich, hätten durch unsere Eigenmächtigkeit ein ziemlich großes Problem am Hals, das uns Kopf und Kragen kosten würde.«

»Ja um Gottes willen – was ist es denn?«

»Versprechen Sie uns, dass niemals jemand davon erfährt? Bei allem, was Ihnen heilig ist?«

»Na ja, sicher. Ich verspreche es.«

»Gut. Machen Sie es aber bitte erst auf, wenn wir weg sind.«

»Ja, ja natürlich.«

»Harriet ...«

Harriet zog den Tupperbehälter, der mit Klebeband umwickelt war, aus ihrem Rucksack und reichte ihn Aigners verdatterter

Nichte, die nicht wusste, was sie sagen sollte. Sie starrte das seltsame Plastikpäckchen in ihren Händen so lange an, bis sie am Klingeln der Ladentür bemerkte, dass Madlener und Harriet gegangen waren.

Erst das Geräusch löste sie aus ihrer Lähmung. Sie stand auf, sperrte hinter den beiden wieder ab und sah ihnen durch das große Schaufenster nach, wie sie die Gasse entlanggingen und aus ihrem Blickfeld verschwanden.

Dann schritt sie mit dem Behälter in den kleinen Hinterhof und machte ihn mit zitternden Händen auf.

Wenn sie nicht gerade noch rechtzeitig ihre linke Hand auf den Mund gepresst hätte, dann wäre jetzt die halbe Altstadt von Konstanz durch ihren Schrei erschreckt zusammengelaufen …

61

Es war schon zweiundzwanzig Uhr, als Madlener und Harriet an
der Wohnungstür von Frau Brenkmeyer klingelten. Harriet hatte
sie telefonisch avisiert, sonst hätten sie den Weg nach Weingarten
nicht noch auf sich genommen, nur um dann vor einer verschlos-
senen Tür zu stehen oder eine betagte Dame aus ihrem Schlaf
herauszuklingeln, denn Harriet hatte in Erfahrung gebracht, dass
Frau Brenkmeyer Mitte achtzig sein musste. Madlener gegenüber
hatte Harriet sogar den dezenten Einwand vorgebracht, ob das
Gespräch mit Frau Brenkmeyer nicht vielleicht doch auch Zeit
bis zum nächsten Tag hatte – nicht, weil sie endlich nach erneut
anstrengenden Stunden Feierabend machen wollte, sondern weil
sie die Dringlichkeit einer Vernehmung nicht so ganz einsehen konnte, die vor über zehn Jahren ergebnislos abgebrochen
worden war und jetzt sozusagen fortgesetzt werden sollte. Aber
sie vertraute auf den Instinkt von Madlener, der kein rationales
Argument dafür aufbringen konnte, sondern nur ein irrationales:
sein Bauchgefühl.

Außerdem war es bei Madlener einfach so, dass er seit Aigners
Amoklauf förmlich unter Strom stand und am Ball bleiben wollte,
wenn ein Fall »heiß« war, wie er sagte. Auch wenn er sich und
seine Assistentin damit in einen Grenzbereich brachte, was den
Raubbau an ihren Kräften anging.

Frau Brenkmeyer wohnte in einem alten, aber sanierten Wohnblock aus den 1920er-Jahren mitten in Weingarten unweit der
Basilika St. Martin im dritten Stock und öffnete in dem Moment,
als Harriet gerade zum zweiten Mal auf die Klingel drücken
wollte – aber nur einen kleinen Spalt, so weit es die Sicherheits-
kette erlaubte, die sie von innen angelegt hatte.

»Ja?«, sagte sie. »Können Sie sich ausweisen?«

Madlener und Harriet zogen ihre Ausweise heraus und hielten
sie gegen den Türspalt.

»In Ordnung«, sagte die Stimme. Die Tür ging wieder zu,

sie hörten, wie entriegelt wurde, und dann öffnete sich die Tür ganz. Eine erstaunlich große Frau in weißer Bluse und schwarzer Hose mit frisch getönter weißhaariger Dauerwelle und perfekt geschminkt, der man ihr Alter bei Weitem nicht ansah, empfing sie.

»Immer nur herein, meine Herrschaften«, sagte sie und lotste Madlener und Harriet in ein großes, mit einer schweren Ledergarnitur ausgestattetes Wohnzimmer, das gar nicht, wie von den beiden erwartet, altertümlich überladen und plüschig, sondern erstaunlich zeitlos eingerichtet war: An den Wänden hingen gerahmte Drucke von Manet und Degas, und im Flachbildfernseher lief, auf stumm geschaltet, ein älterer französischer Thriller – jedenfalls rannte gerade ein relativ junger und schlanker Gérard Depardieu mit gezogener Waffe durch irgendwelche nächtlichen Pariser Vorortstraßen lichtscheuem Gesindel hinterher und feuerte, was das Zeug hielt.

Nachdem Madlener sich und Harriet vorgestellt hatte, fragte er höflich: »Wir stören doch hoffentlich nicht allzu sehr …«, indem er auf den Fernsehbildschirm zeigte.

»Ach wo«, entgegnete Frau Brenkmeyer und schaltete den Fernseher aus. »Ist zwar ganz spannend, aber den habe ich schon zigmal gesehen. Was will man machen – um die Zeit kommen ja fast nur noch Wiederholungen. Darf ich Ihnen was anbieten? Tee, Kaffee, Wasser? Ich weiß, Sie sind noch im Dienst.«

Sie selbst hatte Knabberzeug, eine halb volle Flasche Rotwein und ein Glas auf dem Couchtisch stehen.

»Danke, das ist sehr freundlich, aber wir werden Sie nicht lange aufhalten«, sagte Madlener.

Sie setzten sich, und Frau Brenkmeyer fragte: »Was kann ich für Sie tun?«

»Wir ermitteln gerade in einem Fall«, fing Madlener an, »bei dem wir auf etwas gestoßen sind, das mit einem Ereignis zu tun hat, welches über zehn Jahre zurückliegt.«

»Ach, Sie meinen sicher den Mord an Elfriede Lammert, genannt Elfie, im Sommer des Jahres 2003.«

Madlener und Harriet tauschten einen überraschten Blick aus.

»Wissen Sie«, sagte Frau Brenkmeyer und bot ihnen wortlos

die Schüssel mit dem Knabbergebäck an, bei dem Madlener und Harriet der Höflichkeit halber zugriffen, »alle Leute meinen immer, wenn man die siebzig überschritten hat, ist man alt und senil. Ich bin zwar alt im landläufigen Sinne, aber noch längst nicht senil. Mein Gedächtnis funktioniert ausgezeichnet. Der Fall Elfie Lammert ...« Sie lehnte sich zurück. »Darum geht es doch, oder?«

»Ja«, sagte Madlener.

»Sie wohnte genau gegenüber auf der Rückseite. Hübsche Frau, hatte was. Vor allem einen Schlag bei Männern. Und das wusste sie auch für sich einzusetzen, wenn Sie verstehen, was ich damit meine. Das, was sie hatte, nämlich ihr Aussehen und ihr Temperament, ließ sie sich entsprechend vergolden. Richtig gearbeitet hat sie nie. Lebte von ihren Männern. Muss dann aber irgendwann an den Falschen geraten sein.« Sie machte unverblümt die Halsabschneidergeste. »Elfie war so eine Art Kleinstadt-Nitribitt. Nur nicht so ganz abgehoben mit Mercedes Cabrio und roten Ledersitzen und so. Aber mit dem gleichen traurigen Ende. Hatte eine kleine Tochter. Das arme Ding. Keine Ahnung, was aus ihr geworden ist. Soviel ich weiß, ist sie von ihrer Tagesmutter adoptiert worden. Mein Gott – da rede ich und rede, dabei wollen Sie mir bestimmt Fragen stellen. Also bitte?«

Harriet beugte sich vor. »Wir haben ein altes Vernehmungsprotokoll von Ihnen zum Fall Elfie Lammert gefunden, Frau Brenkmeyer, in dem steht, dass es wegen Krankheit abgebrochen wurde. Können Sie uns sagen, was da los war?«

»Ja, ich erinnere mich genau. Der Beamte, der mich danach befragt hat, klappte plötzlich hier in meiner Wohnung zusammen. Es war absurd. Ich musste den Notarzt rufen, es war wohl ein Herzanfall oder so was. Er tauchte nie mehr auf. Ich hoffe, dass er sich wieder erholt hat, ich habe damals noch im Krankenhaus angerufen, wie's ihm geht. Da hieß es noch, er sei auf dem Weg der Besserung. Na ja. Und dann wollte keiner mehr was von mir wissen, weil dieser ... Aigner hieß er, glaube ich ...«

»Ja, Ferdinand Aigner.«

»Dieser Aigner gab alles zu, und da brauchten sie mich wohl nicht mehr.«

»Hätten Sie denn mit Ihrer Aussage etwas von Bedeutung beitragen können?«, wollte Harriet wissen.

Frau Brenkmeyer winkte ab. »Ach was. Viel hätte ich denen sowieso nicht erzählen können. Sonst hätte ich mich von selbst noch einmal bei der Polizei gemeldet. Aber wenn Sie's interessiert – ich habe da noch etwas von damals, kommen Sie.«

Sie stand auf und führte sie in ein kleines Zimmer auf der Rückseite, das wie ein Büro eingerichtet war. An den Wänden standen Regale, vollgestellt mit Leitzordnern. Am Fenster war aber kein Schreibtisch, sondern nur ein bequemer Sessel und ein Lesepult mit einem Fernglas.

»Sehen Sie ruhig hinaus«, sagte sie, zog die Gardine zurück, und Madlener und Harriet warfen einen Blick ins Freie. Man konnte in den Hinterhof des nächsten Wohnblocks sehen, ein Grünstreifen lag dazwischen, daneben ein paar Parkplätze und Mülltonnen.

»Da drüben im zweiten Stock wohnte sie, die Elfie Lammert. Und genau hier parkten sie.« Frau Brenkmeyer wies auf die Parkplätze im Hinterhof.

»Wer parkte hier?«, fragte Harriet.

»Na die Männer, die sie besuchten. Ich sagte damals dem Kommissar – dem mit den Herzproblemen –, dass ich hier oft gesessen bin, weil das interessanter war als das Fernsehen. Wer da alles ein und aus ging!«

»Aber das ist ja nun schon eine ganze Weile her«, meinte Madlener. »Da können Sie sich natürlich nicht mehr an Details erinnern, schade …«

»Sagen Sie das nicht, Herr Kommissar. Dafür habe ich meine Gedächtnisstützen. Wissen Sie, ich habe abends immer das Bedürfnis, jedes Ereignis des vergangenen Tages noch einmal Revue passieren zu lassen und schriftlich festzuhalten, und wenn es auch noch so klein und bedeutungslos ist. Nennen Sie's eine Art Tagebuch oder die Marotte einer alten Frau, aber da steht mein Leben drin.«

Sie ging an eines der Regale und strich über die akribisch beschrifteten Rücken der zahlreichen Ordner.

»Hier stehen die letzten fünfzehn Jahre, der Rest ist auf dem

Dachboden. Mein geistiger Nachlass, sozusagen. Ich weiß nicht, ob sich jemals einer dafür interessieren wird, aber das ist mir egal.«

»Haben Sie das damals auch dem Kommissar …«

»Janschke«, half Harriet aus.

»… dem Kommissar Janschke erzählt?«

»Nein. So weit sind wir gar nicht gekommen.«

Harriet mit ihrem fotografischen Gedächtnis, für das sie Madlener immer schon bewundert hatte, fragte wie aus der Pistole geschossen: »Wir interessieren uns für die Mordnacht. Die Nacht vom 28. auf den 29. Juni 2003.«

»Warum sagen Sie das nicht gleich?«, entgegnete Frau Brenkmeyer, setzte ihre Lesebrille auf, die sie an einem Kettchen um den Hals hängen hatte, und suchte die Reihen der Ordner ab, holte zielsicher einen am Fingerloch heraus und legte ihn auf das Lesepult neben dem Fenster. »28. auf den 29. Juni, sagen Sie«, murmelte sie und blätterte den Ordner durch. Als sie gefunden hatte, was sie suchte, klappte sie den Bügelmechanismus auf und nahm ein gelochtes Blatt heraus. »Hier habe ich sogar die Kfz-Kennzeichen von den Autos, die in dieser Nacht da drüben parkten. Mit genauer Uhrzeit von wann bis wann.«

Harriet nahm das Blatt und sah Madlener erstaunt an, bevor sie es ihm weiterreichte.

»Jetzt fragen Sie sich bestimmt, warum die schrullige Tante so was aufgeschrieben hat, stimmt's?«, warf Frau Brenkmeyer mit einem schelmischen Blick ein.

»Ja, schon.« Harriet lächelte verunsichert.

»Weil das eine Manie von mir ist, junge Dame, ganz einfach. Nennen Sie's eine Neurose oder Sammelwut oder einen Tick oder was auch immer, jedenfalls ist es für eine Therapie wohl zu spät.« Sie lachte. »Und weil ich mir die Zeit damit vertreibe. Jedes Detail wird festgehalten. Sehen Sie – was ich an dem Tag beim Bäcker eingekauft habe und was es gekostet hat. Auf den Pfennig genau. Beziehungsweise den Cent, der Euro wurde schließlich schon am 1. Januar 2002 eingeführt.« Sie tippte mit einem gewissen Stolz auf die Stelle. Harriet legte das Blatt auf das Lesepult und fotografierte es mit ihrem Smartphone.

Als sie wieder zu ihrem Dienstfahrzeug vor dem Haus kamen, konnten Madlener und Harriet immer noch nicht glauben, was sie gerade erlebt und gesehen hatten. Aus seiner jahrzehntelangen Berufserfahrung – er hatte bestimmt Hunderte fremder Wohnungen betreten – kannte Madlener die absonderlichsten Einrichtungen, von völlig verwahrlost und vermüllt über ultradesigned und prätentiös bis zu geschmacklos und protzig. Oft waren sie ein Spiegelbild ihres Bewohners und dessen Innenlebens oder dessen geistigen Zustands. Aber so jemand wie Frau Brenkmeyer war selbst ihm noch nicht untergekommen. Penibel, adrett, gepflegt und gebildet. Kein Nippes, keine Spitzendeckchen, kein Haustier, was altersgemäß durchaus üblich gewesen wäre, stattdessen ein übertriebenes, grenzwertig voyeuristisches Interesse an Besuchen und Autos ihrer Nachbarn, verbrämt mit banalen, belanglosen Details. Und dazu stand sie auch noch freimütig, es war ihr nicht im Geringsten peinlich.

Madlener rauchte erst noch eine Zigarette, während Harriet sich schon auf den Beifahrersitz setzte und mit einem Kollegen in der Zentrale telefonierte, der Nachtdienst und Zugang zur Polizeidatenbank hatte und dem sie die Kfz-Kennzeichen der Mordnacht durchgab, um deren damalige Halter festzustellen. Madlener sah zur Basilika hoch, die wuchtig auf ihrem Berg über der Stadt thronte und von Scheinwerfern angestrahlt wurde. Er warf die ausgerauchte Kippe in einen Gully und hoffte, dass Harriet nicht gerade hergesehen hatte.

Dann stieg er ins Auto.

»Und?«, fragte er.

Sie hatte eben ihr Telefongespräch beendet und schaute ihn an. »Heute muss unser Glückstag sein. Nacheinander waren drei Autos, die für den Elfie-Lammert-Fall von Belang sind, in besagter Nacht auf dem Parkplatz hinter dem Wohnblock. Das erste war auf Ferdinand Aigner zugelassen. Das zweite auf Dr. Matussek.«

»Du hast gesagt, es waren drei ...«

»Ja. Das dritte Auto war zugelassen auf eine gewisse Constanze Haggenmiller-Matussek.«

62

Alle waren sie um Punkt zehn Uhr um den Konferenztisch im Meeting-Room versammelt: Madlener, Harriet, Götze und Ehrmanntraut, der Chef der Spurensicherung.

Nur Kriminaldirektor Thielen glänzte durch Abwesenheit.

Madlener und Harriet hatten vorerst Stillschweigen darüber vereinbart, was das Ergebnis der Unterredung mit Frau Brenkmeyer anging, sie wollten abwarten, was Thielen vom Zustand Constanze Haggenmillers zu berichten wusste, weil er diese Angelegenheit zur Chefsache – also seiner Sache – erklärt hatte. Madlener wusste, wenn er jetzt mit der Aussage einer fünfundachtzigjährigen Frau daherkam, die einen über zehn Jahre alten, längst abgeschlossenen Fall betraf, und damit noch einmal einen Versuch machte, Frau Haggenmiller dazu vernehmen zu dürfen, nur weil er dem Wahrheitsgehalt von Frau Haggenmillers Schilderung der tödlichen Auseinandersetzung zwischen ihrem Mann und Aigner misstraute, würde er bei Thielen ein Erdbeben auslösen, das auf der Richterskala, die von eins bis zehn ging, mindestens einer Energiefreisetzung von etwa elf entsprach. Dass er diesen Fall so rasch wie möglich abgeschlossen sehen wollte, hatte ihm der Kriminaldirektor mehr als deutlich gemacht.

Madlener befand sich in einer Zwickmühle. Er hatte außer vagen Vermutungen keinen handfesten und unumstößlichen Beweis. Eine Vernehmung von Constanze Haggenmiller-Matussek konnte Madleners Zweifel entweder entkräften oder bestätigen. Nur – wie sollte er das bewerkstelligen, wenn sein Chef sich schützend vor die Witwe stellte und befand, dass alles seine Richtigkeit hatte und er und die Staatsanwaltschaft gemeinsam der Meinung waren, dass der Fall mit dem Tod von Matussek und Aigner abgeschlossen war?

Frau Gallmann erschien und machte ein betrübtes Gesicht. »Ich muss Ihnen leider mitteilen, dass der Herr Kriminaldirektor verhindert ist. Er lässt ausrichten, dass er mit dem zuständigen

Staatsanwalt Dr. Magnussen so schnell wie möglich hier sein wird zur Abschlussbesprechung. Aber das kann noch bis Nachmittag dauern. Herr Thielen ist gegenwärtig beim Staatssekretär des Justizministers, um ihm persönlich Bericht zu erstatten. Er bittet Sie, sich um sechzehn Uhr wieder hier einzufinden. Sollte doch noch etwas dazwischenkommen, werde ich Sie selbstverständlich rechtzeitig davon in Kenntnis setzen. Ich bitte Sie nochmals im Namen des Chefs um Entschuldigung. Tut mir wirklich leid, aber es isch so, wie es isch.«

»Schon gut. Danke, Frau Gallmann«, sagte Madlener und machte ein angemessen frustriertes Gesicht. Aber innerlich kam ihm das gar nicht so ungelegen, er witterte seine Chance, die Zwangspause zu nutzen. Unauffällig machte er Harriet schon ein Zeichen mit den Augen, weil alle aufstanden, um in ihre Büros zu gehen. Aber dann sprach er doch Ehrmanntraut, den Chef des Spurenermittlerteams, an. »Ich brauche Ihre professionelle Meinung, Ehrmanntraut. Könnten Sie mir einen kurzen Abriss darüber geben, was sich aus Ihrer Sicht aus der Spurenlage im Haus Haggenmiller ergibt?«

»Klar. Schriftlich haben wir noch nicht alles zusammen, aber nach unserer Meinung sieht der Ablauf im Großen und Ganzen so aus, wie ihn die Gattin des erschossenen Dr. Matussek geschildert hat.«

»Und der wäre?«

»Matussek kommt in der Nacht nach Hause, Aigner schafft es, irgendwie hineinzugelangen ...«

»Wie?«, unterbrach Madlener.

»Wir vermuten – das passt auch von der zeitlichen Abfolge her, nämlich seiner Flucht aus der Klinik, dann die Fahrt zum Weingut –, dass Aigner die Gelegenheit genutzt hat, hinter Matussek durch die Tür zu schlüpfen, ohne dass dieser etwas bemerkt hat. Ich habe das selbst ausprobiert, die Eingangstür braucht ziemlich lange, um ins Schloss zu fallen. Nirgends waren Spuren eines Einbruchs, außerdem war die Alarmanlage aktiviert, er hätte also nicht mit Gewalt in das Haus eindringen können, ohne dass es bemerkt worden wäre. Jedenfalls wartet er im Wohnraum und überrascht Matussek, der frisch geduscht im Bademantel hereinkommt, um Musik zu hören, mit der Waffe des Wachmanns aus dem Klinikum in der Hand. Er schlägt ihn, vom Lärm wird Frau Haggenmiller geweckt. Sie kommt herunter, sieht, wie sich ihr Mann wehrt und zur Waffe greift, die er wohl im Rucksack dabeihat, der in der Küche auf dem Boden liegt und den er abgestreift haben muss, ebenso wie seine Sportkleidung, bevor er ins Bad ging. Aigner schießt, verfehlt ihn, der Schuss geht durchs Panoramafenster, Matussek feuert zweimal zurück, trifft Aigner tödlich, aber dieser kann vorher oder gleichzeitig noch einen Schuss abgeben, der auch Matussek tödlich trifft. Das muss sich alles sehr schnell abgespielt haben. Wer in welcher Reihenfolge geschossen hat, das konnte Frau Haggenmiller ihrer Aussage nach nicht mehr unterscheiden.«

»Der Schock?«

»Vermutlich.«

»Was ist mit Schmauchspuren?«

»Wir haben den Test gemacht, beide Opfer haben Schmauch-spuren.«

»Und Frau Haggenmiller?«

»Wurde ebenfalls einem Test unterzogen. Negativ.«

»Wo ist sie jetzt?«

Götze hatte mitgehört. »Soviel ich weiß, noch im Klinikum. Soll da heute noch bleiben. ZB.«

»Zett was?«

»Zur Beobachtung.«

Nur mit Müh und Not verkniff sich Madlener eine gallige Bemerkung, die ihm auf der Zunge lag. »Aha. Danke.«

Ehrmanntraut blieb noch bei Madlener stehen. »Da wäre noch eine Ungereimtheit …«

»Ja?«

»Dr. Matussek hatte eine registrierte Waffe. Eine Browning 9 mm, Halbautomatik. Inklusive Waffenbesitzkarte und Waffen-schein. Haben wir beide gefunden. Aber die Browning war nir-gends. Wir haben das ganze Haus danach abgesucht.«

»Womit hat er dann geschossen?«

»Mit einer Glock 17. Unregistriert.«

»Fingerabdrücke?«

»Seine. Und andere.«

»Von Frau Haggenmiller?«

»Nein. Hab ich gecheckt.«

»Kurbjuweit?«

»Ist das der, der spurlos verschwunden ist?«

»Ja. Ist so eine Art Mann für alle Jahreszeiten von Matussek.«

»Wir machen einen Vergleich.«

»Seine Wohnung ist auf dem Gelände des Weinguts. Müssten massenhaft Fingerabdrücke von ihm zu finden sein. Vielleicht sind auch welche in der zentralen Fingerabdruckdatei.«

»Vorbestraft?«

»Ja.«

»Okay, wir informieren Sie.«

»Danke.«

Ehrmanntraut, Götze und Frau Gallmann verließen den Konferenzraum, Madlener und Harriet blieben zurück. Madlener wartete, bis er sicher sein konnte, nicht mehr gehört zu werden. Dann fragte er Harriet: »Kommst du mit? Wir fahren ins Klinikum.«

Sie sah ihn mit einem Blick an, der höchste Alarmbereitschaft signalisierte, weil sie wusste, dass Madlener wieder einen nicht autorisierten Alleingang unternahm, der gegen alle Regeln und alle Anordnungen verstieß. Doch sie fand, dass er richtig handelte, also ging sie ohne große Fisimatenten mit.

63

Sie fuhren zur Klinik, aber diesmal zog Madlener es vor, den Dienstwagen auf einem korrekten Parkplatz abzustellen. Noch einmal wollte er seine Augenpartie nicht Frau Fändrichs Pfefferspray aussetzen.

Beim Gang in die Klinik hielt er zwar Ausschau nach ihr, aber mit seinen Gedanken war er ganz woanders. Er war froh, Harriet an seiner Seite zu haben, obwohl er sie zum wiederholten Mal der Gefahr aussetzte, eine Disziplinarstrafe aufgebrummt zu bekommen, falls er mit seinem Vorhaben, das allen Anordnungen des Kriminaldirektors Hohn sprach, nicht den Erfolg erzielen konnte, den er sich davon versprach. Er sah Harriet mit ihren Siebenmeilenstiefeln vornewegmarschieren. Nie hätte er sich letzten Sommer, als sie ihm beim Antritt seiner neuen Stelle in Friedrichshafen gegen seinen ausdrücklichen Willen von Thielen zugeteilt worden war, vorstellen können, in ihr so eine engagierte, clevere, blitzgescheite und vor allem: loyale Partnerin zu finden, die mit ihm buchstäblich durch dick und dünn ging – auch wenn seine Vorgehensweise manchmal, gelinde gesagt, nicht ganz koscher war im Sinne des Gesetzgebers.

Dass er Harriet dabeihatte, war ihm auch in anderer Beziehung ganz recht, denn der erste Gang, den er am Klinikum zu absolvieren hatte, war ein Gang hinunter, in die Katakomben, in die Höhle des Löwen, nämlich zu Dr. Ellen Herzog. Wenn Harriet dabei war, so erhoffte er es sich wenigstens, würde die Luft zwischen ihm und Ellen nicht so geschwängert von unausgegorenen und unausgesprochenen Vorwürfen sein wie bei ihren letzten Begegnungen, als sie unter sich waren.

Sie fuhren mit dem Aufzug nach unten in die Pathologie, als sein Smartphone klingelte, dass es ihm durch Mark und Bein ging. Irgendwie kriegte er es einfach nicht hin, den amerikanischen Klingelton auf Dauer leiser zu stellen. Wenn sein Sohn von den Ferien auf Island zurück war, musste er ihn unbedingt bitten, das für ihn zu bewerkstelligen. Vor Harriet wollte er sich diese Blöße nicht geben, obwohl er genau wusste, dass sie dafür höchstens zwei Sekunden gebraucht hätte.

Er nahm den Anruf hastig entgegen, ohne auf sein Display zu sehen. »Ja?«

»Max«, es war Ellen, »Max, du musst sofort kommen! Ich kann es dir am Telefon nicht sagen, aber …«

»Ellen, wir sind schon im Klinikum, unterwegs zu dir. Wo bist du?«

Der Aufzug hielt, und die Tür glitt auf. Ellen stand, mit ihrem Smartphone am Ohr, ihm direkt gegenüber. Sie schalteten ihre Handys synchron aus und steckten sie weg.

Ellen sagte nur »Kommt mit!« und ging auch schon im Sturmschritt mit wehendem weißem Mantel voraus. Madlener und Harriet folgten ihr durch die neonhellen Gänge in die Pathologie, vorbei an Ellens Assistenten, der eben eine tuchbedeckte Leiche vom Kühlraum hereinfuhr und ihnen neugierig hinterherschaute. Ellen eilte schnurstracks in ihr Büro, wo sie an der Tür stehen blieb und wartete, bis Madlener und Harriet den Raum betreten hatten. Dann schloss sie die Tür und stellte sich mit dem Rücken dagegen.

»Was ist denn los?«, fragte Madlener, der ihr ansah, dass sie mehr als echauffiert war, ja geradezu so blass wie ihre kalte Kundschaft in ihren Schubladen, wo sie der Ewigkeit harrten.

»Du hast mal wieder den richtigen Riecher gehabt, Kommissar Max Madlener«, antwortete sie.

»Wovon sprichst du, Ellen?«

»Wovon wohl? Ich habe eben das Ergebnis der Schnellanalyse bekommen, die du wolltest.«

»Du meinst den DNS-Abgleich von Matusseks DNS und dem Fötus von …«

»Charlotte Elisabeth Prechtl, ja. Unserer zerstückelten Leiche im Eisenbahntunnel.«

»Und?«

»Max – sie sind identisch!«

»Ohne Zweifel?«

»Ohne Zweifel. Dr. Matussek ist der Vater des Kindes.«

Madlener warf Harriet einen Blick zu und nickte. »Jetzt haben wir ihn. Er oder sein Helfer Kurbjuweit oder vielleicht auch beide haben die Leiche der Frau auf das Dach eines Zuges geworfen. Nachdem Matussek sie erstochen hat. Und die Schuld daran wollte er wie im Fall Lammert vor zehn Jahren Aigner in die Schuhe schieben. Die Beweise haben sie ihm in seiner Abwesenheit in den Kühlschrank getan, wo ich sie finden sollte. Aigner wäre erneut verurteilt worden und nie mehr lebendig aus dem Knast gekommen. So muss es gewesen sein.«

Harriet schüttelte den Kopf. »Du hast einen Schnellabgleich veranlasst? Wann? Und wieso?«

»Gleich nach der Schießerei. Wegen der Ähnlichkeiten im Tathergang bei den beiden Frauen, Prechtl und Lammert.«

»Oder es war männliche Intuition«, sagte sie lächelnd. »Vielleicht gibt es sie tatsächlich.«

Madlener blieb ernst und wandte sich wieder an Ellen.

»Wer weiß noch davon?«

»Kein Mensch.«

»Gut. Tu mir einen Gefallen, Ellen, und behalte das noch so lange für dich, bis ich dich anrufe. Es ist sehr wichtig.«

»Ich kann es mir vorstellen.«

»Kannst du für mich herausfinden, wo Constanze Haggenmiller liegt? Sie wurde gestern hier eingeliefert, nachdem sie am Tatort zusammengeklappt ist.«

»Warte«, sagte Ellen und griff zum Telefon.

»Dr. Herzog hier … eine Patientin Constanze Haggenmiller-Matussek … wo habt ihr sie untergebracht? Aha … gut … danke.«

Sie legte auf und sah Madlener und Harriet an. »Frau Haggenmiller ist vor einer Stunde entlassen worden. Auf eigene Verantwortung.«

64

Wieder einmal rasten sie die Strecke zum Weingut entlang, wieder einmal musste sich Harriet am Sicherheitsgurt festklammern, weil Madlener das Blaulicht eingesetzt hatte und rücksichtlos alle Verkehrsregeln brach, so sehr drückte er auf die Tube. Während Harriet telefonierte, war er darauf konzentriert, drei Lastwagengespanne hintereinander trotz Gegenverkehrs zu überholen.

Endlich scherte er auf die unbefahrene Zufahrtsstraße zum Weingut ein. Harriet hatte ihr Gespräch beendet und traute sich wieder, sich aus ihrer verkrampften Haltung zu lösen und sich Madlener zuzuwenden. »Hast du die Befürchtung, dass sie sich absetzen möchte?«

»Man kann nie wissen. Ihre Eltern leben in Südafrika. Und da hält sich momentan auch ihr Sohn auf. Ich glaube, sie weiß ganz genau, was sie will. Und ich weiß, was ich will.«

»Nämlich?«

»Ihren Zusammenbruch nimmt ihr vielleicht unser Kriminaldirektor ab, ich jedenfalls nicht. Ich möchte jetzt mit ihr sprechen. Jetzt ist alles noch frisch, wenn du verstehst, was ich meine. Ihre Emotionen – sie ist trotz aller Coolness innerlich aufgewühlt, selbst wenn sie den Deckel draufhält. Da braucht es manchmal nur den berühmten Tropfen, um das Fass zum Überlaufen zu bringen. Wenn sie erst zum Nachdenken kommt, wird sie sich hinter einer Armada von Anwälten verschanzen und uns das Leben schwer machen. Jetzt haben wir noch die Gelegenheit, an sie heranzukommen und sie mit ein paar Erkenntnissen zu konfrontieren, die auch wir erst seit Kurzem haben. Mal sehen, wie sie dann reagiert. Hast du eigentlich die Fahndung nach Kurbjuweit rausgegeben?«

»Läuft.«

»Gut, bin gespannt, was sich da ergibt. Ein Mann wie er, mit seiner Vorgeschichte, der lässt nicht einfach alles stehen und liegen und setzt sich spurlos ab.«

»Götze ist dabei, alle seine Konten zu überprüfen. Jedenfalls die, von denen wir wissen.«

Sie erreichten den mondänen Wohnkubus, und Madlener bremste hart ab. Er und Harriet stiegen aus, die Eingangstür stand sperrangelweit offen. Sie betraten das Haus.

»Frau Haggenmiller?«, rief Madlener und bekam keine Antwort.

Sie durchquerten das Vestibül, das ganz in grauem Granit gehalten war, eine hüfthohe Blumenvase auf einem Podest mit exotischen weißblütigen Pflanzen dominierte den Raum, der den Charme einer Wartehalle im städtischen Krematorium hatte. Die Blumen schwächelten und ließen ihre einstmals stolzen Köpfe hängen, es hatte sich anscheinend schon tagelang niemand mehr um sie gekümmert.

Im Livingroom sah es immer noch so aus wie kurz nach dem Schusswechsel zwischen Matussek und Aigner, nur dass die Leichen weggeräumt waren und deren von der KTU angebrachte Umrisse jetzt den Boden zierten.

Am entfernten Eck, auf einer Couch der vierteiligen, sündhaft teuren Chrom-Leder-Garnitur, saß Constanze Haggenmiller, deren Aussehen mit dem Chaos des Raumes korrespondierte, und stieß Rauchkringel in die Luft. Auf dem Couchtisch vor ihr stand eine Flasche »Absolut«-Wodka, aus der sie sich großzügig in ein Wasserglas einschenkte.

»Sie haben's aber eilig«, sagte sie, nachdem sie das Glas in einem Zug halb geleert und es hart abgesetzt hatte. »Ihr Kriminaldirektor hat mir fest zugesagt, dass ich vorerst nicht mehr belästigt werde. Verstehen Sie nicht, dass ich endlich mal in Ruhe gelassen werden möchte? Raus hier!«

Die letzten zwei Worte hatte sie hysterisch geschrien, dann brach sie zusammen und schlug die Hände vors Gesicht.

Madlener und Harriet waren im Eingangsbereich stehen geblieben.

»Frau Haggenmiller«, sagte Madlener, der ihren Rauswurf einfach ignorierte und sich nicht aus der Ruhe bringen ließ, »sollen wir einen Arzt rufen?«

Harriet zückte, nur für Madlener sichtbar, ihr Smartphone und sah ihn fragend an. Madlener nickte ihr zu, und Harriet schaltete auf Aufnahmemodus.

»Ach bleiben Sie mir damit vom Leib.« Frau Haggenmiller winkte ab und schien sich ebenso schnell wieder zu fangen, wie sie ausgerastet war. »Was wollen Sie? Bringen wir's hinter uns.«

Sie zündete sich eine neue Zigarette an. »Verstehen Sie denn nicht, dass ich eine ganze Menge zu erledigen habe? Ich muss meinen Sohn in Kapstadt anrufen, das habe ich immer noch nicht getan.« Wieder schlug sie die Hände vors Gesicht. »Mein Gott – Hubertus weiß noch gar nicht, dass sein Vater nicht mehr am Leben ist!«

Madlener und Harriet verständigten sich mit Blicken und näherten sich mit aller gebotenen Zurückhaltung der weitläufigen Sitzgruppe.

Constanze Haggenmiller wedelte mit einer Hand. »Jetzt stehen Sie nicht so blöd herum, setzen Sie sich. Und fragen Sie bloß nicht, wie's mir geht. Das sehen Sie ja.« Sie zupfte demonstrativ an ihren Haaren, dann nahm sie erneut einen großen Schluck Wodka. Harriet und Madlener setzten sich ihr gegenüber.

Madlener begann vorsichtig: »Wenn Sie sich nicht in der Lage fühlen, zu sprechen, dann sagen Sie's uns bitte. Aber wir haben da noch ein paar wichtige Punkte, die wir klären müssen.«

»Okay. Schießen Sie los.«

Madlener hatte beschlossen, sofort in die Offensive zu gehen. »Frau Haggenmiller – was hatten Sie vor zehn Jahren in der Wohnung der später ermordeten Frau Elfriede Lammert in Weingarten zu suchen?«

Es war, als hätte er Constanze Haggenmiller einen Schlag ins Gesicht versetzt. Sie schien wieder hellwach und aufmerksam zu sein. Alles hatte sie erwartet, nur nicht diese Frage. »Elfriede Lammert? Wer soll das sein? Und woher sollte ich wissen, was ich vor zehn Jahren getan habe? Was hat das mit dem hier allem zu tun?«

Sie machte eine große Geste, die den gesamten Raum einschloss. »Wissen Sie noch, was Sie vor zehn Jahren getan haben? Ich bitte Sie!«

»Vielleicht fällt es Ihnen leichter, wenn Sie sich daran erinnern, dass Ihr Mann eine Affäre mit Elfriede Lammert hatte, damals. Frau Lammert wurde mit ihrem eigenen Küchenmesser erstochen. Wir haben Beweise, eindeutige Beweise, dass Ihr Mann und eine Stunde später Sie in der Mordnacht bei ihr waren. Was wollten Sie da?«

Diesmal antwortete Constanze Haggenmiller nicht und starrte Madlener nur an. Die Asche ihrer Zigarette fiel auf den Boden, aber das merkte sie nicht.

Madlener ließ nicht locker. »Sind Sie dahintergekommen, dass Ihr Mann Elfriede Lammert aufgesucht hat, und wollten sie zur Rede stellen? Hat es Streit gegeben? Einen Streit mit tödlichem Ausgang?«

Harriet konnte es nicht mehr mitansehen, sie nahm Constanze Haggenmiller, die es willenlos geschehen ließ, die Kippe aus der zitternden Hand und drückte sie im Aschenbecher aus.

»Ja«, sagte Frau Haggenmiller plötzlich tonlos. »Ja, es hat Streit gegeben. Und was für einen Streit. Ich habe meinen Mann verfolgt, wie er zu dieser … zu dieser Nutte gefahren ist. Es war ein warmer Sommerabend, und ich habe es nicht länger ertragen. Zu Hause hatten wir ein Kind mit Cerebralparese, Hubertus, und mein Mann hat nichts Besseres zu tun, als zu seiner Geliebten zu fahren. Ich bin hinterher, ich wusste, dass er unter Druck stand, weil sie versuchte, ihn zu erpressen. Und dass er außer sich war und zu allem fähig. Mein Mann war immer schon zu allem fähig. Tunichtgut und Tunichtböse in einer Person. Kennen Sie das, von Nietzsche – ›Jenseits von Gut und Böse‹? Na egal, jedenfalls hatte er zwei Seelen in seiner Brust. Am Anfang hat mich das fasziniert, aber dann bekam ich es immer öfter mit der Angst zu tun. An diesem Abend dachte ich, jetzt ist es so weit. Jetzt stürzt er sich in sein Unglück. Sich und mich, unsere ganze Familie. Wir hatten einen Sohn! Aber es war zu spät. Zu spät …«, wiederholte sie monoton, und Tränen liefen ihr über das Gesicht.

Dann machte sie, schonungslos gegen sich selbst, weiter. »Als ich nach Weingarten kam, hatte er sie schon erstochen. Im Affekt. In einem seiner bodenlosen Wutanfälle. Und als ich hereinkam, die Tür zu ihrer Wohnung war nicht mal abgesperrt, da hockte er vor ihr, sie lag tot auf dem Boden. Ich habe dieses Bild nicht vergessen …« Sie klopfte sich mit der Faust auf die Stirn. »Was würde ich darum geben, wenn ich dieses Bild vergessen könnte!«

Madlener fragte, so sanft er konnte: »Was haben Sie dann getan, Frau Haggenmiller?«

»Ich habe ihm geholfen, ich habe ihn wieder zur Vernunft gebracht. Ich habe ihn daran erinnert, was er alles kaputt macht, wenn er sich jetzt gehen lässt. Was alles auf dem Spiel steht. Dass er unser aller Leben zerstören würde, wenn er jetzt nicht auf mich hören würde. Unser Leben und die Zukunft unseres Sohnes.«

»Und dann?«

»Dann ist er langsam zu sich gekommen und konnte wieder klar denken. Und wie klar und logisch mein Mann denken konnte, wenn es nötig war! Ich habe ihm dabei geholfen, seine Fingerabdrücke überall abzuwischen und alles in der Wohnung so zu arrangieren, dass es auf diesen Aigner als Täter hindeutete. Mein Mann wusste, dass Aigner ebenfalls mit Elfriede Lammert liiert war. Und er wusste, was man an Beweisen manipulieren musste, um Aigner unzweifelhaft als Mörder hinzustellen. Er hatte ja damals schon den Kurbjuweit als Helfer an der Hand. Der hat das Tatmesser und die blutige Wäsche in Aigners Wohnung deponiert. Ja, ich habe meinem Mann bei der Vertuschung einer schweren Straftat geholfen. Und seitdem habe ich mit dieser großen Lüge gelebt. Nur damit wir unser angeblich so heiles Familienleben weiterleben konnten.«

»Und wussten Sie auch, dass Ihr Mann die Tochter der Toten finanziell unterstützt hat?«

»Ja, das war der Deal.«

»Was für ein Deal?«

»Aigner war wie von Sinnen. Erst recht, als er als Schuldiger verhaftet wurde. Als er wieder einigermaßen klar bei Verstand war, hatte er meinen Mann in Verdacht. Aber was sollte er machen? Einen Skandal auslösen, indem er ihn beschuldigte? Er als Vorbestrafter gegen einen Staatsanwalt, der so gut wie unantastbar war? Keiner hätte Aigners Anschuldigungen Glauben geschenkt. Und die Indizien sprachen eindeutig gegen ihn. Alibi hatte er auch keines. Das hat ihm mein Mann in einer Vernehmung unter vier Augen haarklein auseinandergesetzt. Oh, er konnte sehr überzeugend sein. Deshalb hat sich Aigner darauf eingelassen, die Schuld auf sich zu nehmen, wenn Sophie entsprechend unterstützt würde. Das haben wir gemacht. Aigner hatte an der Kleinen einen Narren gefressen. Vielleicht war sie von ihm, ich weiß es nicht.«

»Sie haben gezahlt – bis zu Sophies Tod?«

»Mit ihrem Tod war der Deal hinfällig.«

»Aigner hat das nicht so gesehen?«

»Nein.« Sie schenkte sich wieder aus der Wodkaflasche ein und nahm einen Schluck.

Madlener änderte schlagartig die Taktik. »Kommen wir mal zu Charlotte Elisabeth Prechtl. Sie wissen, wer das ist?«

Constanze Haggenmiller starrte Madlener an und überlegte, dann nickte sie. »Ja, ich weiß, wer das ist. Ich weiß nur zu gut, wer das ist … Aber warum zum Teufel fragen Sie mich das, wenn Sie es selbst schon wissen?«

»Nun, wir wissen, dass Charlotte Elisabeth Prechtl schwanger war, als sie erstochen und wie ein Stück Müll im Überlinger Eisenbahntunnel entsorgt wurde. Aber erst seit heute wissen wir mit Sicherheit, dass sie von Ihrem Mann schwanger war, Frau Haggenmiller.«

Madlener hatte eigentlich erwartet, dass Constanze Haggenmiller von dieser Neuigkeit schockiert sein würde. Aber für sie war das gar keine Neuigkeit. Sie blieb ganz ruhig und nickte bestätigend. »Ja, das war sie. Oh Gott. Ich will Ihnen jetzt mal die ganze nackte Wahrheit erzählen. Wie mein Mann nach der Affäre und dem Tod von Elfriede Lammert mich auf den Knien um Verzeihung angefleht hat, wie er gewinselt hat, dass so etwas nie wieder vorkommen würde, wie ich ihm geholfen habe, wie er wieder Tritt gefasst hat, wie ich in meiner Naivität glaubte, dass alles wieder gut werden könnte – all das überspringen wir mal. Seine Versprechungen hat er tatsächlich für eine Weile eingehalten. Sogar für ein paar Jahre. Aber dann …«

»Dann hat er die Nächste kennengelernt, Charlotte Elisabeth Prechtl«, half Harriet weiter.

»Ja, so war es. Er hat sie anfangs heimlich getroffen. Gelegenheiten dazu gab es genügend, wir haben eine Zweitwohnung in Ravensburg, in der er übernachten konnte, wenn er früh vor Gericht sein oder noch länger arbeiten musste. Mein Mann war sehr schnell wieder im alten Fahrwasser, wenn man das so sagen kann. Trotz seiner Beteuerungen. Trotz seiner Schwüre beim Leben unseres Sohnes. Alles war auf einmal wieder vergessen. Das ging eine Weile gut, und er konnte alles unter der Decke halten. Aber ich bin ja auch nicht auf den Kopf gefallen. Ich kam schließlich dahinter. Wissen Sie, was ich zuerst dachte? Lass ihn machen, das geht von selber wieder vorbei. Solche Geschichten wie mit dieser Lammert wiederholen sich nicht. Aber es war wieder dasselbe. Wieder dieselbe alte schmutzige Leier ...«

»Sie hat ihn erpresst?«, fragte Madlener vorsichtig.

»Ja, hat sie. Aber nicht so, wie Sie denken. Nein, sie ging viel weiter. Sehr viel weiter. Sie hat Ansprüche gestellt. Sie wollte, dass er sich von mir scheiden lässt und sie heiratet. Was bildete sie sich denn ein, wer sie war? Das konnte ich bei Gott nicht zulassen.«

»Was haben Sie getan?«

»Was ich getan habe?«, sagte sie mit völlig klarer, deutlicher Stimme. »Ich bin zu ihr gefahren und habe sie erstochen.«

»Wussten Sie, dass sie schwanger war?«

»Ja sicher. Das war ja ihre ultimative Waffe, um meinen Mann zu erpressen. Aber damit hat sie sich ihr eigenes Grab geschaufelt. Man sollte erkennen, wenn man zu weit geht. Und wissen Sie was?« Bei ihrem Gedankengang fing sie an zu grinsen. »Diesmal war es mein Mann, der aufräumen musste.«

»Hat er das?«

»Oh ja, und wie. Mein Mann war raffiniert. Er dachte, er könnte zwei Fliegen mit einer Klappe schlagen. Die Prechtl war aus dem Weg und Aigner gleich noch dazu. Er wusste auf den Tag genau, wann Aigner aus dem Gefängnis entlassen wurde. Geschichte wiederholt sich nicht? Aigner sollte zum zweiten Mal ein Mord angehängt werden und mein Mann zum zweiten Mal davonkommen. Aber diesmal hatte er die Rechnung ohne den Wirt gemacht. Aigner war selbst auf Rache aus und wollte sich nichts mehr gefallen lassen.«

Sie wies auf den Tatort vor ihrem Blickfeld. »Hier sehen Sie das Ergebnis.«

»Und Sie haben nicht eingegriffen? Oder die Polizei gerufen, als sie den Lärm hörten? Warum?«

»Natürlich habe ich eingegriffen. Aber nicht so, wie Sie denken. Ich habe meinen eigenen Mann erschossen. So, wie er dastand und Aigner erschossen hat. Dafür, dass er mich zur Schuldigen gemacht hat. Dafür, dass er unsere Familie zerstört hat. Ein kleines Zucken mit dem Zeigefinger am Abzug von Aigners Pistole, die ich ihm danach wieder in die tote Hand gedrückt habe. Peng. Das war's. Und jetzt bin ich müde. Ich kann Ihnen gar nicht sagen, wie müde ich bin. Sterbensmüde. Ich sage jetzt nichts mehr. Ich will nur noch schlafen.«

Mit diesen Worten legte sie sich auf die Couch, auf der sie gesessen hatte, und kehrte ihnen den Rücken zu.

Madlener nickte Harriet zu, die ihr Smartphone ausschaltete. »Ich denke, unser Meeting um sechzehn Uhr muss wohl ausfallen. Rufst du den Krankenwagen an und eine Streife? Sie sollen eine weibliche Beamtin mitschicken. Du wartest hier, bis sie eintreffen.«

Er stand auf. »Ich fahre jetzt los und rede mit Thielen. Wir müssen alles noch mal ganz von vorne aufrollen.«

Harriet verzog das Gesicht. »Der Herr Kriminaldirektor wird begeistert sein.«

Madlener zuckte mit den Achseln. »Die Wahrheit ist nicht immer pflegeleicht und angenehm. Er wird sich ihr nicht verschließen können. Und die Staatsanwaltschaft auch nicht.«

Harriet wies mit dem Kopf auf Constanze Haggenmiller. »Ich melde mich, wenn hier alles abgewickelt ist.«

»Tu das. Aber bitte von zu Hause aus. Du musst dich mal ordentlich ausschlafen. Das Stressigste liegt hinter uns. Was jetzt kommt, ist langweilige Routine und eine Menge Papierkrieg. Es reicht, wenn du mir telefonisch Bescheid gibst.«

65

Aber das tat Harriet nicht. Nicht am Abend, nicht in der Nacht und nicht am nächsten Tag.

Madlener war vollauf damit beschäftigt, Thielen zu informieren, der aufgrund der neuesten Erkenntnisse und Enthüllungen von Madlener und Harriet vor lauter Betroffenheit und Entsetzen vergaß, aus seiner sprichwörtlichen Haut zu fahren, weil die beiden es auf eigene Faust gewagt hatten, trotz ausdrücklicher gegenteiliger Anordnung Frau Haggenmiller noch einmal zu vernehmen. Das Ergebnis sprach für sich. Und die Konsequenzen ebenfalls – es würde ein gewaltiges Rauschen im Medienwald geben, wenn das ganze Desaster um die wohlangesehene und allseits bewunderte Familie Haggenmiller-Matussek offenbar wurde. Das war allen klar, ob beteiligt oder unbeteiligt, ob befreundet oder seit Generationen im Geheimen neidisch und jetzt plötzlich der Meinung, dass mit dieser Familie schon immer etwas nicht ganz sauber gewesen sei.

Eigentlich war Kriminaldirektor Thielen seinem Kommissar letztendlich zu großem Dank verpflichtet – denn wenn das wahre Ausmaß der Verbrechen erst nach und nach ans Tageslicht gesickert wäre, nachdem er die Ermittlungen für abgeschlossen erklärt hätte, wäre der Skandal nicht nur auf die Winzerfamilie beschränkt gewesen, sondern hätte auch noch die Staatsanwaltschaft und die Polizei in Mitleidenschaft gezogen. Aber nun sah es so aus, als hätte die Polizei unter der Leitung von Kriminaldirektor Thielen den Augiasstall am Bodensee komplett ausgemistet und nichts unter den Teppich gekehrt. Im Gegenteil – ohne Ansehen der Person und der gesellschaftlichen Stellung war gründlich ermittelt worden.

Thielen sonnte sich geradezu darin, als unnachgiebiger Vertreter von Recht und Gerechtigkeit aufzutreten, wobei er es nicht versäumte, seinem tiefsten Bedauern angemessenen Ausdruck zu verleihen, dass eine so angesehene Familie wie die Haggenmiller-Matusseks so tief fallen konnte. Es fehlten nur noch ein Stetson,

Cowboystiefel und der entsprechende Revolvergurt gespickt mit Patronen um seine Hüften, dann hätte man glatt meinen können, Wyatt Earp wäre wiederauferstanden, weil Thielen mit so breiter Brust durch die Gänge des Polizeipräsidiums stolzierte, als käme er geradewegs vom O. K. Corral und hätte zusammen mit seinem Doc Holliday namens »Mad« Max Madlener in Tombstone, einem Ortsteil von Friedrichshafen, mit der gesamten Clanton-Bande gründlich aufgeräumt und dem Gesetz wieder Geltung und Respekt verschafft.

Madlener hielt sich nur allzu gern in Thielens Schatten, er war alles andere als erpicht darauf, im Rampenlicht zu stehen. Nur dass Harriet sich nicht meldete und auch nicht erreichbar war, was gar nicht ihre Art war, machte ihm allmählich Sorgen. Laut Frau Gallmann, die auch zigfach versucht hatte, Harriet telefonisch, per E-Mail und SMS zu erreichen, hatte Frau Holtby sich weder ab- noch krankgemeldet, da konnte einfach etwas nicht stimmen.

Aber nach dem langen und ausführlichen Gespräch mit Thielen, das Frau Gallmann sorgfältig mitprotokolliert hatte, war Madlener geradewegs in sein Hotel gefahren, wo er zunächst einmal zur Ruhe kommen und gründlich ausschlafen wollte. Vorher kaufte er sich zur Feier des Tages im Supermarkt eine teure Flasche Wein, einen exquisiten Brunello di Montalcino, und zwei Pastrami-Eier-Sandwiches. Damit wollte er es sich in der Abgeschiedenheit seines Hotelzimmers so richtig gemütlich machen, um ein wenig abzuschalten und den Kopf wieder freizubekommen.

Er hatte ausgiebig geduscht und saß im Bademantel vor seinem frugalen Dinner, Musik hatte er absichtlich keine angemacht, um nicht wieder in sentimentales oder überhaupt gefühliges Fahrwasser zu geraten, und kam sich auf einmal wie der letzte Mensch auf Erden nach einem Atomkrieg vor, der alles Leben außer dem seinen ausgelöscht hatte. Der Wein schmeckte ihm nicht recht, das Pastrami-Sandwich ebenfalls nicht. Was wollte er hier eigentlich? Sich selbst kasteien? Wofür? Dass er zwei kompliziert zusammenhängende – eigentlich drei – Fälle gelöst hatte?

In seiner Bademantelkutte mit Kapuze fühlte er sich plötzlich wie ein Kartäusermönch in seiner Einzelzelle. Aber irgendwie war ihm nicht nach Kontemplation und Zölibat zumute, ganz im Gegenteil. Er wäre jetzt für sein Leben gern mit einer gut gelaunten, intelligenten und gut aussehenden Partnerin zusammen gewesen, in deren angenehmer Gesellschaft man für ein paar Stunden über alles Mögliche reden konnte, nur nicht über Berufliches. Ellen wäre zum Beispiel so jemand gewesen.

Warum überwand er sich nicht endlich, jetzt, da die Eigendynamik der Ermittlungen nicht mehr sein ganzes Denken und Handeln überwucherte und dominierte? Nach dem Geständnis der Witwe Matusseks waren die vorher versteckten Zusammenhänge klar zutage getreten, die restliche Abwicklung war Routine, zeitaufwendig zwar, aber Formsache. Er konnte wieder pünktlich Feierabend machen, man könnte zu zweit nett essen gehen, zum Vietnamesen oder zu einem guten Italiener, man könnte …

Es reichte ihm endgültig mit den brotlosen Grübeleien. Entschlossen stand er auf. Jetzt oder nie. Er war immer noch voller Tatendrang und beschloss nun, dass es an der Zeit war, Unstimmigkeiten, Nichtigkeiten und beidseitige Irrtümer über Bord zu werfen und es darauf ankommen zu lassen, ob er einen endgültigen Korb von Ellen bekam oder ob es einen Neuanfang gab. Wie hieß es so treffend: Lieber ein Ende mit Schrecken als ein Schrecken ohne Ende. Schließlich hatte er sich nichts vorzuwerfen, außer dass er sich dumm angestellt und an Verabredungen gehalten hatte und beleidigt reagierte, anstatt die Missverständnisse aus der Welt zu schaffen.

So oder so: Es war an der Zeit, Tacheles zu reden, alles oder nichts, aber dieses ständige Herumlavieren musste ein Ende haben.

Er zog ein Hemd und seinen besten Anzug an, beides frisch aus der Reinigung, band sich eine Krawatte um, die er nach einem Blick in den Spiegel wieder abnahm, weil sie ihm albern vorkam, und ging zu seinem Auto, nicht ohne vorher noch eine halb volle Zigarettenpackung in den Hausmüll zu werfen. Wenn man schon gute Vorsätze gefasst hatte, dann war es am besten, sie alle auf einmal in die Tat umzusetzen.

Er fuhr zum Blumenladen in der Ailinger Straße und überlegte sich, ob er dort einen Strauß rote Rosen kaufen sollte. Das kam ihm zunächst übertrieben und irgendwie unpassend und altmodisch vor. Aber als er im Geschäft stand und sich einen weniger vordergründigen, neutral bunten Blumenstrauß zusammenstellen lassen wollte und sah, dass die roten Rosen im Blumeneimer frisch und blutrot waren, nicht wie diese altjüngferlichen Baccararosen, und er schließlich nicht seine betagte Großtante zum neunzigsten Geburtstag im Altersheim aufsuchen wollte, entschied er sich um und beschloss, aufs Ganze zugehen. Er nahm alle roten Rosen, es waren genau zweiunddreißig Stück.

Als er mit dem in Papier eingewickelten Riesenstrauß in seinem Wagen saß, kam ihm noch eine Idee. Er hielt an einer Drogerie und kaufte zehn Packungen vom feinsten Gourmet-Katzenfutter für Carlo, den samtpfötigen Hausfreund von Ellen – was gar nicht so einfach war, weil er nicht wusste, ob Carlo »Adult« oder »Senior« war. Für jedes Katzenalter gab es unterschiedliches Fressen, was natürlich sofort zu einem geistigen Eintrag auf die Listen der bescheuerten Anglizismen und der Dinge führte, die die Welt nicht brauchte – oder eher auf die Liste von Dingen, die alles nur komplizierter machten? In diesem Moment wollte er sich da nicht endgültig auf eine Kategorie festlegen, diese Entscheidung verschob er lieber auf später. Was jetzt allein zählte: dass er nun, mit den Rosen und dem Katzenfutter, sich endlich ausreichend gerüstet fühlte für seinen Feldzug, um die Festung Dr. Ellen Herzog im Sturm zurückzuerobern.

Dr. Ellen Herzog hatte an ihrem Arbeitsplatz in der Pathologie des Klinikums Friedrichshafen mitbekommen, dass Madlener wieder ein Coup gelungen war, der das ganze Polizeipräsidium auf den Kopf gestellt hatte, sie telefonierte aus diesem Grund lange genug mit Frau Gallmann, um sich auf den neuesten Stand bringen zu lassen.

Zu Hause hatte sie geduscht und Carlo mit Thunfischgelee beglückt, dann ging sie im Bademantel zum Kühlschrank und beschloss, sich noch eine Kartoffeltortilla zu machen. Sie bereitete alles akribisch vor wie immer, normalerweise half ihr das

Kochen, um nach einem stressigen Tag herunterzukommen und zu entspannen. Aber als sie nun vor dem Küchenherd stand und eben Butterschmalz in die Pfanne geben wollte, musste sie – nicht zum ersten Mal – an Madlener denken und wie sehr sie ihn vermisste. Während sie zusah, wie das Butterschmalz langsam schmolz, graute es ihr auf einmal vor einem erneuten langen und einsamen Abend, der öde und fad sein würde. Sie hatte immerhin in Kater Carlo einen Gesprächspartner, den man kraulen und streicheln konnte und der zuverlässig wärmte und schnurrte wie eine Nähmaschine, aber die Unterhaltung war doch recht einseitig. Zwar hörte er ihr mit gespitzten Ohren aufmerksam zu, wenn sie ihm von ihren Sorgen erzählte, doch nach spätestens fünf Minuten war er regelmäßig eingeschlafen, egal, ob ihre Geschichten langweilig oder spannend waren – meistens waren sie langweilig. Und nach weiteren zehn Minuten war sein Frauchen ebenfalls eingenickt. So konnte es nicht weitergehen mit der Selbstkasteiung.

Entschlossen zog sie ihre Schürze aus und pfefferte sie auf den Küchenstuhl, dachte im letzten Moment daran, die Pfanne vom Herd zu nehmen und ihn wieder auszuschalten, eilte in ihr Schlafzimmer, suchte eines ihrer Lieblingskleider aus, zog es an, schminkte und parfümierte sich, schlüpfte in ihre schicken neuen Pumps, holte eine Flasche Brunello di Montalcino aus dem Regal in der Küche, der ein Geschenk gewesen war und den sie für eine besondere Gelegenheit aufgehoben hatte, die nie gekommen war, griff in der Garderobe nach ihrem leichten Sommermantel und hetzte zu ihrem Auto hinaus, um zum Hotel »Zum silbernen Zeppelin« zu fahren. Es war an der Zeit, das blödsinnige Zerwürfnis zwischen Max und ihr, das schon viel zu lange angedauert hatte, zu einem Ende zu bringen. Sie wusste selbst nicht mehr, wie es angefangen und warum es sich so sinnlos hochgeschaukelt hatte. Keiner von ihnen war fremdgegangen – hoffte sie jedenfalls –, keiner hatte die Gefühle des anderen zu sehr verletzt, keiner war im Streit – den es im eigentlichen Sinn gar nicht gegeben hatte – zu weit gegangen, sodass es keinen Weg mehr zurück geben konnte.

Sie schimpfte sich selbst eine dumme Gans, als sie nach rasanter

Fahrt – ganz gegen ihre sonstige Gewohnheit – im Hof von Madleners Hotel einparkte. Und genau das wollte sie ihm auch sagen, wenn er ihr die Tür seines Hotelzimmers aufmachte: Es war alles ihre Schuld und ihre verdammte Dummheit.

Madlener fuhr ausnahmsweise gemächlich. Er schimpfte sich selbst einen sturen Esel, als er mit seinem Wagen vor der Gründerzeitvilla von Dr. Auerbach anhielt, in deren Erdgeschoss Ellen wohnte. Und genau das wollte er ihr auch sagen, wenn sie ihm die Tür öffnete: Es war alles seine Schuld und seine verdammte Sturheit.

Er klingelte.

Sie klopfte.

Aber es wurde nicht aufgetan. Weder in der Auerbach-Villa noch im Hotel »Zum silbernen Zeppelin«.

Ratlos standen sie vor den jeweiligen Türen und probierten es noch einmal. Der unwiderstehliche und von unerfüllbarer Sehnsucht ausgelöste Impuls, der einen zum anderen hinzog wie den Eisenspan zum Magneten, verpuffte an der banalen Tatsache, dass der jeweils andere schlicht und einfach nicht da war. Ellen stellte die Flasche Brunello frustriert vor der Hotelzimmertür Madleners ab und beschloss, sich auf ihr warmes Bett zu freuen und Carlo diesmal ausnahmsweise auf der Bettdecke übernachten zu lassen.

Madlener legte seinen Rosenstrauß ebenso frustriert vor Ellens Haustür ab, dazu die Tüte mit dem Katzenfutter, und machte sich auf den Rückzug. Hintenherum um die Rückseite der Villa zu schleichen, um nachzusehen, ob Ellen nicht vielleicht doch zu Hause war und einfach nicht öffnen wollte, schien ihm nicht angemessen. Zu solch intimer Vorgehensweise fühlte er sich nicht mehr befugt, seit sie keine Beziehung mehr hatten. Wenn er ganz großes Pech hätte, würde er Ellen dabei auch noch in flagranti mit irgendeinem schwedischen Austauscharzt ertappen. Das wäre dann das endgültige Aus und für beide Seiten auch noch peinlich bis in alle Ewigkeit.

Madlener verscheuchte die düsteren Gedanken, die wieder von ihm Besitz ergriffen hatten, und versuchte bei der Heimfahrt krampfhaft, sich auf den nächtlichen Verkehr zu konzentrieren und darauf, rechtzeitig an einer Kreuzung abzubremsen, weil die Ampel Rot anzeigte.

Irgendwie kam ihm der Wagen, der schräg gegenüber auf der entgegenkommenden Fahrspur ebenfalls bei Rot angehalten hatte, bekannt vor. Es war ein weißer Volvo P1800 ES, ein Oldtimer, dessen Name unter Kennern »Schneewittchensarg« lautete, er war flach wie eine Flunder und hatte die typischen schmalen Fensterscheiben und kleine Heckflossen. Von diesem Modell gab es im gesamten Bodenseeraum nur eines, da war er sich vollkommen sicher. Und dieses eine war auf Dr. Ellen Herzog zugelassen.

Madlener pflanzte das magnetische Blaulicht auf sein Wagendach, schaltete es an, fuhr mit pulsierendem Blaulicht quer über die Kreuzung direkt vor die Front des weißen Volvo und stieg aus. Er dankte seinem Schöpfer für diese Gelegenheit und sein Blaulicht, ging auf die Fahrertür des Volvo zu, stützte seine Hände aufs Autodach und blickte Ellen, die tatsächlich hinter dem Steuer saß, einfach nur an. Das, was er sagen wollte, war ihm buchstäblich im Hals stecken geblieben.

Langsam kurbelte sie ihr Fahrerfenster nach unten und sah zu ihm hoch mit diesen braunen Augen, die ins Goldfarbene changierten. Schließlich fragte sie: »Willst du mich jetzt verhaften, Herr Kommissar?«

Er wusste nicht, wie lange er so am Fenster ihres Wagens stand, bis sie ihren Sicherheitsgurt löste, ausstieg und ihn mitten auf der Kreuzung küsste, weil er zu einer Erwiderung ihrer Frage einfach nicht imstande war. Sie konnten sich gar nicht mehr loslassen, obwohl es inzwischen angefangen hatte zu regnen. Eng umschlungen standen sie geschlagene drei Ampelphasen auf der Kreuzung und hatten alles um sich herum vergessen. Die hupenden Autos, die einen großen Bogen machen mussten, um vorbeizukommen, hörten sie nicht, erst ein Lieferwagenfahrer, der anhielt und ihnen aus dem offenen Fenster mit grinsendem Gesicht zurief: »Kann ich euch helfen?«, brachte sie wieder zu sich.

»Nein«, antwortete Madlener und winkte mit einer Hand ab. »Wir kommen allein zurecht.«

Ellen stieg wieder in ihren Volvo und fuhr hinter Madlener her, der erst daran dachte, das Blaulicht wieder abzuschalten, als sie in der Straße vor Ellens Wohnung hielten und er ausstieg.

In dieser Nacht taten sie kein Auge zu. Wenn sie für einen Augenblick innehielten, um Luft zu schöpfen, konnten sie durch das offene Fenster den Regen hören, der auf die Terrasse vor Ellens Schlafzimmer prasselte. Sie horchten eine Weile, dann machten sie da weiter, wo sie aufgehört hatten.

66

Am nächsten Morgen war Harriet immer noch nicht aufgetaucht. Frau Gallmann wusste sich keinen Rat mehr, und Madlener, obwohl er die ganze Nacht kein Auge zugetan hatte, war so hellwach, als hätte er eben fünf Tassen brasilianischen Extra-stark-Kaffee intravenös verpasst bekommen. Er stand die Tortur mit Thielen und dem neuen jungen Staatsanwalt locker durch, die darin bestand, alles noch einmal zu wiederholen und zu bestätigen, was am Tag zuvor bereits aufgeschrieben und protokolliert worden war. Zusätzlich beantwortete er alle Detailfragen des Staatsanwalts zu dessen Zufriedenheit, und endlich machten sie Schluss, weil Thielen und der Staatsanwalt noch einen anderen dringenden Termin hatten – die Presse wartete in voller Mannschaftsstärke auf sie, sogar zwei Fernsehteams waren eingetroffen. Madlener sollte zunächst auch an der Pressekonferenz teilnehmen, aber er zog es vor, einen heftigen Migräneanfall vorzutäuschen – etwas Besseres fiel ihm nicht ein –, und bekam gnädigerweise von Thielen für den Rest des Tages frei.

Er erkundigte sich bei Frau Gallmann nach Harriet, aber die zuckte nur hilflos mit den Achseln und schüttelte den Kopf. Jetzt reichte es Madlener. Er stürmte in sein Büro im Gebäude der Verkehrspolizei und beging einen absoluten Tabubruch, indem er alle Schubladen von Harriets Schreibtisch aufriss, weil er wusste, dass sie irgendwo einen Reserveschlüssel für ihre Wohnung deponiert haben musste. Er fand ihn – er war an einem Totenkopfschlüsselanhänger, was sonst – und eilte noch einmal hinüber in Frau Gallmanns Büro, indem er die Tür wieder so rücksichtslos aufriss wie früher. Frau Gallmann schreckte entsprechend zusammen, und er musste seinen ganzen Charme aufbieten, um diesen Fauxpas wiedergutzumachen.

»Frau Gallmann«, sagte er eindringlich, »wie lautet die Adresse von diesem Thilo, Sie wissen schon, diesem kurzzeitigen Freund von Harriet?«

»Oh«, antwortete Frau Gallmann, »sind die beiden wieder

auseinander … Das tut mir aber leid. Sie haben so gut zueinander gepasst.«

»Optisch vielleicht, Frau Gallmann, das war rein optisch.«

Frau Gallmann sah Madlener an, dass es ihm überaus ernst war, schaute im PC nach und schrieb die Adresse auf einen Notizzettel, den sie Madlener in die Hand drückte.

Madlener warf einen Blick darauf, und Frau Gallmann sagte besorgt: »Glauben Sie, er hat ihr was angetan?«

»Ich weiß es nicht, Frau Gallmann. Aber ich werde es herausfinden.«

»Wenn das so isch, haben Sie meine volle Unterstützung und Rückendeckung. Sie wisset, was ich meine, Herr Madlener.«

»Ja, ich weiß. Ich hoffe nicht, dass ich sie brauche.«

Damit stürzte er wieder aus dem Vorraum von Thielen, ohne die Tür zu schließen. Das erledigte Frau Gallmann für ihn.

67

Madlener fuhr direkt die Uferstraße Richtung Westen entlang zu Harriets Wohnung. Es waren nicht ganz zehn Kilometer von Friedrichshafen nach Immenstaad, Harriet wohnte in einem modernen Apartmenthaus in dritter oder vierter Reihe vom See entfernt. Die zwölf Apartments im Haus waren eigentlich Ferienwohnungen, die alle möbliert waren und normalerweise an Urlaubsgäste vermietet wurden. Aber Harriet hatte eine davon als Dauermieterin von ihrer Tante zur Verfügung gestellt bekommen, er erinnerte sich, dass seine Assistentin ihm einmal davon erzählt hatte. Vor ihrer Wohnungstür zog er den Schlüssel mit dem Totenkopfanhänger aus seiner Tasche, klingelte aber vorsichtshalber noch einmal Sturm, klopfte zusätzlich und wartete. Als sich nichts rührte, sperrte er auf – dabei fiel ihm sofort auf, dass die Tür nur ins Schloss gezogen und nicht abgesperrt worden war – und ging hinein.

Er betrat Harriets Wohnung zum ersten Mal und blickte sich um. Es sah so aus, als wäre die Wohnungsinhaberin erst im Begriff einzuziehen, denn außer einem winzigen Tisch, zwei Klappstühlen, einer Futonmatratze und zwei vollgehängten rollbaren Kleiderständern war nichts in den zwei Zimmern, absolut nichts – außer einem großen Flachbildfernseher und einer Musikanlage, die teuer aussah. Ein paar Kartons mit CDs, DVDs und Büchern waren neben Reinigungsmitteln in einer winzigen Abstellkammer, deren einziges Regal mit Schuhen und Stiefeln vollgestopft war. Die Küchenzeile war klinisch sauber, ein Toaster und eine Mikrowelle standen auf der Anrichte, das war alles. Keine Bilder an der Wand, nichts Privates, alles sah fast unheimlich spartanisch und provisorisch aus.

Er fühlte sich in dieser Umgebung fatal an seine eigene Lebensweise erinnert – auch er bevorzugte ein steriles Hotelzimmer und besaß nur das Allernötigste. Er schüttelte den Kopf – vielleicht waren sie sich doch ähnlicher, als er es sich jemals hätte vorstellen können.

Er warf noch einen Blick ins Badezimmer, ziemlich viel Schminkkram, zwei Suppenschüsseln voller Silberschmuck, Ringe, Armreife und Piercings.

Harriet war nicht hier, und nichts deutete darauf hin, wo sie stecken konnte. Er ging noch einmal zurück ins Schlafzimmer, wo die Rollläden fast ganz heruntergezogen waren. Er machte Licht und entdeckte neben ihrem schwarzen Motorradhelm ihren unvermeidlichen Rucksack mit allem, was sie immer so mit sich durch die Gegend schleppte. Er musste sich regelrecht überwinden, um darin herumzukramen, schließlich war der Inhalt ihres Rucksacks wirklich ihr privatester Bereich, der ihn normalerweise nichts anging, aber diese Situation war nicht normal. Und tatsächlich: Er fand ihre Walther PPK im Schulterhalfter, ihr Tablet, ihre Ausweise, ihr Geld und sogar ihr Smartphone, abgeschaltet.

Jetzt wuchsen sich seine grundsätzlichen Sorgen zu einer regelrechten Panikattacke aus – nie würde Harriet ihr Smartphone zurücklassen, es gehörte zu ihr wie ihr rechter Arm. Er machte es an und sah, dass es passwortgesichert war. Natürlich. Wütend warf er es auf Harriets Bett.

Madlener suchte noch einmal alles gründlich ab, ob er etwas Auffälliges entdeckte, sah sogar in ihren Abfalleimer in der Küche. Selbst er war leer und so sauber, als hätte sie ihn noch extra ausgeputzt.

Und im Kühlschrank waren ausschließlich Cola-light-Flaschen und ungefähr ein Dutzend Joghurtbecher.

Geistesabwesend tastete er nach seiner Pistole. Natürlich war sie nicht da, wo sie sein sollte, sondern im Safe seines Hotelzimmers. Er fluchte leise, aber nach kurzer Überlegung ging er zurück ins Schlafzimmer und schnappte sich Harriets Walther PPK.

Dann verließ er das Apartment und fuhr zu der Adresse nach Friedrichshafen, die Frau Gallmann ihm gegeben hatte.

68

Thilo Dobler wohnte bei seinen Eltern im Friedrichshafener Stadtteil Allmannsweiler gleich westlich vom Flughafen. Diese Information hatte Madlener von Frau Gallmann bekommen, die er auf der Fahrt dorthin angerufen hatte, weil er wissen wollte, ob Thilo Dobler noch Dienst hatte. Unterwegs überlegte er, was er tun sollte. Wenn Dobler etwas zu verbergen und mit Harriets spurlosem Verschwinden zu tun hatte, was Madlener befürchtete, dann war es besser, so entschied er, ihn zu observieren.

Er parkte sein Auto in Sichtweite des schmucklosen Einfamilienhauses der Doblers und stellte sich auf eine längere Wartezeit ein. Laut Frau Gallmann musste Thilo seine Schicht für heute beendet haben und bald zu Hause auftauchen. Tatsächlich dauerte es kaum eine halbe Stunde, bis ein Golf in die Garageneinfahrt einbog und Thilo Dobler in Privatklamotten ausstieg. Madlener kämpfte eben noch mit sich, ob er aussteigen und ihn vor seinen Eltern zur Rede stellen sollte, aber dann verwarf er diese Idee wieder. Sollte er sich dumm stellen und leugnen, etwas über den Verbleib von Harriet zu wissen, kam er so nicht weiter, und Dobler war von diesem Zeitpunkt an gewarnt. Andererseits — wenn er Harriet wirklich aufgelauert und sie gegen ihren Willen irgendwohin verschleppt hatte, musste er Gewalt angewendet haben, und sie war vielleicht in Gefahr, oder …

Diesen Gedankengang wagte Madlener erst gar nicht weiterzuverfolgen, aber nach der ganzen Vorgeschichte zwischen Harriet und Dobler war das nicht unbedingt auszuschließen. Nach allem, was er wusste und mit seiner langjährigen Erfahrung einkalkulieren musste, war Thilo ein Stalker, der die Grenzen, die ihm Harriet gesetzt hatte, nicht akzeptieren konnte und wollte. Er musste an ihm dranbleiben, und wenn es die ganze Nacht dauerte. Er glaubte nicht, dass Dobler Harriet im Haus seiner Eltern untergebracht hatte. Wenn er sie irgendwo versteckt hatte, dann musste das woanders sein.

Madlener bereute es, dass er seine letzte Zigarettenschachtel weggeworfen hatte. Er konnte nicht einfach zur nächsten Tankstelle fahren, um noch welche zu kaufen, er durfte das Haus der Doblers jetzt auf gar keinen Fall aus den Augen lassen. Da erspähte er am Ende der Straße tatsächlich noch einen Zigarettenautomaten, einen der letzten seiner Art. Er stieg aus und spazierte bis zu ihm hin, fischte die EC-Karte aus seiner Brieftasche, die man nun mal brauchte, um nachzuweisen, dass man über achtzehn war, führte sie in den dafür vorgesehenen Schlitz ein und suchte nach Silbergeld. Dabei behielt er das Haus der Doblers ständig im Blick.

Der dritte Euro fiel immer wieder durch, und es war ein schweißtreibendes Geduldsspiel, bis es ihm nach zahllosen Versuchen mit dem vertrackten Münzschiebemechanismus endlich gelang, dem Automat eine Schachtel zu entlocken. Als er seine Hand damit aus dem Schacht zog, stellte er fest, dass sie völlig schwarz und verdreckt war – wahrscheinlich hatte irgendein Jugendlicher aus Wut, nicht an Zigaretten zu kommen, die glorreiche Racheidee gehabt, einen Feuerwerkskörper im Ausgabeschacht explodieren zu lassen. Er konnte das nur zu gut verstehen – hätte er in diesem Augenblick zufällig einen Kanonenschlag dabeigehabt, er hätte das Gleiche getan. Und dann war die Schachtel in seiner schwarz verfärbten und pulververschmierten Hand nicht einmal seine Marke, irgendwie musste er in der ganzen Fummelei auch noch den falschen Knopf gedrückt haben. Es war wirklich an der Zeit, endgültig mit dem Rauchen aufzuhören, dachte er resigniert und setzte diese verflixten Zigarettenautomaten auf seine Liste der Dinge, die das Leben unnötig kompliziert machten, voller Ingrimm aus dem Stand sofort auf Platz eins, noch vor die Multifunktionsschalter. Vergeblich versuchte er, mit einem Papiertaschentuch den schwarzen Schmutz von seiner Hand abzuwischen, drehte sich um und sah gerade noch, wie der Golf mit Dobler rückwärts aus der Einfahrt stieß und davonfuhr.

Mist, Mist, Doppelmist!

Er spurtete in einem Sprint zu seinem Auto zurück, der Usain Bolt Konkurrenz gemacht hätte, startete seinen Wagen und preschte reifenquietschend hinterher. Aber schon an der ersten Kreuzung fand er ihn nicht mehr. Auf Verdacht steuerte er in die nächste Querstraße ein und konnte den Golf gerade noch abbiegen sehen. Er gab Gas und holte ihn schnell ein, ließ sich dann aber wieder zurückfallen und hielt sich in unauffälligem Abstand hinter ihm. Die Fahrt ging am südwestlichen Ende des Flughafens vorbei in Richtung Klärwerk. Kurz vorher bog der Golf erneut ab zur Kleingartenanlage Kitzenwiese, wo er auf einem kleinen Parkplatz anhielt. Madlener hatte weit genug entfernt hinter einem Lastwagen gestoppt und beobachtete Dobler, der in Freizeitkleidung ausstieg, eine Sporttasche aus dem Kofferraum holte und damit einen Kiesweg zwischen den gepflegten Schrebergärten mit ihren individuell gestalteten Datschen entlangging.

Es regnete, deshalb war kein Mensch beim Gärtnern zu sehen. Madlener spazierte in gehöriger Entfernung hinterher. Dobler kam an ein Gartentor, sperrte es auf und hinter sich wieder ab und verschwand in dem robusten Holzhäuschen, vor dem eine Flagge von Baden-Württemberg an einem hohen Mast träge im Wind flatterte. Madlener wartete, dann schlich er neben der nachbarschaftlichen Hecke heran, bis er das Grundstück mit der Flagge einsehen konnte. Es war ein Eckgrundstück, das nach hinten von dichtem Wald begrenzt wurde. Den Blick auf die Nachbarparzelle verhinderte eine dichte, mannshohe Ligusterhecke. Dobler war im Gartenhaus verschwunden, dessen Fensterläden geschlossen waren. Der Garten sah aus wie die Nachbarparzellen auch: gepflegt, volle Blumenrabatte mit Herbstblumen, eine große grüne Regentonne neben dem Eingang für Gießwasser, säuberlich gestapeltes Brennholz unter einem Vorbau.

Madlener blickte sich um: Nirgends war eine Menschenseele zu sehen. Er wartete darauf, dass Dobler von innen die Fensterläden aufstoßen würde, um Tageslicht in der Hütte zu haben, aber das tat er nicht. Madlener blieb sicherheitshalber noch eine Weile hinter der Hecke in Deckung, falls Dobler kurz durch ein Guckloch nach draußen spähte, um ganz sicherzugehen, dass ihm niemand gefolgt war. Der vordere Zaun um das Dobler'sche Grundstück war etwas mehr als hüfthoch. Madlener vergewisserte sich noch einmal, dass niemand in der Nähe war, dann kletterte er darüber, riss sich dabei die Hose auf, achtete nicht weiter darauf und lief an die Hüttenwand, wo er das Ohr ans Holz hielt und erst mal lauschte. Er vernahm undeutlich eine Männerstimme. Vorsichtig schlich er um das Häuschen herum zur Rückseite. Dort war ebenfalls ein Fenster mit geschlossenen Fensterläden. Er entriegelte einen davon und machte ihn einen schmalen Spalt weit auf, durch den er einen Blick in das Innere werfen konnte.

Thilo Dobler stand mit verschränkten Armen mitten im Raum, der wie eine Berghütte rustikal eingerichtet war und von einer Gaslampe erhellt wurde. Vor ihm auf dem Boden saß Harriet. Sie hatte ihre Lederjacke an und war mit einer Handschelle an den eisernen Fuß eines alten, schweren Kanonenofens gefesselt. Harriet sah schrecklich aus, noch bleicher als sonst, ihre schwarze Wimperntusche war verschmiert und verlaufen, was ihrem Gesicht fast etwas Halloweenmaskenartiges verlieh. Dobler stellte einen Teller mit belegten Broten in ihre Reichweite und erhob sich wieder. Harriet trat nach dem Teller und schleuderte ihn mit einem Fuß weg, Dobler konnte ihm gerade noch ausweichen. Er blickte ernst.

»Anscheinend hast du immer noch nicht verstanden, Harriet, um was es hier geht«, sagte er. »Ich bin sehr enttäuscht von dir. Was ist nur aus dir geworden? Warum siehst du nicht ein, dass es nur zu deinem Besten ist, wenn du dich fügst?«

Harriet schrie ihn aus Leibeskräften an: »Weil du ein Scheißkerl bist, darum! Du hast doch einen gewaltigen Sprung in der Schüssel!«

Dobler nahm einen Stuhl, setzte sich in ausreichender Entfernung von Harriets Beinen rittlings darauf und legte sein Kinn auf seine Arme, mit denen er sich auf die Rückenlehne aufgestützt hatte. »Harriet, oh Harriet! Verstehst du denn nicht, wie sehr ich dich liebe? Warum wehrst du dich auf einmal dagegen? Je länger du dich wehrst, desto schlimmer für dich. Ich habe Zeit. Du wirst es schon noch lernen, dich zu fügen.«

Harriet versuchte es auf eine neue Art und redete ruhig auf Dobler ein: »Thilo, ich verspreche dir, wenn du mich hier rauslässt, dann sag ich keiner Menschenseele etwas, und wir vergessen die Sache einfach.«

Dobler legte seinen Kopf in den Nacken und lachte lauthals, bevor er sie wieder voller Mitgefühl ansah. »Harriet – du bist nicht ehrlich zu mir. Und damit beleidigst du mich. Ich glaube dir kein Wort.«

»Sie werden mich finden. Was glaubst du, werden sie mit dir machen, wenn sie mich finden?«

»Dazu wird es nicht kommen, Harriet. Vorher verlassen wir beide zusammen nämlich diese Welt.«

Er zog seine Schusswaffe aus der Sporttasche und streichelte sie vor Harriets Augen provokativ. »Ich kann es nicht zulassen, dass du dich von mir abwendest. Das verstehst du doch, Harriet, oder?«

»Nein! Das verstehe ich nicht!«

»Dann wirst du es eben lernen müssen. Ich werde dir so lange nichts zu essen und zu trinken geben, bis du mich verstehst. In ein paar Tagen bist du so schwach, dass du mich um Vergebung bitten wirst.«

»Niemals.«

»Oh doch. Du wirst mich anbetteln und anflehen, du wirst mir alles versprechen. Aber kann ich dir dann auch wirklich glauben? Wirst du es ehrlich meinen? Du wirst dir Mühe geben müssen, mich zu überzeugen. Denn sonst, wenn ich dir nicht glauben kann ...« Er zielte spielerisch mit dem Lauf seiner Waffe auf Harriet. »... dann muss ich das Spielchen hier beenden. Für uns beide. Verstehst du wenigstens das?«

»Ich schreie hier so lange, bis mich jemand findet.«

»Bitte. Das steht dir frei. Aber hier hört dich niemand.«

Er stand auf und stellte den Stuhl wieder weg. »Ich muss jetzt gehen, Harriet. Dein Essen nehme ich wieder mit. Ich weiß nicht, wann ich wiederkomme. Ob ich überhaupt wiederkomme. Welcher Mann will denn schon zu einem verstockten Mädchen gehen, das sich dagegen wehrt, geliebt zu werden? Wer nicht hören will, muss fühlen, Harriet.«

»He – das kannst du nicht tun! Du kannst mich nicht einfach hier zurücklassen!«

»Oh doch. Diese kleine Lektion kann ich dir nicht ersparen. Das hast du dir selbst zuzuschreiben. Denk mal darüber nach.

Die Zeit dazu hast du ja jetzt. Ich lasse sie dir. Ach ja – Licht hast du auch keines. Außerdem kann es schon ganz schön kalt werden nachts. Das ist nicht angenehm, aber es wird helfen, dich zu läutern. Denk über mich und dich nach. Und wenn es mir passt, dann besuche ich dich wieder. Um zu sehen, ob du schon Fortschritte gemacht hast. Es liegt allein an dir, Harriet.«

»Nein, bitte …«

Er machte ein angewidertes Gesicht. »Siehst du, schon fängst du an zu jammern. Aber ich spüre, dass du es nicht ehrlich meinst.«

Er löschte das Gaslicht, packte seine Tasche und verließ die Hütte. Von draußen sperrte er sorgfältig ab und wollte sich gerade umdrehen, da traf ihn Madleners Schlag mit dem Lauf der Walther PPK im Nacken. Er brach auf der Stelle zusammen und verlor das Bewusstsein.

Madlener bückte sich, zog aus seiner Hosentasche einen Kabelbinder, den er sich noch eingesteckt hatte, fesselte damit Dobler die Hände auf den Rücken und fischte aus dessen Hosentasche einen Schlüsselbund und die Handschellenschlüssel.

Er schloss die Hüttentür wieder auf und öffnete sie vorsichtig. »Harriet, nicht erschrecken, ich bin's, Max.«

Er ließ die Tür offen, damit Licht hereinkam. Harriet sah ihn mit großen, ungläubigen Augen an, als wäre er ein Hirngespinst und könnte sich in Luft auflösen, wenn sie es ansprach. Madlener kniete sich schon nieder und befreite sie von ihrer Handschelle. Harriet warf sich so heftig an seinen Hals, dass er fast umgefallen wäre, dann fing sie an zu schluchzen. Harriet, die nie eine stärkere Gefühlsregung gezeigt hatte als ein demonstratives Schniefen.

Madlener war so überwältigt von Harriets heftiger und unerwarteter Reaktion, dass er zunächst kein Wort herausbrachte. Schließlich sagte er: »Tut mir leid, dass ich so lange gebraucht habe, dich zu finden.«

Harriet antwortete unter Tränen: »Und ich dachte schon, du kommst gar nicht mehr.«

Dann fing sie erneut an, hemmungslos zu schluchzen, und wollte ihn gar nicht mehr loslassen.

Bevor sie zu ihrem Lieblingsitaliener in Überlingen fuhren, hatten Madlener und Ellen Harriet noch einen Besuch im Krankenhaus abgestattet. Madlener wollte ihr unbedingt noch den Schal vorbeibringen, weil er den ihren als Lunte für seine Brandstifteraktion auf dem Schrottplatz der Gebrüder Schwarz missbraucht und ihr versprochen hatte, dafür einen neuen zu kaufen. Ellen hatte ihn ausgesucht, es war ein einfacher schwarzer, dafür aus Kaschmir.

Harriet, die schon wieder putzmunter mit ihrem Tablet im Krankenbett saß, hatte sich mit einer Umarmung bedankt und ihn gleich um den Hals geschlungen. Morgen sollte sie entlassen werden, außer ein paar blauen Flecken und ein paar miesen Erfahrungen hatte sie oberflächlich keinen Schaden davongetragen. Thilo Dobler hatte Harriet in ihrer eigenen Wohnung aufgelauert, anscheinend hatte er sich Nachschlüssel besorgt, als sie für kurze Zeit zusammen waren. Harriet war sehr schnell klar geworden, dass er nicht richtig tickte und krankhafte Besitzansprüche ihr gegenüber an den Tag legte, die sie nicht länger hinnehmen wollte. Aber Dobler ließ sich einfach nicht abwimmeln und hatte regelrecht begonnen, sie zu stalken. Er hatte sich immer mehr in seinen Wahn hineingesteigert, einen Anspruch darauf zu haben, sie für sich allein zu besitzen, und nahm jede noch so brüske Zurückweisung Harriets eher als Ansporn auf, noch zudringlicher zu werden. Er hatte Harriet mit Chloroform betäubt, sie in das Schrebergartenhäuschen seiner Eltern gebracht und dort an den Ofen gefesselt. Auch er war, nachdem Madlener ihn humorlos niedergeschlagen hatte, ins Krankenhaus eingeliefert worden und saß nun in U-Haft. Was mit ihm geschehen sollte, darüber würde ein Gericht urteilen müssen.

Wie tief sich dieses traumatische Erlebnis in Harriets Psyche eingegraben hatte, das musste sich mit der Zeit herausstellen. Aus eigener Erfahrung wusste Madlener, dass so ein Trauma nicht so leicht zu verarbeiten war, selbst wenn es den Anschein hatte.

Jedenfalls wollte Harriet so schnell wie möglich wieder zurück an ihren Schreibtisch, schließlich galt es, den Fall Matussek/ Aigner/Haggenmiller mit all seinen Nebenwirkungen abzuarbeiten – da wartete noch eine Menge Papierkram auf sie.

Als Ellen und Madlener später bei ihrem Lieblingsitaliener in der Greth in ihrer Lieblingsnische mit dem Fenster zum Bodensee hinaus saßen und aus bewusst sentimentalen Gründen genau das Gleiche bestellt hatten wie damals bei ihrem ersten Rendezvous – nämlich eine Flasche Spätburgunder von der Spitalkellerei Konstanz, als Vorspeise ein Fischcarpaccio, anschließend für Madlener Papardelle al ragù di agnello, für Ellen Spaghetti alla puttanesca, und am Schluss teilten sie sich ein Tiramisu –, fanden sie beide, dass ein Neuanfang nicht besser zelebriert werden konnte. Über Berufliches war ein gegenseitiges Sprechverbot verhängt worden, sie hatten auch so genügend Gesprächsthemen, über die sich trefflich und angemessen hitzig streiten ließ: die schwedische Küche zum Beispiel – Madlener kannte nur Köttbullar aus einem schwedischen Möbelhaus und hatte entsprechende Vorurteile –, die unterschiedlichen Qualitäten von Katzenfutter, Mittsommernächte, Mallorca, Island …

Jedenfalls hatten sie eine Menge nachzuholen, in jeder Beziehung, dazu reichte ein Abend nicht aus.

Später, als man sie sozusagen aus dem Restaurant hinauskomplimentiert hatte, weil sie wieder einmal gar nicht gemerkt hatten, wie schnell die Zeit vergangen war und dass sie längst die letzten Gäste im Lokal waren, saßen sie noch draußen auf den Steinstufen am Landungsplatz vor dem Bodenseereiter-Brunnen, es war ein erstaunlich milder Abend, und schauten aufs schwarze Wasser hinaus, in dem sich die Lichter und die Sterne spiegelten und die Enten um die Wette schnatterten.

Madlener hatte eine Frage. »Du bist mit einem Boot auf dem Wasser, und plötzlich kommt Wind auf. Was machst du?«

Ellen zuckte mit den Achseln. »Hängt davon ab …«

»Der Pessimist beklagt den Wind. Der Optimist hofft, dass er sich dreht. Der Realist setzt die Segel. Ist nicht von mir, sondern von einem Engländer namens Ward.«

»Ich würde sagen, ich bin eher der Realist. Und du?«

»Ich?«

»Ja. Was macht der unverbesserliche Romantiker?«

Er lächelte in sich hinein. »Er wünscht sich, dass alles wieder so wird, wie es vorher nie war.«

Sie schwiegen eine Weile, aneinandergeschmiegt, bis Madlener sagte: »Wusstest du eigentlich, dass mindestens siebenundneunzig Leichen auf dem Grund des Bodensees liegen? Die wegen der Kälte dort unten nie mehr hochkommen …«

»Siebenundneunzig? Wieso ausgerechnet siebenundneunzig?«

»Sagt die Wasserschutzpolizei hier am Ort. Siebenundneunzig vermisste Personen am Bodensee seit Juni 1947. Ich habe mich erkundigt.«

»Warum?«

»Weil ich vermute, dass es seit ein paar Tagen achtundneunzig sind. Aber das werde ich wohl nie beweisen können.«

»Jetzt vergiss mal deinen Fall und das Wasser und denk an die Berge.«

Dazu breitete sie theatralisch die Arme aus und sah nach oben zum Firmament.

»Welche Berge?«, fragte er misstrauisch.

»Die Allgäuer Berge.«

»Oh nein!«

»Komm schon, Max. Gib deinem Herzen einen Stoß. Mein Vater hat in vier Wochen Geburtstag. Er hat uns auf sein kleines Chalet eingeladen.«

»Was heißt uns … meinst du: mich auch?«

»Ja. Speziell auch dich. Jetzt, wo wir beide wieder zusammen sind.«

»Ach, das weiß er auch schon?«

»Das lässt sich wohl kaum vermeiden, wenn du mit Blaulicht mitten in der Nacht zusammen mit mir zu seinem Haus fährst und wir beim Hineingehen so einen Höllenlärm machen, weil wir praktisch mit der Tür ins Haus fallen.«

Sie sah ihn mit diesem schelmischen Blick ihrer glänzenden braunen Augen an, dem er einfach nichts entgegenzusetzen hatte. Obwohl er befürchtete, dass er es schwer bereuen würde, sagte er: »Also gut. Ich komme mit. Unter einer Bedingung: Es gibt keine Bergwanderung!«

Ellen hob die drei Schwurfinger. »Ich verspreche es. Hoch und heilig!«

Madlener wusste genau, dass die Gültigkeit dieses Schwurs höchstens eine Halbwertszeit von ein oder zwei Wochen hatte, aber in diesem Augenblick war ihm das völlig egal …

Walter Christian Kärger
DAS FLÜSTERN DER FISCHE
Broschur, 400 Seiten
ISBN 978-3-95451-083-2

»Walter Christian Kärger hat einen sprachlich ansprechenden, gut
durchdachten und sehr spannenden Krimi geschrieben, der von der
ersten bis zur letzten Seite in Atem hält.«   Das schöne Allgäu

www.emons-verlag.de